LE SYNDROME DE LA CORDE AU COU

Couverture

- Conception graphique et illustration:
  Violette Vaillancourt

DISTRIBUTEURS EXCLUSIFS:

- Pour le Canada:
  AGENCE DE DISTRIBUTION POPULAIRE INC.*
  955, rue Amherst, Montréal H2L 3K4 (tél.: 514-523-1182)
  Télécopieur: (514) 521-4434
  * Filiale de Sogides Ltée

- Pour la France et l'Afrique:
  INTER FORUM
  13, rue de la Glacière, 75013 Paris (tél.: (1) 43-37-11-80)
  Télécopieur: 43-31-88-15

- Pour la Belgique, le Portugal et les pays de l'Est:
  S. A. VANDER
  Avenue des Volontaires, 321, 1150 Bruxelles
  (tél.: (32-2) 762.98.04)
  Télécopieur: (2) 762-06.62

- Pour la Suisse:
  TRANSAT S.A.
  Route des Jeunes, 19, C.P. 125, 1211 Genève 26
  (tél.: (42-22) 42.77.40)
  Fax: (22) 43.46.46

LE SYNDROME DE LA CORDE AU COU

Docteurs Sonya Rhodes
et Marlin S. Potash

Traduit de l'américain
par Jacques Vaillancourt

Données de catalogage avant publication (Canada)

Rhodes, Sonya

Le syndrome de la corde au cou

Traduction de: Cold Feet.
Comprend des références bibliographiques.

ISBN 2-7619-0838-4

1. Engagement (Psychologie). 2. Intimité (Psychologie). 3. Hommes — Psychologie. 4. Amour — Aspect psychologique. 5. Personnes seules — Psychologie. 1. Potash, Marlin S. II. Titre

BF619.R4814 1989 155.3'32 C89-096423-8

Édition originale: *Cold Feet*
E.P. Dutton
(ISBN 0-525-24634-7)

Bibliothèque nationale du Québec
Dépôt légal — 3e trimestre 1989

ISBN 2-7619-0838-4

À nos maris

Remerciements

Nous désirons remercier Susan Schneider, dont le dévouement infatigable et les talents d'éditrice ont beaucoup apporté au présent ouvrage. Sans elle, nous n'aurions jamais pu l'écrire.

Notre gratitude aussi à tous les hommes et à toutes les femmes qui nous ont fait partager leur vie. Leur contribution apparaît à chaque page. Nous devons un merci tout spécial à Geri Thoma, qui a toujours été là quand nous avons eu besoin d'elle.

Encore une fois, ma chère amie Jean Marzollo m'a donné généreusement temps et patience. J'apprécie vivement le professionnalisme de sa révision et les critiques qu'elle a formulées aux diverses étapes du projet.

Les personnes suivantes ont discuté avec moi des concepts en jeu et examiné les versions préliminaires du manuscrit: Monica Halpert, Barbara Kass, Ann Jackler, Vinton Taylor, Ceil Weissman et Nancy Wolff. Cette collaboration m'a été précieuse. Quant à Jon Banton, à Stephen Dickstein, à Rene Goldmuntz, à Lisa Rothblum et à Steven Dreyfus, je leur dois beaucoup parce qu'ils m'ont offert leur temps et m'ont fait profiter de leur sagesse. Un merci spécial à Alan Alpert, qui a trouvé un moyen bien à lui de prendre place dans le présent ouvrage.

Mon mari, Bob, m'a prodigué son soutien et ses conseils et m'a donné (je ne dois pas l'oublier) le point de vue des hommes à toutes les étapes de l'élaboration du livre; je remercie donc mon meilleur ami, le conseiller en qui j'ai toute confiance. Mon fils Justin et ma fille Jennifer m'ont fait prendre conscience de la façon dont sont définies dans leur école les relations quotidiennes hommes-femmes. En tant qu'adolescents, ils sont confrontés, sans s'en rendre compte, aux questions dont traite le présent ouvrage. Ce sont eux qui ont nourri ma foi en ce projet.

Septembre 1987 SONYA RHODES

Toute ma gratitude à mes patients qui, au fil des années, m'ont laissée pénétrer dans leur vie intérieure. Leurs expériences m'ont permis de formuler les idées que contient le présent ouvrage. Merci à ceux qui ont suivi mes cours et participé à mes ateliers, ainsi qu'à mes collègues en psychothérapie, en affaires et en enseignement. Nos conversations stimulantes et les nouvelles questions qu'ils soulèvent continuellement contribuent sans aucun doute à mon développement.

À Barbara Potash et à Henry Druker, ma plus profonde reconnaissance pour le temps et l'énergie qu'ils n'ont pas ménagés en m'aidant à mener à bien les entrevues.

Envers mes parents, qui m'ont appris à m'engager, et qui eux-mêmes sont restés engagés l'un envers l'autre depuis plus de quarante-cinq ans, je serai toujours reconnaissante. Mon mari, Fred, m'aide à comprendre les efforts que requiert le fait de vivre jour après jour un engagement, ainsi que les récompenses que cet engagement peut nous donner. Mille mercis aussi à Laura, ma fille, qui fait de cet engagement une joie, et à Hilary, mon autre fille, qui a fait preuve d'une grande patience durant la période qui a conduit à la publication du présent ouvrage.

Septembre 1987 MERLIN S. POTASH

Pourquoi nous avons écrit ce livre

Les femmes d'aujourd'hui sont les premières de l'histoire à atteindre à la libération sexuelle, à l'indépendance financière et à la réussite professionnelle. Elles devraient donc être plus heureuses et épanouies — sur le plan professionnel et sur le plan personnel — que toutes les autres femmes qui les ont précédées. Est-ce le cas? Non. Au cours des cinq dernières années, nous avons remarqué dans nos cabinets de psychothérapie et au cours de nos recherches cliniques l'émergence d'un nouveau phénomène: les femmes, qui *devraient* donc être heureuses, s'interrogent sur l'échec de leurs relations avec les hommes.

Les clientes ne tarissent pas de récits. «J'ai trente-deux ans et je veux fonder une famille. Je vis avec mon ami depuis trois ans, mais aussitôt que je lui parle de mariage, il se raidit. Il dit qu'il doit se garder ouvert à d'autres possibilités.» «Le mot mariage n'effraie pas mon ami; comment cela se pourrait-il: après deux ans de fréquentations, nous n'en sommes même pas encore arrivés à une vraie relation.» «Je vois le même homme depuis un an. Pourquoi décroche-t-il au point de vue sexuel, aussitôt que nous nous rapprochons?» «J'ai rencontré un homme hier soir et ç'a été *électrique*. Il semblait vraiment s'intéresser à moi et comprendre que je ne voulais pas coucher avec lui à notre première rencontre. Alors pourquoi ne m'a-t-il pas rappelée?»

Les hommes que nous rencontrons dans nos cabinets (et ils viennent de plus en plus nombreux) souffrent d'un malaise et d'une terreur de l'intimité dans les rapports comme nous n'en avons jamais vu auparavant. Le symptôme: la panique à la *seule idée* d'être étroitement liés avec une femme. C'est ce que nous appelons le «syndrome de la corde au cou», et il atteint des proportions épidémiques. Dans notre société, tous les hommes en sont affectés à un degré plus ou moins grand. Nous ne mettrons pas de gants: non seulement les hommes sont différents de nous, mais ce sont des amateurs pour ce qui est de l'intimité. Les hommes de notre société n'ont pas été entraînés aux rapports étroits. Pour la première fois de l'histoire, être engagé signifie être connecté affectivement, et non pas être responsable financièrement.

Les nouvelles ne sont pas toutes mauvaises, heureusement. Certains hommes sont plus sensibles que leur père et aspirent davantage à une relation intime. Mais, même s'il se peut que l'homme cherche une vraie femme, pas une femmelette, il se peut également qu'il soit troublé et paralysé par les exigences qu'elle lui impose. Face aux femmes de notre époque, les hommes sont à la fois effrayés et intrigués, attirés et repoussés, rebutés et exaltés. Les hommes sont accablés par les exigences des femmes, en même temps qu'ils sont attirés par celles qui sont fortes, séduisantes et franches quant à leurs besoins et à leurs attentes. C'est à cause de ce dilemme émotionnel — le déchirement entre l'appréhension et l'attirance — que l'homme souffre du syndrome de la corde au cou.

Pendant ce temps, les femmes qui devraient être heureuses se demandent: «Est-ce que c'est moi? Suis-je à blâmer?» Rien ne pourrait être plus loin de la vérité.

Si vous jetez un coup d'œil sur les ouvrages en vogue traitant des relations hommes-femmes, vous y lirez que les hommes sont pas mal (mises à part quelques petites bizarreries), alors que les femmes (qui n'arrivent jamais à être heureuses) sont poussées vers l'autodestruction. Dans ces livres, on suppose que les femmes, au mieux cruellement malavisées, au pire tout à fait névrosées ou délibérément butées, sont les seules que l'on doive blâmer pour l'échec des relations de couples. Le fait de lire ces livres — et de les prendre pour parole d'évangile — pourrait mener toute femme saine et normale à se demander si elle ne devrait pas passer un peu de temps sur le divan d'un psychanalyste. Dans nos cabinets, nos ateliers et nos conférences, nous avons vu des femmes essayer de mettre au jour des pathologies qui n'existaient pas. «Encore une relation de ratée... mon thérapeute me dit que je suis attirée par les gars pourris et que je devrais essayer de changer.» «Comment se fait-il que, au travail, je prends de bonnes décisions, mais que dans ma vie privée, je fous toujours tout en l'air? Il y a sûrement quelque chose qui ne va pas en moi.» Et ainsi de suite...

Il se peut que votre thérapeute, vos amis ou votre mère vous «analysent» jusqu'à ce que mort s'ensuive, vous disant que vous provoquez vous-même vos échecs ou que vous avez peur de vous engager. Ce n'est pas vrai. La plupart des femmes pensent facilement et naturellement à une relation intime à condition que des hommes y soient ouverts. Les femmes font tout pour arriver à l'engagement; elles le *souhaitent*. Notre travail auprès des hommes nous révèle que vos difficultés relationnelles surviennent parce que ce sont les hommes qui ne s'engagent pas.

«C'est anti-hommes», lança une participante, au cours de nos discussions sur les conclusions de nos recherches. «Plutôt que de rejeter la faute sur les femmes, vous la rejetez sur les hommes. À quoi cela sert-il?»

Rejetons-nous la faute sur les hommes? Non. Dans cet ouvrage, nous ne blâmons personne. Nous concentrons notre attention sur les problèmes des hommes plutôt que sur ceux des femmes. Au début, il se peut que cette idée vous déplaise; c'est le cas de beaucoup de femmes. En tant que femmes, nous avons toutes été éduquées et entraînées à protéger les hommes; s'il existe une difficulté dans une relation, nous préférons croire que c'est *notre* difficulté. Ensuite nous pouvons nous acharner jour et nuit à huiler la machine pour qu'elle ne grince plus.

Pour nous et pour les femmes avec qui nous travaillons, surmonter le dernier des grands tabous est un effort continu et souvent douloureux. Par conséquent, quand vous lirez ces pages, nous savons que vous réagirez vraiment, au niveau des tripes. Les femmes avec qui nous avons travaillé passent généralement par plusieurs stades:

1. Résistance: «Les hommes sont pas mal; c'est moi qui ai tout raté.»
2. Crainte: «Si les hommes sont si tordus, est-ce que ça signifie que je ne pourrai jamais avoir une bonne relation?»
3. Blâme: «Tous les hommes sont lamentables. Tout est de leur faute. C'est sans espoir.»
4. Acceptation: «Bon, c'est difficile, mais c'est comme ça. Comment y faire face?»

Quand vous aurez «accepté» la réalité, vous ressentirez un profond soulagement de savoir que ce n'est ni la malchance ni vos mauvais choix qui causent tous les problèmes. Le fait de comprendre que l'origine du problème vous est extérieure vous libérera. Et ce n'est pas tout: les difficultés qu'éprouvent les hommes face à l'engagement *pourront* être réglées (une fois que vous et votre partenaire les aurez reconnues).

Avec les années 1980, la définition de l'engagement a changé. Les «tâches» physiques et émotionnelles de la relation incombent aux deux partenaires. Ceux-ci partagent leur vie affective et affrontent ouvertement les questions de pouvoir et de contrôle, sur les plans sexuel et autres. On ne présume pas que l'un ou l'autre des partenaires détient le pouvoir, ni qu'il est chargé de prendre soin de la relation. Cela incombe aux deux partenaires, puisque tous deux tirent profit d'un nouveau type d'intimité.

Les femmes et les hommes d'aujourd'hui sont à même de se façonner un nouveau type d'intimité une fois que les femmes savent contre quoi elles ont à lutter et que les hommes sont disposés à relever le défi. «Pourquoi les hommes hésitent-ils?» demande l'une. «S'agit-il de paresse?» demande l'autre. Dans certains cas. Mais, en fait, cela va plus loin. Souvent, il s'agit simplement d'une crainte. Quand un homme s'ouvre à une femme, il devient très vulnérable: il croit qu'il n'est plus maître de lui, ni d'elle, ni de rien. Il pourrait se révéler comme étant «inapte» ou irrationnel. En outre, c'est une situation nouvelle pour lui. Ce que les hommes ne comprennent pas — contrairement aux femmes —, c'est que le jeu en vaut la chandelle. Quand on reçoit l'intimité — la vraie — comme récompense, il importe peu d'avoir sué sang et eau.

Voici quelques-unes des grandes questions auxquelles nous répondrons:

1. Pourquoi la peur de l'engagement atteint-elle aujourd'hui des proportions épidémiques?
2. De quoi les hommes ont-ils vraiment peur?
3. Quels sont les premiers signes annonçant qu'un homme prend la fuite?
4. Quel est le profil du type d'homme qui représente un mauvais risque en ce qui concerne l'engagement?
5. Comment distinguer un bon pari d'un mauvais?
6. Pourquoi la femme la plus désirable est-elle aussi la plus menaçante?
7. Pourquoi les femmes sont-elles supérieures aux hommes quand il est question d'intimité?
8. Comment les hommes déguisent-ils leurs difficultés à s'engager?
9. Que signifie le refroidissement sexuel d'un homme pour telle femme, et quand son comportement sexuel est-il le symptôme certain d'un problème d'engagement?
10. Pourquoi l'engagement répugne-t-il tant aux hommes?

11. Tous les hommes souffrent-ils du syndrome de la corde au cou, ou est-ce seulement une impression?

En répondant à ces questions, nous définirons les trois types d'hommes qui souffrent du syndrome de la corde au cou et établirons les cinq niveaux de l'engagement, de sorte que vous sachiez à quoi vous en tenir. Nous vous proposerons des techniques qui vous aideront à sortir des impasses relationnelles et vous apprendrons comment les problèmes d'engagement se déguisent en comportements sexuels. Nous parlerons également de ce qui arrive quand vous êtes prête à avoir un enfant et que lui ne l'est pas, ainsi que des problèmes d'engagement dans une relation conjugale. Enfin, nous avons intégré au présent ouvrage un chapitre spécial pour les hommes seulement, que vous pouvez détacher et montrer à votre mari ou amant pour l'aider à prendre conscience de son rôle dans la relation.

Nous sommes deux psychothérapeutes qui avons un cabinet privé à New York. Notre recherche s'appuie sur un travail intensif auprès de couples, sur des ateliers, des séminaires et des entrevues avec des hommes et des femmes aux prises avec des difficultés d'engagement. Sur le plan personnel, nous nous sentons particulièrement compétentes pour aborder ce problème, non seulement à titre professionnel, mais aussi à titre de femmes, d'épouses et de mères.

«Les hommes souhaitent entrer dans une relation, nous a avoué un client, mais ils ne veulent pas y travailler.» C'est vrai dans le cas de certains, mais beaucoup d'hommes sont disposés à assumer leurs responsabilités et, comme vous le constaterez dans nos histoires de cas, beaucoup ont réagi positivement à nos idées et nous ont même raconté leurs propres cas. «Je me sens vide en dedans», déclare un participant. «Je suis seul», dit un autre. Ces déclarations sont typiques de la part d'hommes conscients que quelque chose manque à leur vie et qui commencent à puiser dans leur propre cœur pour trouver des réponses.

Nul homme n'est venu au monde pour se limiter à lui-même.
Celui qui ne vit que pour lui-même ne vit pour personne.

FRANCIS QUARLES, *Esther*

Première partie

LE SYNDROME DE LA CORDE AU COU

1

Identifier son homme

Il existe un nouveau type d'homme. Vous l'avez rencontré. Il est partout. C'est l'informaticien qui habite à côté de chez vous, c'est l'avocat qui vous conseille en affaires, c'est le charcutier, c'est le mari de votre meilleure amie. C'est votre collègue de travail, c'est l'homme avec qui vous sortez ou vivez... c'est l'Homme Nouveau, l'Homme Non Engagé. Qu'a-t-il de nouveau? Superficiellement, beaucoup de choses. C'est un homme sensible. Il essaie de vous comprendre. Il veut une femme qui soit son égale. Il désire des relations sexuelles intenses et la stimulation intellectuelle.

De prime abord, il semble être le type d'homme qu'il serait facile d'aimer. Mais ce n'est pas vraiment ainsi que cela se passe. Les femmes qui se frottent à cet homme nouveau ne tardent pas à découvrir que les apparences sont trompeuses. La chaleur de son cœur et de son corps ne l'empêchent pas d'avoir les sueurs froides du trac face à l'engagement.

Quelle est la nature de ce trac? Étant donné que la plupart des hommes se sentent assez en sécurité dans les séances de thérapie et les entrevues pour s'ouvrir, nous sommes en mesure de vous en donner une bonne idée. En général, l'homme commence à transpirer aussitôt qu'il vous entend prononcer le mot «intimité». Le problème a tout à voir avec les frontières personnelles. À mesure que les partenaires se rapprochent l'un de l'autre, les frontières de l'être deviennent floues, perméables; pour les hommes, ce phénomène naturel constitue un problème. Nous allons maintenant vous demander quelque chose de difficile: dites-vous que le problème que vous avez rencontré avec les hommes n'est pas le vôtre. Nous les femmes avons tellement l'habitude de nous blâmer nous-mêmes et de protéger les hommes que nous devons nous faire mentalement violence pour voir les choses autrement. Mais nous pouvons y arriver. C'est pourquoi nous voulons que, en lisant le présent ouvrage, vous alliez à l'encontre de vos plus profonds instincts. Nous voulons que vous commenciez à voir les hommes — et à vous voir vous-même — d'un regard neuf.

Voyez-le avec votre tête, pas avec votre cœur

Quand il apparaît qu'un homme a le trac, la première chose que doit faire la femme, c'est prendre du recul et observer rationnellement la situation. Souvent, les femmes «pensent avec leur cœur». «L'amour arrangera tout» ou bien «J'ai eu le coup de foudre». Une fois que vous prendrez conscience du fait que les hommes ont été éduqués à croire que les femmes vivent pour satisfaire leurs besoins à eux, ainsi que du fait que les fantasmes des hommes tournent souvent autour d'un smörgasbord sexuel, vous verrez qu'il est dangereux de faire de vos relations des fresques romanesques ou de les laisser à la merci de vos instincts. De nos jours, aimer fait appel à l'esprit comme au cœur. Même si — surtout si — vous avez eu le coup de foudre, vous devez voir l'homme avec objectivité. Sinon, vous ne verrez que ce que vous voulez voir, pas ce qui est vraiment là.

Les points à surveiller

Repérer l'homme qui a le trac peut être chose aisée, une fois que vous savez ce que vous cherchez. Posez-vous les questions suivantes:

1. Considère-t-il que vous en demandez trop? que vous êtes trop exigeante du point de vue sexuel?
2. Trouve-t-il que vous «fouinez» dans sa vie?
3. Rejette-t-il la faute sur vous pour tout ce qui ne va pas?
4. Vous accuse-t-il d'empiéter sur son «espace»?
5. Refuse-t-il de fixer avec vous vos rencontres?
6. Refuse-t-il de vous considérer, lui et vous, comme un couple?
7. Refuse-t-il de vous rendre compte de son temps?
8. Aime-t-il à se garder ouvertes toutes les possibilités?
9. Considère-t-il votre relation avec lui comme un boulet?
10. Se fâche-t-il ou décroche-t-il quand vous lui parlez de vos préoccupations et de vos problèmes?
11. Aime-t-il à garder la conversation anodine quand vous sortez avec lui et vous accuse-t-il d'être trop grave quand vous abordez un sujet sérieux?
12. Fait-il sa crise quand il n'a pas ce qu'il veut?
13. Attend-il de vous que vous le dorlotiez?
14. Se sent-il menacé par votre réussite professionnelle?
15. Semble-t-il avoir besoin d'assouvissement immédiat (toute femme qui l'intéresse est une proie rêvée)?
16. Croit-il que, quelque part, la «femme parfaite» existe et l'attend, et qu'elle lui revient de droit?

Réfléchissez au comportement de tel homme en particulier. Le reconnaissez-vous dans ces questions? Pour vous aider à le décoder, nous avons décrit en détail les trois types d'hommes qui ont peur de s'engager, à partir de l'Homme acceptable (même lui a des problèmes), en passant par l'intermédiaire, l'Homme parfait aujourd'hui/parti demain, et en finissant par l'Homme bon à rien (le plus dangereux de tous, celui que vous n'arrivez pas à oublier). Un grand nombre d'hommes qui se situent près du bon (acceptable) bout de l'échelle *peuvent* apprendre à s'engager affectivement envers une femme. Nous vous aiderons à déterminer qui le peut, qui ne le peut pas, qui ne le veut pas et qui ne le voudra jamais.

Rappelez-vous ceci: l'homme qui vous semble le meilleur candidat pourrait se révéler être le pire; celui qui vous paraît être un cas sans espoir pourrait en fait apprendre et se développer. Quand vous serez plus avancée dans la lecture du livre et que vous aurez commencé à mettre en pratique de nouvelles techniques, refaites le test ci-dessus.

L'Homme acceptable

«Je ne veux pas d'un Homme acceptable», déclara une participante, au cours d'un atelier de femmes sur les problèmes d'intimité des hommes. «Je veux un homme *formidable*», ajouta-t-elle.

Toutes les participantes à l'atelier s'élevèrent contre la notion d'Homme acceptable. Presque une mutinerie. Personne ne voulait d'un homme qui ne serait qu'acceptable. Quelle déception.

«Quoi? Je ne serais pas un type formidable?» répliqua un participant de la catégorie des Hommes acceptables, au cours d'un autre atelier. Il déclara se sentir diminué par le terme: il faisait du mieux qu'il pouvait pour se montrer responsable et engagé, et nous lui disions qu'il n'était *pas encore* à la hauteur. «Vous jugez les hommes à partir de normes propres aux femmes, argua-t-il. Voulez-vous que les hommes soient comme les femmes?»

Les femmes sont expertes en intimité; enfants, nous avons appris à l'être sur les genoux de nos mères et par notre socialisation. Plus tard, nous avons raffiné ces techniques dans le cadre de nos relations. Malheureusement, en ce moment, les hommes doivent se contenter de n'être qu'«acceptables» en ce qui a trait à l'intimité, pour la raison cruellement simple qu'on ne leur a jamais appris à exceller dans ce domaine. Ainsi, un homme peut être un alpiniste superbe, un cuisinier raffiné, un professeur extraordinaire, mais pour ce qui est de l'intimité et des engagements affectifs, il ne sera pas pour autant à votre hauteur.

Vous avez sans doute souvent lu des articles traitant de l'incapacité des hommes à «s'ouvrir» et à exprimer leurs sentiments. Mais ce n'est pas de l'expression de soi que nous parlons. Nous disons que la plupart des hommes ne sont pas équipés du «radar» dont les femmes disposent. «S'ouvrir» n'est que la première étape: il se peut très bien qu'un homme se vide le cœur et finisse par dire qu'il a besoin de plus d'espace. Cela ne nous suffit pas. Il doit apprendre comment préserver son espace et entretenir une relation d'intimité *tout à la fois*. Heureusement, beaucoup d'hommes l'apprennent maintenant des femmes; mais celles-ci ne devraient pas s'attendre à des miracles. Continuez de vouloir le mieux, de le viser — souhaitez rencontrer l'homme idéal —, mais demeurez consciente du fait que même ceux que nous appelons Hommes acceptables ont encore beaucoup de chemin à faire.

Nous avons enseigné au groupe que tous les hommes craignent l'intimité et que cette crainte peut se manifester à trois degrés d'intensité différents. C'est l'Homme acceptable dont la crainte est la plus faible: dans une relation, il craint de perdre sa *liberté*. La plupart des hommes croient avoir droit à tout ce qu'ils désirent d'une femme, du point de vue émotionnel, sans rien donner pour l'obtenir. L'idée d'abandonner quelque chose (comme sortir avec plusieurs femmes) pour obtenir autre chose (comme une relation monogame) le trouble. La plupart des femmes savent qu'elles doivent faire des compromis; pour les hommes — même les Hommes acceptables —, ce serait dépasser les bornes.

William voit son passé comme un roman, une période durant laquelle il lui semblait que «le sexe dépendait d'un simple coup de fil». Puis, à un moment donné, une fois à l'université, William connut ce qu'il appelle un «réveil» — ou encore une dépression. Il avait réussi tout ce qu'il avait voulu: il était populaire auprès des femmes, il réussissait ses études et il était un excellent joueur de tennis. Que restait-il de tout cela? Pendant six mois, William se replia sur lui-même. Il avait pour tout ami un étudiant homosexuel, particulièrement brillant, qui suivait le même cours que lui. Ils passèrent des heures à discuter de leurs familles, de leurs sentiments et de leurs problèmes.

William se mit à consacrer plus de temps à ses études qu'aux loisirs; il décida de déménager à New York pour lancer sa carrière. Arrivé dans la mégalopole, il décrocha un poste dans un grand magasin. «J'étais un dandy, dit-il en riant. J'aurais pu avoir n'importe laquelle des femmes qui travaillaient dans ce magasin.» Mais depuis sa période d'introspection à l'université, ses relations étaient devenues «moins éphémères, plus humaines». Pour la première fois de sa vie, il fréquenta la même femme pendant un an. C'était une femme séduisante et intelligente qui finit par s'attacher à lui. «Elle avait besoin de plus de soutien que je ne pouvais lui en donner, dit William. J'avais tendance à tout prendre des femmes. À contrecœur, j'ai rompu avec elle. Pour moi, cette relation était un test; je n'étais pas disposé à m'engager à long terme.»

Au cours des deux années qui suivirent, William s'amusa. «Mes relations étaient entièrement fondées sur le sexe, dit-il, mais je refusais de me l'avouer. Je ne croyais pas que les femmes avaient des attentes quelconques. Peut-être que je ne me suis jamais arrêté à y réfléchir parce que cela me mettait mal à l'aise.»

Plus tard, William rencontra Marie. «Elle était drôle, intelligente et ravissante, dit-il. C'était la plus belle femme que j'aie jamais fréquentée, mais il y avait en elle une énergie...» William savait qu'il aimait beaucoup Marie, mais il savait également que cela lui faisait peur. «Je vois beaucoup d'autres femmes», lui dit-il. Il avertit Marie de ne pas rompre avec qui que ce soit, à cause de lui. Entre-temps, lui et elle ne couchaient pas ensemble, ce qui était fort inhabituel pour lui. «Si, au début d'une relation, vous pensez à quelqu'un uniquement du point de vue sexuel, dit-il, le potentiel d'interaction est altéré.» Quelque part au fond de son cœur, William savait que ce potentiel existait, et il ne voulait pas le gâcher.

Quelques mois plus tard, Marie rompit avec l'homme qu'elle fréquentait et commença à s'engager de plus en plus avec William. William, lui, continuait à voir d'autres femmes, jusqu'au jour où Marie mit les choses au clair: «C'est moi ou elles.»

Abasourdi, William se mit à bafouiller. Puis il dit: «Je vais devoir y réfléchir avant de te donner ma réponse.»

Rester avec Marie représentait pour lui un compromis de taille. La plupart des hommes ont une réaction viscérale à l'idée de la monogamie: aïe! Pour eux, elle signifie, du moins au début, renoncer à *beaucoup trop*. Les femmes, elles, ne sont pas dérangées par la monogamie: en général, elles sont disposées à cesser de «magasiner» pour se consacrer avec délectation à celui qu'elles ont trouvé. (Paradoxalement, les hommes ne reculent pas devant les compromis en affaires; d'après eux, c'est le bon sens. Malheureusement, ce sont les compromis d'ordre *affectif* que les hommes trouvent difficiles à avaler.)

William procéda à un examen de conscience. Aucune femme ne lui avait jamais posé un tel ultimatum. Les paroles de Marie avaient tout à coup jeté de la lumière sur sa vie. Pour lui, ses «autres femmes» ne valaient pas de sacrifier Marie.

Le compromis en valait-il la peine? Absolument, selon William. Comment les choses se sont-elles déroulées? «Pas un jour ne passe où je ne suis pas attiré par telle ou telle femme — au bureau, à une fête, dans la rue —, mais je freine mes impulsions. Renoncer aux autres femmes a été pour moi comme cesser de fumer: difficile, mais la meilleure décision que j'aie jamais prise.»

Par la suite, Marie augmenta l'enjeu encore une fois. Ils dépensaient trop d'argent en taxis et leurs horaires étaient déments. Pourquoi ne vivraient-ils pas ensemble? Encore une fois, William était ébranlé. Il venait tout juste d'emménager dans son propre appartement qui, pour lui, était un sanctuaire, le symbole de son indépendance et de sa réussite professionnelle. Avoir son propre refuge, son espace à lui, comptait énormément. L'idée d'être auprès de Marie constamment, sans sortie de secours, lui donnait des sueurs froides.

La grande différence entre William et beaucoup d'autres hommes, c'est que, par deux fois, malgré les sueurs froides, il fit des compromis. La prérogative du mâle (surtout quand il est jeune et beau comme William), c'est de s'empiffrer au buffet sexuel de la vie, jusqu'à plus faim. Une autre prérogative du mâle, c'est d'avoir son propre espace. Mais, avec Marie, William ne se sentit pas pris au piège. Même si le moment était mal choisi pour lui, sa relation avec Marie l'emporta et lui dicta sa conduite.

Nous avons dit à William que la façon naturelle avec laquelle il était entré dans une relation intime le distinguait de la plupart des autres hommes que nous avons interviewés. Il ne faut pas oublier que le rôle de Marie avait été crucial. «Elle savait ce qu'elle voulait et elle le disait, nous déclara William. J'avais beaucoup de respect pour elle; sa décision de me parler franchement a pris beaucoup plus de courage que l'une ou l'autre de mes décisions à moi. Elle m'a aidé à me décider. Après cela, elle m'a paru encore plus séduisante qu'avant.»

Marie, comme la plupart des femmes que nous voyons, veut tirer davantage d'une relation que jamais auparavant. Et pourquoi pas? Elle a beaucoup à offrir — et beaucoup à perdre — si elle se contente de moins.

Il est affligeant pour la plupart des femmes (y compris pour nous) de prendre conscience qu'elles ne rencontreront jamais d'hommes pour qui l'intimité est une seconde nature. Quand nous pensons au désappointement exprimé par les femmes à l'idée même de l'Homme acceptable, nous pensons au concept de la Mère acceptable mis au point dans les années 1950 par le psychanalyste anglais Donald Winnicott. Celui-ci proposa une nouvelle façon de décrire le rôle de la mère: l'enfant peut avoir une mère qui prend soin de lui et qui l'élève bien sans pour autant être parfaite. Selon Winnicott, l'enfant n'a pas besoin de la mère idéale pour grandir heureux et sain. Tout ce dont l'enfant a besoin, c'est d'une mère qui soit acceptable.

Les hommes ne sont ni des êtres parfaits ni des monstres: il y a un juste milieu. Les Hommes acceptables peuvent s'engager, même s'ils éprouvent de la difficulté à *vivre dans* une relation. Ils n'aiment pas renoncer à leur liberté. Il se peut qu'ils essaient que tout se règle selon leurs désirs. Il se peut également qu'ils exigent beaucoup d'attention de votre part, sans vous le revaloir. L'Homme acceptable n'est pas un enfant de chœur.

Tout compte fait, l'Homme acceptable vous respecte. Il est introspectif et assez sûr de lui-même pour reconnaître qu'il a des problèmes. Il n'est allergique ni aux excuses, ni aux compromis, ni aux responsabilités.

Lenny nous raconta l'histoire suivante à propos de lui-même. Lui et Michelle avaient projeté de dîner ensemble à la maison. Après le travail, il acheta dans un restaurant du voisinage des mets chinois à emporter. Depuis le matin, il attendait avec impatience de passer la soirée seul avec Michelle (il leur arrivait souvent de travailler trop tard pour pouvoir dîner ensemble). Une fois rentré, il dressa promptement la table et alluma les bougies. C'est à ce moment que le téléphone sonna. Contrarié, Lenny décrocha. C'était un appel d'affaires urgent pour Michelle.

Lenny aurait voulu dire à la personne au bout du fil de rappeler le lendemain — il s'agissait de son temps à lui qu'il voulait passer avec Michelle, et cela comptait plus que les affaires —, mais ce n'aurait pas été correct, alors il se rendit dans la chambre pour l'avertir de l'appel. Il s'attendait un petit peu à ce qu'elle refuse de prendre la communication; il s'irrita de la voir s'élancer vers le téléphone. Pendant une dizaine de minutes, il tourna autour d'elle — «Allons, finis-en vite» —, avant de lui manifester par des gestes son exaspération. Distraitement, elle lui fit signe de s'en aller.

Encore plus furieux, Lenny se réfugia dans la cuisine. Il devait trouver un moyen de la faire se sentir coupable. C'était décidé: il lui demanderait de laisser les discussions d'affaires au bureau. Mais soudainement, Lenny se rendit compte qu'il était en train de bouder et de faire la tête comme un enfant. Quand lui recevait des appels d'affaires à la maison, il les prenait, quoi qu'il fût occupé à faire. Il était habitué à ce que Michelle s'accommode à ses besoins à lui. Honteux, il sortit les mets chinois, deux assiettes et les plus belles coupes à vin. Quand tout fut prêt, Michelle avait terminé sa conversation téléphonique. Elle entra dans la salle à manger. Lenny alluma les bougies et lui dit: «Alors, tout va bien avec le compte Evans?»

Puis il écouta sa réponse avec un réel intérêt.

Lenny est un Homme acceptable, même s'il ne lui est pas toujours facile d'accepter le fait que Michelle mène sa propre vie (et qu'il n'est pas toujours au premier rang de ses priorités). Au fond, il s'attend à ce que tout aille comme lui le veut et il n'est pas fou des compromis. Il aime être aux côtés d'une femme indépendante et qui réussit professionnellement, mais il doit renoncer à l'idée que c'est une femme qui vivra en fonction de lui. Lenny, comme tous les hommes, a été élevé dans l'idée que les femmes s'adapteraient à lui et lui feraient des concessions. Il se peut qu'il essaie de mettre en pratique les principes qu'il a appris dans sa jeunesse, mais c'est difficile, car Michelle ne le lui permet pas. Et il sait que, s'il y parvenait, il ne serait pas vraiment heureux avec elle de cette façon. Avant de connaître Michelle, il fréquentait une femme qui lui permettait toujours de l'emporter. Comparée à cette femme, Michelle lui donne du fil à retordre. «Elle peut être difficile, mais elle est franche et honnête. Je préfère une femme comme ça à une autre qui s'empresserait chaque fois que je claque des doigts.»

Qu'est-ce qui rend l'Homme acceptable moins craintif que les autres? Dans un échantillon d'hommes de cette catégorie, nous avons trouvé que l'Homme acceptable et sa mère tendent à avoir un sain respect l'un pour l'autre. Enfant, le garçon se sent élevé et protégé par sa mère, tout en sachant comment se protéger d'elle. Il a un sens bien développé de sa vie privée; ses frontières personnelles sont solides. En général, le père est distant, mais le Garçon acceptable ne prend pas son père comme modèle de comportement masculin. En fait, s'il sait intuitivement que sa mère est esseulée et non épanouie, il ressent de la sympathie pour elle. Adulte, il éprouvera de la sympathie pour les femmes et ne se sentira pas menacé par elles. Il ne percevra pas la femme comme étant un gouffre dans lequel il risque de se perdre ni comme un envahisseur de son espace.

Revenons à la question de l'Homme acceptable: «Ne jugez-vous pas les hommes selon des normes féminines?» À certains égards, la réponse est oui. Il n'y a pas de normes neutres, impartiales. Jusqu'à tout récemment, les hommes comme les femmes étaient jugés selon des normes masculines. Nous disons maintenant que beaucoup d'hommes peuvent apprendre des femmes à apprivoiser l'intimité. Elles lui enseigneront que la «liberté» peut être échangée pour quelque chose de bien meilleur.

L'Homme parfait aujourd'hui/parti demain

Le cœur chaud et les sueurs (très) froides distinguent cette catégorie d'hommes de la précédente. La caractéristique la plus importante de ce type d'homme, c'est qu'il *peut* avoir une relation. La grosse question, c'est qu'il pourrait être incapable de s'engager. L'idée d'être victime avec une femme l'attire fortement, mais il se méfie de ses propres envies. Il éprouve une double crainte: celle de perdre sa liberté et celle de perdre son *identité*. Quand il se rapproche d'une femme, il a le sentiment de perdre des morceaux de lui-même.

L'intimité lui donne la frousse. Quand il doit renoncer à certaines de ses activités comme prix de la relation, il se sent lésé. Selon lui, vous envahissez son espace et occupez son territoire. C'est pourquoi un homme de ce type peut s'éloigner de vous à grandes enjambées. Par exemple, il se peut qu'après que tous les deux aurez été proches l'un de l'autre, vous perdiez sa trace pendant deux semaines. «J'ai besoin de plus d'espace», vous dira-t-il.

L'«espace» de cet homme dépasse de loin les limites de son appartement. C'est son espace psychique qui est encombré quand il entretient une relation. Il ressent toujours le besoin d'en exclure la femme pour réaffirmer son identité d'homme et de personne. Il peut se rapprocher d'elle, mais pas pour longtemps.

L'Homme parfait aujourd'hui/parti demain est un nouveau type d'homme. Dans le passé, les conventions sociales du mariage et de la famille occultaient les hésitations que beaucoup d'hommes ressentaient. La société jugeait avec mépris les relations qui n'aboutissaient pas au mariage. Quand un homme se mariait, on le considérait comme un mari et un père dévoué, tant et aussi longtemps qu'il jouait ces rôles. Ceux-ci ne requéraient pas de l'homme qu'il ait des rapports étroits avec sa femme — il pouvait se contenter de faire les gestes. Maintenant que les vieilles conventions ne tiennent plus et que les hommes ne se sentent plus obligés de se marier pour répondre aux attentes de la société et de leur famille, l'homme hésitant n'a plus aucune *raison* de se marier. En fait, il est beaucoup plus facile pour lui de rester célibataire. Dans le passé, les gens se courtisaient en vue du mariage. Désormais, pour beaucoup d'hommes, les fréquentations sont une fin en soi. Un homme peut fréquenter des femmes pendant quinze ans ou plus, connaître quatre ou cinq relations «importantes», qu'il peut rompre aussitôt que la femme commence à parler d'engagement. Nombre de femmes disent: «Il serait l'homme idéal, si seulement je pouvais le convaincre de s'engager.» *Si seulement.* Il est possible qu'il parvienne à s'engager, mais attendre patiemment que cela se produise est aléatoire. D'autres mesures doivent être prises.

Souvent, le comportement sexuel de cet homme le démasque: au début, quand il sent en «sécurité», il donne beaucoup; plus tard, quand vous commencez à vous rapprocher, il recule — ou il peut même devenir sadique. De nombreux hommes se plaignent de devoir satisfaire les femmes, au lit et ailleurs, et beaucoup d'entre eux souhaitent que les femmes agissent comme il leur plaît à *eux*. Mais depuis la révolution sexuelle, les femmes ont appris à mieux connaître leur sexualité et à en parler sans détour, en toute franchise. Dans la catégorie d'hommes dont nous parlons, nous observons une vie réaction à cette nouvelle assurance des femmes.

Matthew, un homme dans la trentaine, fréquente Julie depuis plusieurs années. À leur première rencontre, il avait parlé franchement de lui-même: il avait eu plusieurs liaisons sérieuses avant elle, dont aucune n'avait marché. En toute honnêteté, il ne savait pas exactement quel type de femme il cherchait. Mais il aimait beaucoup Julie et, du point de vue sexuel, ils s'entendaient à merveille.

Maintenant, ils sont pris dans un cercle vicieux. «Nous ne faisons pas l'amour, déclare amèrement Julie, nous baisons. Tout doit être en fonction de lui.» Elle se sent utilisée, puis repoussée. Elle a rompu avec Matthew un certain nombre de fois, mais l'a toujours repris au bout de quelques mois. Chaque fois, au début, le sexe est extraordinaire, comme la première fois. Mais cela ne dure jamais et le cercle vicieux reprend.

Matthew ne peut identifier le problème, mais il est sûr qu'il a tout à voir avec Julie: elle est «trop exigeante». En outre, il se sent souvent attiré par d'autres femmes. Si Julie était vraiment la femme qui lui convient, il en irait autrement.

Au début, Julie a cru Matthew. «C'est gênant, avoua-t-elle, mais je suis vraiment trop exigeante.» Nous lui avons demandé jusqu'à quel point elle l'avait été: «Veux-tu qu'il renonce à son style de vie? qu'il courbe l'échine devant toi?» Julie sourit et fit non de la tête.

«Tout ce que tu dis à Matthew, avons-nous poursuivi, c'est que tu veux des relations sexuelles satisfaisantes avec lui. Lui reprocherais-tu d'être trop exigeant s'il demandait cela de toi?» Julie se rendit alors compte que ce qu'elle lui demandait n'était pas excessif. (Ce que nous observons dans nos cabinets, c'est que, quand les hommes reprochent aux femmes d'être trop exigeantes, c'est par stratégie — disons-le carrément: c'est un moyen de forcer la femme à reculer. L'homme qui a besoin de recourir à cette stratégie manifeste clairement sa peur primordiale de «céder» à une femme.)

Julie s'est aperçue que Matthew ne pense jamais qu'elle est trop exigeante tant qu'il ne la sent pas se rapprocher de lui. C'est pourquoi elle lui fit observer qu'à son avis il craignait de maintenir l'intimité obtenue grâce au sexe. Comme on pouvait s'y attendre, Matthew fut quelque peu rebuté par cette analyse. Mais quand il se mit à considérer les bas et les hauts de leur relation, il dut reconnaître qu'il oscillait toujours entre le rapprochement et l'éloignement.

Matthew *pourrait* briser le cycle (au moins, il est disposé à dialoguer et à reconnaître ses propres difficultés) ou il pourrait se révéler incapable de faire face à ses problèmes. Pour briser le cycle, Matthew doit se libérer de sa peur de perdre son individualité, son indépendance. Pour être en mesure de s'engager avec une femme, un homme doit savoir qui il est et savoir aussi qu'il ne sera pas étouffé par elle.

De son côté, Julie, comme toute femme dans une telle situation, doit savoir qu'elle ne peut briser le cycle à la place de Matthew. Ce qu'elle *peut* faire, c'est énoncer clairement et précisément ce qu'elle veut d'une relation, de sorte qu'il ne croie pas qu'il s'agit d'exigences vagues. Par exemple, plutôt que de lui dire qu'il doit devenir un meilleur amant sous peine de se voir rejeter, Julie pourrait lui demander de lui donner plus de baisers dans le cou et sur les épaules et de passer plus de temps à lui caresser les seins, en lui expliquant qu'il lui faut plus de temps qu'à lui pour être excitée. Il se peut qu'il la trouve encore trop exigeante. Si c'est le cas, Julie doit se demander si cette attitude a d'autres échos dans leur relation, car parfois la crainte d'un homme de «céder» à une femme n'est évidente qu'au lit.

Nous ne sommes pas des diseuses de bonne aventure; nous ne savons pas à quoi aboutira la relation de Matthew et de Julie. Dans des cas comme celui-là, la femme patauge nécessairement dans l'inconnu: elle *ne sait pas,* du moins pendant un moment. Si Matthew continue de lui dire qu'elle est trop exigeante, cela pourrait signifier qu'il ne sera pas à la hauteur. La première fois — ou même la deuxième — que cela se produira, ce ne sera pas nécessairement la fin de leur relation; mais il faudra qu'il s'améliore.

Il est facile de commettre des erreurs avec les hommes de cette catégorie. Quand Debbie déclara à Larry qu'elle l'aimait, celui-ci répondit: «Je t'aime bien, moi aussi, mais je ne suis pas prêt à m'engager.» Le jour de son anniversaire à elle, Debbie dit à Larry qu'elle aimerait passer le week-end entier avec lui. Larry était d'accord, sauf que, le samedi soir, il voulait qu'elle l'accompagne à une fête. Debbie refusa. Elle voulait que le week-end entier se déroule comme elle le souhaitait. Voilà qu'ils étaient engagés dans une lutte pour le pouvoir.

Au cours d'une consultation avec nous, elle nous dit qu'elle avait posé un ultimatum à Larry: ou il passait tout le week-end avec elle, ou il allait à la fête seul. «Il recule devant l'engagement», nous dit-elle.

Nous avons rétorqué: «Une petite minute, Debbie. Pourquoi penses-tu qu'il recule? Il t'inclut dans sa vie. Souviens-toi que tu as changé les règles du jeu quand tu lui as avoué ton amour. Il ne t'a pas rattrapée encore. Il semble que tu veuilles le forcer à te prouver qu'il tient à toi en lui faisant renoncer à quelque chose à quoi il tient beaucoup. Il va se sentir manipulé.

— Pourquoi devrais-je faire les choses à *sa* façon?

— Pourquoi dis-tu que c'est «à sa façon» quand, en fait, il veut passer une soirée à faire ce qu'il veut et l'autre à faire ce que tu souhaites?

— Je ne pense pas qu'il soit un homme capable de s'engager.

— Nous pensons que tu n'as aucune preuve de cela.»

Nous étions dans une impasse avec Debbie. Elle réfléchit pendant quelques minutes à ce que nous lui avions dit, avant de commencer à parler de l'homme qui l'avait laissée tomber deux semaines avant son mariage. De lui, elle n'avait rien exigé. Elle avait toujours agi comme lui le voulait. Peut-être son attitude avec Larry était-elle une compensation — un peu dure. Peut-être essayait-elle de détruire sa relation avec Larry avant qu'il ait l'occasion de la quitter, comme son fiancé l'avait fait.

Une semaine plus tard, nous reçumes un coup de fil de Debbie. Elle se sentait en forme. Après nous avoir rencontrées, elle était sortie de notre bureau et avait couru à un téléphone public pour appeler Larry. «Je lui ai dit que je m'étais conduite comme une imbécile et l'ai prié d'oublier mes exigences pour le week-end de mon anniversaire. Il s'est montré on ne peut plus compréhensif.» Nous étions ravis. Mais qu'avions-nous donc pu dire à Debbie pour qu'elle coure si vite vers ce téléphone public, pour appeler à huit heures du soir le «type incapable de s'engager»?

Nous lui avions demandé, nous a-t-elle rappelé, comment elle se serait sentie si Larry lui avait accordé tout ce qu'elle voulait. Dans l'ascenseur, elle y avait réfléchi. «Je sais que j'en aurais été malheureuse, nous dit-elle. Ç'aurait été une victoire à la Pyrrhus. Je mettais en danger ma relation avec lui sans aucune raison valable.»

Chat échaudé craint l'eau froide. Si vous sortez d'une relation ratée, il importe de vous rendre compte que vous êtes probablement sur la défensive, que vous vous méfiez et que vous avez peut-être tendance à agir trop vite. Voici deux règles simples: En présence de l'Homme bon à rien (dont nous parlerons bientôt), rappelez-vous qui il est et partez en courant. Avec l'Homme parfait aujourd'hui/parti demain, soyez prudente. Mettez-y le temps qu'il faut. Observez-le sur une période de deux ou trois mois. Vous inflige-t-il la douche écossaise? Quand et pourquoi? Ne sautez pas trop vite dans son lit... et ne le repoussez pas trop vite non plus.

Pour qu'une relation réussisse, les partenaires doivent avoir des affinités, être comme des roues d'engrenage dans une merveilleuse machine. La synchronisation est essentielle au bon fonctionnement de celle-ci. Si les pièces ne tournent pas au même rythme, les roues d'engrenage s'entrechoqueront et la machine s'enrayera.

Joan et Keith étient mal synchronisés et leur union s'est détériorée. Depuis leur première rencontre, Keith avait été franc avec Joan. Il l'aimait bien, mais n'était pas prêt à s'engager. Joan, elle, voulait tellement cet engagement qu'elle exerçait des pressions sur Keith pour que son cœur change. Keith ne voulait ni mentir ni tricher. Par conséquent, il dit à Joan qu'il serait *peut-être* prêt à s'engager au bout de cinq ou six ans, mais que pour le moment c'était trop tôt. Pour Joan, âgée de trente-quatre ans (Keith en avait vingt-neuf), il n'en était pas question. Elle rompit avec lui.

La capacité de Keith à s'engager est presque impossible à évaluer. À vingt-neuf ans, son «trop tôt» pourrait bien n'être qu'une excuse. À trente-quatre ans ou trente-cinq, ce le serait sûrement. Quoi qu'il en soit, sans synchronisation, la capacité d'intimité de l'homme est nulle. Si vous n'êtes pas en synchronisation avec votre homme, ne perdez pas votre temps. L'Homme acceptable, lui, s'engagera, même si le moment n'est pas celui qui lui convient le mieux.

Joan est l'exemple typique d'un grand nombre de femmes dans la trentaine qui désirent mari et enfants, mais qui fréquentent des hommes qui «ne sont pas prêts». Nous avons entendu mille critiques des femmes qui retardent le moment de fonder une famille: ce n'est pas sage, dit-on, d'attendre la trentaine. Oubliez les critiques. Toutes les recherches sur ce sujet indiquent que plus vous êtes avancée en âge quand vous vous mariez, plus il est probable que vous resterez mariée. Si vous l'aviez fait plus tôt, les statistiques révèlent que vous seriez sans doute divorcée aujourd'hui et le seul soutien de deux ou trois enfants. Si vous croyez que ç'aurait été un désastre, vous avez raison. Il est plus sage d'organiser votre carière et de décider de ce que vous voulez chez un homme que de prendre des décisions hâtives que vous regretteriez peut-être plus tard.

Même si vous ne pouvez changer les délais qu'un homme s'est établis, pas plus que vous ne pouvez changer les vôtres, il vous est possible d'apprendre de bonnes méthodes pour vous synchroniser tous deux, si tous deux le désirez. Au chapitre suivant, nous parlerons des cinq niveaux d'engagement, ainsi que de synchronisation, de compromis et de détours temporaires.

L'Homme bon à rien

Non seulement ce type d'homme est incapable de s'engager, mais il lui est également impossible de prononcer le mot «relation» sans s'étouffer. Au cours d'un atelier, une participante nous a parlé d'un homme qui, à l'occasion, passait avec elle un week-end passionné. Après ces week-ends, si intense qu'ait été le plaisir partagé, il ne l'appelait pas pendant des semaines. «Si seulement je pouvais l'amener à s'engager, dit-elle. Tout serait si merveilleux.

— Mais cela dure depuis des mois, lui avons-nous fait remarquer. Il est évident qu'il *ne peut pas* s'engager.

— Pourtant, il est si affectueux quand il est près de moi.

— Alors, pourquoi ne t'appelle-t-il pas? demanda une autre participante.

— Je lui ai posé la même question. Il m'a répondu qu'il était désolé, puis il m'a dit — vous allez rire —: «Les garçons, on ne les changera jamais.»

Toutes les femmes présentes ont pouffé de rire. «Exactement, avons-nous dit, mais c'est d'un homme que tu veux.»

Elle aussi riait, mais jaune.

Écouter un type comme lui et croire ce qu'il dit, c'est pure folie. L'Homme bon à rien est un homme charmant et beau, au sourire désarmant et aux manières onctueuses. Si vous désirez avoir une relation avec lui, mieux voudrait l'oublier. Si vous recherchez l'engagement, oubliez que vous y avez jamais même *pensé*.

Quand une des participantes a raconté sur un ton badin qu'elle avait acheté un magazine féminin dans lequel un article enseignait comment attraper un homme et le garder, toutes les autres ont bien ri. Nous sommes d'accord avec elles: il faut en rire, car les conseils de ce genre ne sont vraiment pas autre chose que des farces. Pour la femme exposée à ce type d'homme, il n'y a que deux possibilités: 1) le quitter; 2) avoir une folle nuit de sexe (et de sexe sans danger) avec lui, puis le quitter.

L'Homme bon à rien est, de la gent masculine, celui qui a le plus peur. Pour l'homme de ce type qui a peur d'être avalé ou dévoré vivant (c'est la terminologie qu'il utilise pour décrire ce qu'il ressent), une liaison équivaut à une mort psychique. Il ne sait plus exactement où vous commencez et où il finit. Il est paralysé par la peur; il ne pourra jamais avoir de relation avec une femme. Son comportement vous fera toujours sentir qu'il vous dit non.

Il arrive que les femmes veuillent nous tuer quand nous leur disons que tel homme est bon à rien. Il est décevant, et enrageant aussi, de voir un homme comme il est vraiment. Et cela nous brise le cœur à nous, parce que nous voyons que les femmes s'acharnent à accorder à ces hommes une valeur que nous savons qu'ils n'ont pas. Nous avons appris à connaître ce type d'homme par l'expérience. L'importance du nombre d'hommes qui sont incapables de s'engager, ou d'avoir une relation avec une femme, nous a choquées autant que les autres femmes. Savoir «lire» le comportement de l'Homme bon à rien est crucial pour la femme qui veut limiter les dégâts et s'enfuir au plus vite.

Roz refusait de voir la vérité en face au sujet de Brian; aussi ignora-t-elle délibérément tous les signes révélateurs et se lança-t-elle tête la première vers le désastre. Durant la semaine qui suivit leur première rencontre dans une galerie d'art, elle bouillonnait d'enthousiasme. Le jour de cette rencontre, Brian, faisant fi de ses quarante ans, portait des vêtements excentriques, qui lui donnaient une allure à la mode: T-shirt orange, jeans noirs, chaussettes orange. Il avait été charmant et attentif, et il avait pris rendez-vous avec elle pour le lendemain soir. Ce soir-là, ils dînèrent ensemble, puis se rendirent à son appartement à lui. Roz rapporte qu'elle se sentait nerveuse et éprouvait des sentiments contradictoires. Elle adorait le sexe (et n'avait pas eu d'amant depuis un bout de temps), mais elle savait aussi que ce qu'elle cherchait chez un homme, c'est qu'il s'engage.

Près du divan, elle vit traîner un bout de papier sur lequel les noms de deux femmes étaient écrits. Roz ne pouvait concevoir comment elle pouvait n'être qu'une conquête de plus pour Brian. Il avait eu tant d'attentions envers elle toute la soirée, lui racontant des histoires drôles, la complimentant au sujet du collier original qu'elle portait. Selon son expérience, la plupart des hommes auraient été trop absorbés par eux-mêmes pour le remarquer.

Bref, Roz s'était éprise de lui. Pourtant, elle n'était pas encore sûre de vouloir partager son lit. S'il s'agissait d'une relation «authentique», c'était trop tôt pour le sexe. Quand Roz expliqua son attitude à Brian, il se montra très compréhensif. Mais quand elle partit, il ne lui offrit pas de descendre avec elle pour lui trouver un taxi. Cela troubla Roz, mais elle se dit que le pauvre était sans doute fatigué.

Par la suite, Brian ne cessa pas de lui courir après. Le soir de leur rencontre suivante, Roz n'avait pas encore décidé si elle allait ou non coucher avec lui. Mais Brian se montra très tendre avec elle, passant beaucoup de temps à l'embrasser et à la caresser. Cela la conquit: c'était évident, il tenait à elle. Ce soir-là, leurs rapports sexuels furent délirants.

Le lendemain matin, quand Roz se leva, Brian travaillait déjà à son bureau. Elle se doucha et essaya de ne pas faire trop de bruit en s'habillant. «M'appelleras-tu bientôt?» lui demanda-t-elle, d'un ton hésitant. «Bien sûr», répondit Brian sans prendre la peine de lever les yeux de son travail. Mais le «bientôt» de Roz et celui de Brian n'étaient pas à la même échelle. Après quatre jours passés sans nouvelles de lui, Roz se mit à paniquer. Pourquoi n'appelait-il pas? Qu'avait-elle fait qui lui avait déplu? Voyait-il l'une des autres femmes — ou les deux — dont elle avait lu le nom sur le papier? Quand finalement il l'appela, elle fut si soulagée qu'elle ne lui fit pas part de ses appréhensions. Elle l'invita à une soirée. Brian la rencontrerait sur place. Mais il ne montra pas le bout du nez.

Non seulement Brian s'était caché à lui-même la terreur qu'il éprouvait et l'avait cachée au monde, mais il avait réussi à en faire un comportement masculin culturellement accepté: Brian est un «homme qui se donne du bon temps». Il peut charmer toutes les femmes; il a le don de dire et de faire ce qu'il faut. Car c'est en usant de charme qu'il subjugue; le charme constitue le moyen par lequel l'homme aux abois se rend maître des femmes.

Si Roz comprenait tout cela, elle sentait quand même qu'on s'était servi d'elle. Elle avait mal décodé les signaux qui auraient dû être évidents. «Si une de mes amies m'avait parlé de Brian, je lui aurais dit de le plaquer immédiatement, nous a-t-elle confié. Il était *horrible*. Comment ai-je pu être si stupide?»

Roz n'est pas stupide. Aucune d'entre nous ne l'est. Vous pouvez être un as pour déceler les erreurs de vos amies, mais quand vous êtes la personne concernée, rien n'est jamais évident pour votre cœur. Nous avons aidé Roz à identifier les indices qu'elle avait ignorés, pour qu'elle soit en mesure à l'avenir de reconnaître les Brian possibles (probables) et qu'elle dispose de l'information dont elle aurait besoin à ce moment-là.

Malheureusement, Brian n'est pas le seul genre d'Homme bon à rien. Nous avons rencontré une variante de ce type: celui qui a si peur d'être avalé qu'il joue au chat et à la souris avec les femmes. Par exemple, il se peut qu'il prenne rendez-vous avec vous, puis l'annule le lendemain. Cela peut se produire plusieurs fois. Ou il peut vous dire après quelques sorties avec vous qu'il a vraiment besoin d'être seul, ou qu'il voit une autre femme. Vous êtes abasourdie. Vous vous demandez ce que vous avez bien pu faire pour le repousser. Mais c'est la peur qui le mène. Par exemple, un homme de nos connaissances avait si peur de s'engager qu'il refusait même de révéler à son amie l'emplacement de son bureau. Peu de temps après, il la quittait pour être seul. Cet homme ne se sent *vivant* que quand il est n'est pas attaché à une femme.

Ce type d'homme pourrait susciter votre sympathie — c'est triste un être humain qui a peur d'aimer et d'être aimé —, mais le fait est que vous ne pouvez pas le changer. Ne perdez pas votre temps à essayer de le faire «sortir» de lui-même. C'est un ermite qui fuit l'attachement affectif et pour qui il vaut mieux rester dans son désert.

Troisième variante de ce type: l'inadapté social (même si vous refusez de catégoriser ainsi l'homme que vous connaissez). L'«homme qui se donne du bon temps», comme Brian, ne vous fera pas de mal, à moins que vous le lui permettiez. Mais l'inadapté social vous mentira et se servira de vous de toutes les façons possibles. Le meilleur critère d'identification de ce type de bon à rien, c'est qu'il ne considère les autres qu'en fonction de son propre avantage. Il a transformé sa terreur d'être avalé en une volonté d'exploiter les femmes, et il n'a pas de conscience.

Mark se pointait à l'appartement de Jill à trois heures du matin. Si jamais elle lui disait d'arriver plus tôt parce qu'elle avait une réunion d'affaires de bon matin, il lui laissait entendre qu'elle était trop tendue. D'habitude, il arrivait drogué ou enivré, ils faisaient l'amour, puis il se vidait le cœur. Il était si touchant, si poignant, si vulnérable. La plupart des hommes ne parlent jamais de ce qu'ils ressentent. Jill passait donc la nuit éveillée avec Mark et, par la suite, avait les traits tirés pendant des jours. Mais Mark lui assurait qu'il l'aimait et avait besoin d'elle; alors, pour elle, le jeu en valait la chandelle. Presque tout ce que Mark possédait se trouvait dans l'appartement de Jill. Plus tard, il commença à effectuer chez elle ses ventes de drogues et à y faire de nombreux appels interurbains. Jill apprit que Mark avait été expulsé de son propre appartement plusieurs mois auparavant. Il semble que, tout ce temps, il se soit servi de l'appartement de Jill comme d'un hébergement gratuit et l'ait trompée en lui disant qu'il l'aimait. Elle descendit ses affaires sur le trottoir et changea les serrures de ses portes.

Nombre de femmes se font accrocher par des Brian et des Mark. Il est si facile de blâmer celles-ci. Combien de fois n'avons-nous pas entendu ces vieilles observations, éculées et *erronées:* «Elle a peu d'amour-propre, alors elle choisit des types pourris...» «Son père était une nullité, alors elle choisit des types nuls...» «C'est une femme d'une rare intelligence au travail, mais combien sotte quand il s'agit d'hommes...» Et ainsi de suite. Nous ne trouvons ni étrange ni autodestructeur le comportement des femmes comme Roz qui sont attirées par des hommes comme Brian. Dans nos cabinets, depuis environ cinq ans, nous remarquons que, à mesure que les relations se font plus intenses et plus d'égale à égal, les hommes deviennent plus inquiets et plus inquiétants. Nous pouvons donc sympathiser avec les femmes qui comprennent mal ce nouveau comportement.

«Ne pensez-vous pas qu'il va changer?» nous a demandé Gina, au sujet d'un bon à rien. Ils se connaissaient par le biais de leur travail. Gina ne voulait pas faire face à la réalité, même quand il la faisait appeler par sa secrétaire au lieu de l'appeler lui-même. Elle ne voulait pas admettre qu'il était parti rencontrer une autre flamme. «Gina, lui avons-nous dit, tu dois savoir à quoi cet homme est bon: il est riche, il réussit en affaires, il est beau et drôle. Alors, pour toi, ce ne devrait être que du batifolage, une sorte de lutte libre. Amuse-toi, aux frais de la princesse; mais ne change *jamais* tes projets pour lui, ne fais *jamais* de projets avec lui, ne te dérange *jamais* pour lui. Et surtout, ne le prends *jamais, jamais, jamais* au sérieux.»

«Ne me dites pas cela» est souvent la première réaction d'une femme, en même temps qu'elle ressent un immense soulagement. Il est toujours difficile d'abandonner un rêve. Pour la femme, la fin de l'innocence survient quand elle cesse de croire au prince charmant et qu'elle prend conscience que les hommes réels ont des problèmes tout aussi réels.

Les femmes, toutefois, font des progrès. Par exemple, une cliente réussit à démasquer un bon à rien en trois semaines de thérapie. Il l'appelait à onze heures du soir, après avoir fini de travailler, et lui disait d'un ton charmeur: «J'aimerais te voir.»

(Traduction: «Je suis en rut.») Deux fois par semaine, elle sautait dans un taxi et se rendait à son appartement.

«Mais c'est scandaleux, lui avons-nous dit. Comment ose-t-il t'appeler à onze heures du soir et s'attendre à ce que tu t'habilles et coures le rejoindre en taxi?»

Elle se mit à réfléchir. «S'il veut me voir, décida-t-elle, il fera mieux de prendre rendez-vous avec moi à une heure raisonnable.» Comme cet homme ne pouvait y arriver, elle a cessé de le voir.

Comme de moins en moins de femmes s'accommodent du comportement des bons à rien, de moins en moins de ces hommes s'en tireront à bon compte. La prochaine fois qu'un homme de ce type entrera dans la vie d'une femme, celle-ci dira non dès le départ. C'est que maintenant elle *sait* qu'il y a trois catégories d'hommes et qu'elle peut déchiffrer leur comportement avec plus de justesse. Un jour, elle rencontrera un Homme acceptable, capable d'engagement. Elle saura reconnaître la différence, nous en sommes persuadées.

En lisant le présent ouvrage, vous devrez toujours vous rappeler qu'un homme ne considérera comme un problème sa peur de l'engagement que si vous, vous le voyez comme tel, l'étiquetez et le soulignez. Autrement, il se fera un plaisir de rejeter la faute sur vous, pour la simple raison que, en tant que couple, vous n'arrivez pas à trouver un *modus vivendi,* et c'est lui qui établira les modalités de votre relation.

L'homme qui est finalement capable d'engagement est celui qui y a reconnu les avantages pour *lui*. C'est un homme qui trouvera qu'il *peut* être vulnérable, qu'il *peut* s'assumer et assumer sa relation, et qu'il *peut* relever le défi que pose la femme qui est son égale. Non seulement il le peut, mais il le *veut,* parce qu'ainsi il ressent moins de peur, il est moins seul et il est aux prises avec moins de conflits. Nous nous efforcerons d'aider les femmes à reconnaître les hommes qui sont suffisamment malheureux pour vouloir changer, et nous proposerons aux femmes — et aux hommes — les techniques susceptibles de provoquer ce changement.

Les points à surveiller

L'HOMME ACCEPTABLE

Il peut se rapprocher et rester proche. Vous avez une relation avec quelqu'un qui tient à vous. Il peut hésiter à faire le premier pas dans le domaine sexuel; au début, il peut même se révéler impuissant.

Il attend beaucoup de vous, mais ne vous le rend pas nécessairement (souvent il vous considère comme faisant partie du décor).

Il accepte les compromis (il passera du temps avec vous plutôt qu'avec ses amis), mais il réagit à la perte de sa liberté. Il accepte partiellement la responsabilité des difficultés que vous éprouvez ensemble.

Il peut être lent à démarrer. D'habitude il attend que vous lui témoigniez de l'intérêt.

L'HOMME PARFAIT AUJOURD'HUI/ PARTI DEMAIN

Les relations sexuelles sont extraordinaires au début, mais se détériorent à mesure que la relation se développe.

Il vous soumet à la douche écossaise; vous ne savez à quoi vous en tenir.

Il est obsédé par son indépendance et veut préserver son précieux temps.

Vous devez toujours vous plier à son horaire et à son calendrier. Il rejette sur vous la responsabilité des problèmes.

Il a peur de «céder» à une femme.

Il se replie sur lui-même après que vous avez passé des heures merveilleuses ensemble.

L'HOMME BON À RIEN

Il allume le charme et l'éteint, comme avec un interrupteur.

Il vous témoigne son intérêt dès l'abord.

Il vous fait vivre des relations sexuelles extraordinaires, mais sans suite (vous n'entendez pas parler de lui pendant une semaine).

Il vous dit des choses comme «les garçons, on ne peut pas les changer», quand vous lui faites remarquer son manque d'égards pour vous.

Il serait un partenaire merveilleux, «si seulement» il pouvait s'engager (le «si seulement» est un écueil de taille).

QUE FAIRE?

L'HOMME ACCEPTABLE

Donnez-lui des signes évidents d'encouragement.

Aimez-le et acceptez ses limites.

Apprenez-lui la réciprocité dans les relations (voir chapitre 7).

Imposez-lui des exigences réalistes pour qu'il s'engage davantage (par exemple, demandez-lui plus de caresses durant les rapports sexuels, ou encore exigez qu'il vous avertisse d'avance quand vous passerez le week-end ensemble).

Prenez plaisir à sa compagnie: c'est le meilleur type d'homme et il *peut* s'engager.

L'HOMME PARFAIT AUJOURD'HUI/ PARTI DEMAIN

Discutez avec lui de votre vie sexuelle (mettez l'accent sur votre insatisfaction). Soyez vigilante; vous ne pouvez vous permettre d'ignorer le moindre indice de son ambivalence.

Imposez-lui des exigences réalistes; voyez s'il réagit. Faites-lui savoir que vous aussi vous aimez avoir du temps pour vous-même.

Soyez attentive aux deux côtés de son ambivalence, pas seulement celui que vous voulez entendre. Faites-lui savoir que vous aimeriez faire des projets. Voyez s'il réagit.

Demandez-vous ceci: Cette relation est-elle assez bonne pour moi? Si votre réponse est non, mettez-y fin. Si elle est oui, lisez ce qui suit.

Faites passer la relation à un niveau d'engagement inférieur (voir le chapitre 2). Voyez si une relation moins sérieuse vous convient mieux.

L'HOMME BON À RIEN

Plaquez-le immédiatement *ou* ayez de bons rapports sexuels avec lui (rapports sans danger), *puis* passez à autre chose. (Ne vous attardez pas à ce type d'homme, vous finiriez par avoir mal.)

2

Les cinq niveaux d'engagement

Maintenant que nous avons parlé des trois types d'hommes et des motifs qui les animent, voici la description des cinq niveaux d'engagement, que vous utiliserez comme cadre de référence dans toutes vos relations. Par la suite, nous nous servirons de cette classification comme d'un guide pour l'établissement des relations modernes.

Pourquoi avons-nous besoin d'un cadre? Parce que les choses ne sont plus simples comme elles l'étaient naguère, où il y avait des règles à suivre. D'abord et avant tout, l'homme et la femme avaient chacun un rôle bien défini. Ils s'assemblaient comme deux pièces de casse-tête et satisfaisaient mutuellement leurs besoins sans condition. Les fréquentations suivaient un déroulement linéaire prescrit: D'abord, on sortait ensemble. Puis on se tenait la main, et on s'embrassait en se quittant. Puis on se pelotait (au-dessus de la taille), et ensuite, peut-être, on se caressait (au-dessous de la taille). Mais jamais on n'allait jusqu'au bout avant d'être bel et bien mariés. On pouvait mesurer le degré de sérieux de la relation à ce que l'on faisait et à ce que l'on refusait de faire. Le mariage, présumait-on, était le but ultime.

Mais quand le sexe a cessé d'être jumelé à l'engagement et que les partenaires ont commencé à coucher ensemble dès la première ou la deuxième sortie, beaucoup de femmes ont mal interprété la vraie nature d'une relation. (En général, il ne s'agissait que d'une nuit sans lendemain.) Même aujourd'hui, à l'époque du SIDA, alors que la plupart des gens sont pointilleux dans le choix de leurs partenaires sexuels, il est impossible de revenir en arrière et de remettre en pratique les fréquentations de naguère. Le comportement sexuel est plus déroutant que jamais et, en fait, est un indicateur très peu fiable du «sérieux» d'une relation.

Maintenant qu'on ne présume plus de l'aboutissement d'une relation, il faut pratiquement être une sorcière pour en évaluer le «sérieux». Même si le mariage est votre but, vous ne disposez quand même d'aucun signe qui vous permette de prévoir si la relation va aboutir, surtout parce que probablement vous avez passé le début de la vingtaine ou toute la vingtaine à vous amuser à diverses fréquentations. Le plaisir, vous vous en rendez compte maintenant, n'est qu'un des éléments du tableau.

Maintenant que les repères du passé ne comptent plus et que la licence sexuelle est passée de mode, voire dangereuse, vous avez besoin d'une toute nouvelle norme pour analyser les progrès de la relation moderne, encore plus complexe que l'ancienne.

Travailler auprès des couples est un art et une science. Quand nous avons établi nos pratiques, nous n'avons pas articulé toutes nos hypothèses. Quand nous l'avons fait, nous nous sommes dit l'une à l'autre que, oui, nous présumons que les relations se développent dans un ordre et que, oui, nous présumons que, comme une relation dépend de deux personnes, il se peut que celles-ci ne soient pas arrivées au même point en même temps. À partir de cette observation, nous avons défini cinq niveaux d'engagement, en nous fondant sur notre recherche et sur notre expérience pratique. Ces niveaux une fois définis, nous vous enseignerons à vous en servir pour évaluer les progrès que vous accomplissez dans votre relation.

Les cinq niveaux d'engagement

1. Fréquentations occasionnelles

C'est le degré zéro de l'engagement. À ce niveau-ci, vous décidez si l'homme n'est bon qu'à vous distraire ou s'il est bon à quelque chose de plus sérieux. Vous êtes en train de décider ce que *vous* voulez, et c'est souvent à ce niveau-ci que les femmes sentent qu'elles maîtrisent le mieux la relation.

À ce niveau-ci, quand vous fréquentez quelqu'un, généralement cela ne veut pas dire que vous vous rencontrez de façon systématique. Si vous «aimez bien» un homme et s'il vous attire sexuellement, vous pourriez facilement confondre votre désir avec l'amour. (Après avoir passé la première nuit avec lui, il se peut que vous vous trouviez le matin éveillée dans son lit, en train de vous imaginer que vous le présentez à vos amis, à vos parents... bientôt vous vous voyez marcher vers l'autel à son bras.) Les hommes, eux, confondent rarement le désir avec l'amour. À moins que la femme soit capable d'apprécier le sexe sans attendre d'engagement de l'homme qu'elle fréquente occasionnellement, elle ne devrait pas coucher avec lui avant de mieux le connaître.

Nous conseillons à la femme qui très tôt s'attache affectivement de réduire au minimum ses attentes et de ne pas sauter trop tôt dans le lit. Si la femme pense déjà à l'engagement, il se peut fort bien qu'elle ait tendance à ne voir que ce qui lui plaît et pas la réalité. Les rapports sexuels ne feront pas de l'homme un meilleur ou un plus mauvais candidat à l'engagement. Un Homme acceptable attendra; il ne vous contraindra pas. Vous refuser à lui le plus longtemps possible (c'est une vieille ruse) ne le fera pas vous désirer davantage, mais ne le rebutera pas non plus. Sera-t-il blessé dans son amour-propre? Peut-être, mais les dommages durables ou permanents sont peu probables.

N'oubliez jamais ceci: Si vous êtes une femme incapable de s'adonner au sexe sans lendemain, refusez ce type de rencontres. Nul besoin de glorifier vos fréquentations occasionnelles en les affublant du nom de «relation» qu'elles ne méritent pas encore.

2. Fréquentations assidues

Disons que vous avez franchi la case «départ»; ce premier niveau était assez bon pour que vous vous sentiez prête à voir se développer la relation. Maintenant vous comptez sur lui un petit peu plus, vous attendez plus, vous le voyez de façon plus régulière. Au fond, à ce niveau-ci vous commencez à vous sentir plus à l'aise l'un avec l'autre. Vous apprenez à vous connaître en dehors de la structure formelle du rendez-vous. «Veux-tu venir à la maison ce soir?» demanderez-vous peut-être. Tous deux vous flânerez dans votre appartement, commanderez un souper au restaurant le plus proche et regarderez la télévision. Ou vous flânerez ensemble le samedi matin plutôt que de vaquer à vos tâches domestiques. Ou encore vous vous appellerez durant la journée rien que pour bavarder. Le danger pour la femme à ce moment-ci, c'est de trop révéler trop tôt. C'est ce que l'on appelle l'envie de la confession. Si la femme croit que cela va accélérer le développement de la relation, elle se trompe. Si vous vous sentez l'envie de révéler vos secrets inavouables (vous avez subi un avortement; vous pesiez trente kilos de plus six mois plus tôt, vous pensez que c'est le coup de foudre), *retenez-vous*. Il y aura un moment et un endroit pour de telles confessions, mais *ce n'est pas* au niveau 2 d'engagement.

Nombreuses sont les femmes qui présument que la relation se dirige vers le niveau 3, la monogamie, avant même que ce mot ne soit entré dans le vocabulaire de l'homme. La femme se dira: «Moi, je ne couche avec personne d'autre, je n'en ai pas envie. C'est probablement son cas aussi.» Non, pas du tout. La monogamie est une étape importante dans le développement de l'homme. Même si votre homme peut en fait ne voir aucune autre femme, s'il *croit* qu'il en a la liberté, il n'est pas encore monogame. Il en est toujours au niveau 2. La monogamie, c'est le *désir* de n'avoir de relation intime qu'avec une seule personne.

Quand du niveau 2 vous vous sentirez prête à passer au niveau 3, vous pourrez choisir d'en parler ouvertement: «J'aimerais m'engager davantage dans notre relation. Je veux que chacun de nous accepte de ne voir personne d'autre.» Observez et écoutez attentivement sa réaction. S'il ne répond pas: «C'est ce que je veux aussi», vous devrez décider si oui ou non vous souhaitez poursuivre cette relation. S'il n'est pas prêt pour la monogamie, rien ne vous empêche de voir d'autres hommes de votre côté. En fait, durant tout le début des fréquentations, absolument rien ne vous oblige à vous limiter à un seul homme. Vous ne connaissez pas l'issue de la relation, alors pourquoi vous fermer à d'autres possibilités? Rappelez-vous ceci: nous ne prêchons pas en faveur des relations sexuelles faciles; vous pouvez certainement fréquenter autant d'hommes que vous voulez sans coucher avec *aucun*. De plus, si vous ou l'homme que vous fréquentez avez plus d'un partenaire sexuel, *protégez-vous*.

3. Monogamie

La monogamie peut très bien être une espèce d'entente vague, non définie et tacite que vous avez conclue; quelque chose qui s'est produit naturellement. Dans l'ivresse initiale de la passion et de l'enthousiasme d'avoir rencontré quelqu'un qu'on aime, presque tout le monde peut être monogame pendant au moins quelques mois. Souvent, cela ne dure pas; vous pourriez découvrir qu'il est «monogame» avec plusieurs femmes à la fois. La vraie monogamie, toutefois, relève d'une décision importante et requiert un vrai dialogue. C'est à ce moment que les partenaires réfléchissent et prennent la décision de ne fréquenter personne d'autre et de n'avoir de rapports sexuels qu'ensemble.

La vraie monogamie, c'est bien plus que d'avoir des rapports sexuels avec une seule personne. Vous commencez à bâtir une relation. Un bon moyen de distinguer la vraie monogamie de la fausse, c'est d'observer avec quelle constance il vous inclut dans sa vie quand il est avec sa famille et ses amis. Si ses amis ne connaissent pas votre existence et s'il ne pense même pas à vous inclure dans ses activités avec eux, présumez que votre relation en est encore au niveau 2. Au niveau 3, vous devriez penser en termes de «nous», et les personnes qui peuplent votre vie et la sienne devraient le savoir.

4. Monogamie affirmée

Vous constituez un couple et vous devez vous rendre des comptes l'un à l'autre. Vous planifiez vos vacances ensemble et vous passez les fêtes dans la famille de l'un ou de l'autre. Vos amis n'envisageraient pas un seul instant d'inviter l'un de vous sans l'autre, et vos familles tiennent pour acquis que vous êtes un couple. Les gens vous demandent quand vous allez vous marier. Tout le monde attend avec impatience que vous annonciez la date.

À ce niveau, vous vous sentez à l'aise en tant que couple, même dans les situations potentiellement difficiles. Par exemple, si votre partenaire est un père divorcé, il devrait vous faire partager ses activités avec ses enfants, et vous devriez vous sentir à l'aise dans ces situations.

Le niveau de la monogamie affirmée constitue souvent le point tournant pour l'homme susceptible de souffrir du syndrome de la corde au cou. Heureusement, beaucoup d'hommes arrivés à ce niveau survivent très bien, même s'ils ressentent à l'occasion un petit tiraillement d'inconfort.

5. Vie commune

Nous allons jusqu'à dire que, si vous avez l'intention de vous marier, commencer par vivre ensemble *pourrait être la pire chose à faire*. Les couples pourraient finir par vivre ensemble pour toutes sortes de mauvaises raisons, *quel que soit* le niveau d'engagement. La vie commune est trop souvent considérée comme un prélude nécessaire au mariage. C'est loin d'être le cas. En fait, c'est souvent une grave erreur d'emménager avec un homme sans promesse de mariage. Des trois types de vie commune dont nous allons parler, nous nous opposons vivement à deux.

«Il vient de recevoir son diplôme de la faculté de droit et il n'a nulle part où habiter.» «Nous sortons ensemble de toute façon; alors, pourquoi pas?» En d'autres mots, c'est la vie commune par commodité. La vie commune est chose sérieuse, on ne doit pas s'y lancer aveuglément ni s'y laisser glisser.

«Vivre ensemble est une expérience que nous tentons. Nous allons le faire pendant un an pour voir si nous allons rompre ou nous marier.» Souvent les gens emménagent ensemble en pensant que la vie commune va les préparer au mariage ou leur faire découvrir si oui ou non ils feraient un bon ménage. Notre conseil, au fond, c'est de vous dire de trouver le plus d'éclaircissements possible à ce sujet, mais sans vivre ensemble, car les femmes sont souvent celles qui ont le plus à perdre dans ce type d'arrangement.

«Nous nous aimons et nous sommes engagés l'un envers l'autre, mais nous ne croyons pas au mariage.» Dans certains cas, vivre ensemble a encore une valeur symbolique importante pour au moins un des partenaires. Peut-être celui-ci a-t-il connu un mariage malheureux et refuse-t-il de s'exposer à répéter l'expérience. Peut-être celui-ci est-il opposé au mariage en tant qu'institution. Ce peut être une raison valable de ne pas se marier, et souvent les couples dans cette situation resteront ensemble tout aussi longtemps que s'ils l'étaient. En fait, nombreux sont ceux qui deviennent des conjoints de fait. Mais cette troisième situation est rare, du moins à notre connaissance, et avant d'emménager avec un homme, vous devez être parfaitement claire quant à vos motifs.

Maintenant que nous avons défini les cinq niveaux d'engagement, nous vous dirons comment déterminer le niveau auquel vous *croyez* être arrivée, ainsi que le niveau auquel vous êtes *réellement* arrivée. De même, nous vous montrerons comment traiter l'homme qui s'entête à demeurer, disons, au niveau 2, alors que vous aviez considéré que la relation en était au niveau 3 ou 4. Malheureusement, le couple ne peut pas passer au niveau suivant d'engagement tant que les *deux* parties ne sont pas prêtes et disposées à le faire. Par conséquent, il est crucial que vous puissiez déterminer le niveau réel de votre relation. Par définition, votre relation se situe au niveau correspondant à celui du partenaire le moins engagé — ce qui est généralement son niveau à *lui*.

Rappelez-vous que sauter des niveaux peut être dangereux. Mieux vaut toujours bâtir sa relation sur le niveau précédent. Il arrivera que vous ayez à reculer et à *revivre* une étape. Les probabilités sont que vous vous situez à un certain niveau d'engagement, alors que votre partenaire en est encore à un autre (inférieur). Ce *n'est pas* un désastre, *si* vous comprenez ce qui se passe. Reculer d'un cran dans une relation n'y nuira pas nécessairement. Et cela ne veut pas dire que vous cesserez d'y travailler. Quelquefois même, ce recul vous mènera là où vous voulez.

La connaissance des niveaux généraux de l'engagement peut vous guider dans le déroulement mystérieux et hautement individuel de votre propre relation. Même s'il y a des millions de cas, il n'y a pas des millions d'étapes, rien que des versions différentes.

Nous allons maintenant revoir les étapes plus lentement et vous donner plus de détails sur les points à observer et sur les choses à faire.

Vous en êtes au niveau 1 d'engagement — fréquentations occasionnelles:

1. Si vous sortez ensemble depuis plusieurs mois et que vous souhaitez le voir plus souvent.
2. Si vous vous voyez depuis six mois, mais que vos rendez-vous sont toujours fondés sur la commodité de dernière minute.

3. Si vous êtes enthousiasmée parce qu'il vous a invitée à une grande réception d'affaires, mais seulement le matin même de l'événement. Vous soupçonnez qu'il avait seulement besoin d'une cavalière.
4. Si vous commencez à vous rendre compte que vos rendez-vous du vendredi soir traînent jusqu'au samedi après-midi. (Cela signifie que vous faites des *progrès* à l'intérieur du niveau 1, *pas* que vous en êtes arrivée au niveau 2.)
5. Si vos rapports sexuels sont satisfaisants, mais que vous désirez qu'ils soient plus chaleureux, plus personnels.
6. Si vous savez que vous allez le voir durant le week-end, mais qu'il ne vous dit pas quand.
7. S'il vous envoie des fleurs au bureau et qu'ensuite, pendant deux semaines, il est trop occupé pour vous téléphoner.
8. Si quand vous l'appelez pour organiser une sortie avec lui à l'improviste, souvent cela ne lui convient pas.
9. Si vous passez toujours de bons week-ends ensemble, romantiques et passionnées, mais que votre relation n'a pas progressé depuis des mois.
10. Si, malheureusement, il ne lui est pas possible de vous voir souvent durant la semaine, mais qu'il vous appelle à la maison ou au bureau, rien que pour bavarder. (Voilà un signe que vous vous dirigez vers le niveau 2.)

Vers le niveau 2

Souvent la femme qui fréquente un homme depuis plusieurs mois commence à présumer que sa relation en est au niveau 2 — fréquentations assidues — alors qu'il manifeste plusieurs des comportements susmentionnés, ce qui indique que, dans *son* esprit, il s'agit encore de fréquentations occasionnelles. Il se peut que vous vous rencontriez avec une *certaine* régularité, disons une ou deux fois par semaine, mais pas toujours le samedi. À ce niveau-ci, il se peut que vous ne sachiez pas comment il passe les samedis où il n'est pas avec vous. Un embryon de relation pourrait être en train de se développer, mais il est encore trop tôt pour le dire. À quoi pouvez-vous vous attendre de façon réaliste à ce niveau? Puisque l'homme cheminera sans doute plus lentement que vous vers le niveau suivant, vous ne pouvez pas vous attendre à grand-chose. Cette conversation ne vous semble-t-elle pas familière?

PETER (le *mercredi matin, au moment de partir*): J'ai passé des heures merveilleuses. Rencontrons-nous durant le week-end.

JOAN: Oh! ce serait bien. Je suis libre samedi, et toi?

PETER (*se dérobant*): Je ne suis pas sûr pour samedi. Je vais t'appeler.

JOAN: Mais je dois le savoir parce que...

PETER: Ce n'est pas grave. J'aviserai selon les circonstances. (*Peter s'en va.*)

Joan et Peter se voyaient depuis cinq mois. Elle *croyait* qu'ils en étaient presque arrivés au niveau trois, la monogamie. Elle sentait qu'ils en étaient au niveau 2 depuis un bon bout de temps. Mais le comportement de Peter — la rebuter quand elle essayait de faire des projets quelques jours à l'avance, ne pas la présenter à ses amis (même si elle l'avait présenté lui à plusieurs de ses amis à elle), refuser de venir à son bureau quand elle avait voulu lui montrer où elle travaillait — lui montrait bien qu'ils en étaient encore au niveau 1 d'engagement. Après avoir pris conscience de cet état de chose, Joan décida de penser à lui en d'autres termes:

PETER (*le jeudi matin suivant, en quittant l'appartement de Joan*): Alors, je suppose que je te verrai ce week-end. Je t'appellerai. Peut-être irons-nous voir le dernier Woody Allen.

JOAN: J'ai déjà des projets pour ce week-end. Une autre fois peut-être.

PETER (*surpris*): Quoi? Tu as déjà des projets? Nous ne sommes que jeudi!

JOAN: Peter, la plupart des gens planifient leur week-end quelques jours d'avance. Je n'aime pas laisser tout au hasard.

Joan continua de faire des projets pour ses week-ends de crainte de les passer à attendre qu'il l'appelle. C'était difficile au début, parce qu'elle *voulait* voir Peter. Mais au bout d'un certain temps, il a compris et a commencé à l'appeler quelques jours à l'avance pour le week-end. Bien sûr, Joan avait pris le risque qu'il ne la rappelle jamais. Mais, s'était-elle demandé, s'il voulait que tout se déroule selon sa volonté à lui, valait-il la peine qu'elle passe du temps avec lui? Heureusement, Peter s'était rendu compte que Joan ne serait plus disponible pour ses projets de dernière minute. Comme il voulait la voir régulièrement, il passa au niveau 2 d'engagement.

Il est tentant, au niveau 1, d'essayer de trouver qui d'autre votre homme voit, si toutefois cette personne existe. Cependant, ce n'est pas le bon moment pour le demander. Le moment n'est pas venu non plus de parler de votre «relation» à quiconque, sauf à vos amis proches. À ce stade-ci, beaucoup de femmes disent à amis et connaissances qu'elles fréquentent quelqu'un, ce qui rend les choses encore plus difficiles, si jamais cela ne marche pas. Une de nos connaissances reçut un jour au bureau une grosse boîte de chocolats d'un homme qu'elle fréquentait à l'occasion. Après avoir partagé les friandises avec tous les employés de son bureau, elle commença à glisser son nom fréquemment dans la conversation. Il se fit que cet homme disparut peu après les chocolats. Elle fut obligée d'expliquer à tout un chacun que ça (quoi que ce «ça» eût été) n'avait pas marché et que c'était fini.

Le simple fait de parler d'un homme semble lui donner une importance dans votre vie qu'il n'a pas vraiment. Alors, quand il disparaît avant d'être passé au niveau 2 d'engagement, vous vous sentez comme quelqu'un qui «rate» une relation, surtout quand des gens que vous connaissez à peine vous demandent ce que vous et votre «ami» avez projeté pour le week-end.

À ce niveau-ci, le moment n'est certainement pas venu de lui parler de «relation». Rappelez-vous qu'il ne s'agit pas encore d'une relation. Ne lui donnez donc pas l'occasion de se sentir pris au piège si tôt. En outre, écoutez-le: fait-il des projets qui ne sont *pas* pour un avenir rapproché? Dit-il qu'il sait déjà ce qu'il va vous offrir à Noël, alors qu'on est en juin? S'empresse-t-il de réserver tôt une de vos soirées du week-end parce qu'il a peur que vous ne soyez plus libre s'il attend trop? Voilà les signes qui révèlent un Homme acceptable qui sera peut-être bientôt prêt à passer au niveau 2.

Avant de poursuivre, cependant, nous voulons vous avertir que si vous, vous passez à un niveau d'engagement plus élevé avant que lui ne soit prêt à le faire, vous risquez l'échec. Ce que nous remarquons chez nos clientes, c'est qu'elles ont moins de patience pour ce qui est de l'*évolution* de la relation. Les femmes sentent maintenant qu'elles peuvent régler leur propre rythme et avoir la main haute sur leur propre vie. Si elles peuvent effectuer des changements au travail et dans d'autres domaines, pourquoi ne pourraient-elles pas faire passer leur relation du niveau 1 au niveau 3? Une bonne raison: l'homme n'est probablement pas prêt à le faire.

La femme aura tendance à passer d'un niveau donné au niveau suivant plus rapidement, alors que l'homme pourrait très bien revenir sur ses pas. Parce qu'ils sont effrayés, les hommes progressent plus lentement, établissant défense sur défense, refusant de voir — souvent jusqu'à ce qu'il soit trop tard — qu'ils sont allés plus loin qu'ils ne le voulaient. La femme doit comprendre que ces différences relèvent de la différence entre l'homme et la femme. Tout homme, même un Homme acceptable, aura un style tout à fait distinct de son style à elle, au cours de la progression à travers les niveaux d'engagement. L'identification du niveau auquel en est arrivée la relation vous aidera à trouver dans votre esprit le moyen d'amener votre homme à progresser.

Le niveau 2, les fréquentations assidues, est plein de pièges, parce qu'il vous est facile d'estomper mentalement la frontière entre ce niveau-ci et la monogamie du niveau 3. Pourtant, il existe de nombreux signes révélant qu'une relation est de niveau 2:

1. Après avoir eu avec lui des rapports sexuels pendant des mois, vous n'avez atteint l'orgasme que deux fois. Quand vous lui en parlez, il ne réagit pas.
2. Vous allez à son bureau le rencontrer pour le lunch. Vous attendez, croyant qu'il va vous présenter à ses collègues. Il ne le fait pas.
3. Il vous invite à son bar préféré, pour voir une diffusion en circuit fermé d'un match disputé entre deux équipes championnes. Une fois au bar, il ne s'occupe plus de vous et passe tout son temps avec ses amis.
4. Vous aimez rester chez vous; il aime rester chez lui. Il est maintenant disposé à rester chez vous de temps à autre, mais vous devez presque l'y forcer.
5. Votre père malade entre à l'hôpital et vous êtes déprimée. Il sait que vous êtes bouleversée, mais ce soir-là il va quand même assister au match de hockey.
6. Avant de vous rencontrer, il louait toujours avec ses amis un chalet de ski pour l'hiver. Maintenant il dit qu'il souhaiterait vous intégrer au groupe, mais il part encore souvent le weed-end, vous laissant seule. Toutefois, il ne veut pas que vous fréquentiez quiconque d'autre que lui durant tout l'hiver.

Vers le niveau 3

La femme pourrait sentir clairement qu'elle est maintenant plus avancée dans l'engagement que l'homme ne l'est, et qu'elle attend davantage de lui. Malheureusement, elle pourrait devoir prendre des décisions bien difficiles.

Amy voyait Gary depuis six mois. D'habitude, ils se rencontraient une fois durant le week-end et une fois en semaine. Amy se réjouissait de pouvoir compter sur Gary: par exemple, il ne changeait pas d'idée le vendredi à propos de leur rendez-vous du samedi. Cependant, quand ils se rencontraient le vendredi *et* le samedi, il s'affolait un peu. Un jour, il lui dit: «Notre relation n'est pas exclusive. Je ne vois personne d'autre en ce moment, mais je le *pourrais*. Je tiens à cette liberté.»

Nous avons dit à Amy que, même si les paroles de Gary lui déplaisaient, il nous paraissait être un homme franc, et qu'elle ne devrait pas passer à des conclusions hâtives. Quelque temps après, il lui dit qu'il voulait se marier et avoir des enfants un jour, mais pas avant l'âge de trente-cinq ans, au moins. Amy était bouleversée; que faire? Nous lui avons dit de faire des plans comme s'il s'agissait d'un budget. «Donne-lui six mois. S'il tolère plus d'intimité, fais des projets. Si ce n'est pas le cas, le pronostic est peu encourageant, et peut-être devrais-tu limiter les dégâts.»

Selon nous, il ne s'agissait pas pour Amy d'aimer ou de ne pas aimer le degré d'engagement de Gary, mais bien de l'accepter ou de ne pas l'accepter. Si elle exerçait des pressions sur lui pour qu'il passe au niveau 3 d'engagement, il se verrait dans l'obligation de lui prouver et de se prouver à lui-même qu'il était libre et autonome.

C'était à elle de s'adapter à son rythme à lui, pas le contraire. Il est impossible de *forcer* un homme à aller plus vite. Si son rythme est trop lent pour votre convenance, et qu'il semble n'y avoir aucun espoir de changement, il est temps de rompre. Mais avant, il vous faut prendre conscience que vous devrez consacrer plus de temps à chacune des étapes. Continuez d'observer s'il progresse dans la bonne direction.

Rappelez-vous que le moment n'est pas venu de projeter des vacances ensemble. À cette étape, un week-end à la campagne conviendrait mieux. Même si vous partez avec lui en week-end et que tous deux passiez des heures extraordinaires, vous ne constituez *pas encore* un «couple». Vous êtes deux personnes qui aiment la compagnie l'un de l'autre et qui font ensemble des choses agréables — un niveau 2, dans l'échelle de l'engagement.

Le passage au niveau 3 est une transition très difficile, parce qu'il sous-entend davantage que la fidélité sexuelle. Passer du niveau 2 à la monogamie est, dans un sens, une transition aussi spectaculaire que le passage du niveau 4 au niveau 5, la vie commune, et ce peut être une erreur tout aussi grave. En d'autres mots, la décision d'un homme de n'avoir de rapports sexuels qu'avec une seule femme et de travailler à l'approfondissement constant de sa relation avec elle équivaut à se débarrasser d'une dépendance puissante; il doit vraiment savoir ce qu'il fait et *vouloir* le faire. L'homme doit y réfléchir avant de se décider. S'il sent qu'on exerce des pressions sur lui, il pourrait y céder, mais cela ne durerait pas.

Les hommes sont-ils les seuls à mal s'accommoder de la monogamie? Bien sûr que non. C'est pourquoi les femmes aussi doivent s'assurer qu'elles y sont prêtes. L'âge est un facteur important; si vous fréquentez des hommes depuis nombre d'années, vous souhaitez sans doute en ce moment n'en avoir qu'un dans votre vie. Vous savez avec assez de précision ce que vous aimez et n'aimez pas dans un homme. Vous voulez planifier votre avenir. Disons maintenant que vous sortez avec un homme depuis plusieurs mois et que vous entrevoyez un avenir avec lui. Vous sentez qu'il s'agit d'une «véritable» relation (un système réciproque d'attentes et de responsabilités existe). Avant aujourd'hui, vous ne pouviez que l'espérer. Vous ne voulez pas vous engager dans le mariage en ce moment-ci, mais vous envisagez un engagement à long terme. S'il ressent la même chose que vous, alors vous êtes tous deux prêts pour la monogamie.

Si c'est le mariage que vous voulez vraiment, il vous est difficile ici de ne pas sauter d'étapes dans votre esprit et d'y penser. Mais si vous discutez de l'avenir avec votre homme, nous vous conseillons de vous en tenir aux généralités. Vous êtes en train de le jauger. Supposons que vous fassiez une promenade avec lui et que vous aperceviez un couple poussant un landau. Il dit, en frissonnant: «Je ne voudrais jamais d'enfant» ou il vous murmure: «J'aimerais avoir des enfants un jour». Vous en savez maintenant un peu plus long sur lui. Il vous faut écouter ce qu'il dit pour déterminer s'il voit l'avenir de la même façon que vous. Veut-il vivre dans la ville ou en banlieue? Quels sont ses projets de carrière? Si vous désirez vous marier un jour, même avec un autre que lui, ne vous croyez pas obligée de cacher ce fait. C'est le moment d'en apprendre le plus possible l'un sur l'autre.

À cette étape, il se peut que l'homme découvre tout à coup qu'il est en train de s'engager trop loin. Dans le cas de l'Homme parfait aujourd'hui/parti demain, les rapports sexuels pourraient commencer à se détériorer. Il pourrait bien flirter ouvertement avec une autre femme à l'occasion d'une fête, ou encore avoir une aventure. Votre amant naguère affectueux et plein d'attentions pourrait reculer si vous essayiez de lui prendre la main au trentième anniversaire de naissance de son meilleur ami. Il pourrait vous dire: «Va t'en chercher» si vous lui demandiez de vous rapporter un morceau du gâteau de fête. En fait, il pourrait montrer les dents chaque fois qu'il vous sent possessive.

Même si l'Homme parfait aujourd'hui panique, vous ne devez pas en faire autant. Prenez cela à la légère. Mieux vaut, si vous le pouvez, ignorer son comportement, pour autant qu'il ne devienne pas habituel. Et surtout, *ne vous blâmez pas,* prenez conscience du fait que c'est *son* problème, pas le vôtre. Il est en train de se convaincre qu'il est autonome, même si, en vérité, il est «engagé». L'engagement lui est plus difficile qu'à vous. Son comportement n'est grave que s'il devient une habitude. Ne le laissez pas vous blesser. Soyez aussi brusque que lui ou contentez-vous de l'ignorer si, à l'occasion, il vous fustige. Toutefois, si son comportement persiste, essayez de lui en parler. Mais ne vous étonnez pas s'il s'y refuse. Il pourrait même ne pas se rendre compte que l'intimité de la relation l'irrite. Il refusera probablement d'en discuter sérieusement parce qu'il a peur des émotions qu'il pourrait trahir. Voici la liste des signes révélant qu'une relation s'est enrayée au niveau 3 et qu'elle n'est pas mûre pour passer au niveau suivant:

1. Vous n'avez pas eu de rapports sexuels depuis un bout de temps. Vous en avez discuté, mais aucun progrès jusqu'à maintenant.
2. Chaque fois que vous partez en week-end ensemble, c'est merveilleux. Mais à votre retour, vous vous disputez.
3. Chaque fois que vous soulevez un problème qui existe entre vous, il vous dit que vous réagissez avec excès.
4. Votre vie sexuelle se détériore tout à coup. Le sexe ne l'intéresse plus ou il l'intéresse encore, mais pour son seul plaisir à lui.
5. Quand vous discutez de sujets sérieux vous concernant tous deux, il vous écoute, mais il essaie de vous convaincre que c'est votre problème à vous.
6. Son bail expire dans six mois et il cherche un autre appartement. Il vous demande de l'accompagner dans sa recherche et de le conseiller sur ce dont *il* aura besoin, pas ce dont *tous deux* aurez besoin.
7. Vous vous rendez compte que votre relation avec lui n'est qu'«acceptable», mais vous vous dites qu'être avec lui vaut mieux que d'être seule.

Passer au niveau 4, celui de la monogamie affirmée, *peut* être facile; il suffit que chacun des partenaires fasse entrer l'autre dans sa vie. C'est à ce moment que l'Homme parfait aujourd'hui/parti demain pourrait se fixer des limites. Si vous avez été monogames pendant six mois et que son employeur donne une réception, le moment est venu pour vous de découvrir s'il veut vous inclure dans sa vie. Si ce n'est pas le cas, vous n'en êtes pas encore au niveau 4, même si vous avez été monogames pendant des *années*.

Il se peut que l'homme vous étonne soudainement en ne vous incluant pas dans les choses que vous avez partagées avec lui depuis des mois. Par exemple, il ne vous emmènera pas à sa réunion d'anciens; il veut garder cette partie de sa vie pour lui tout seul. Ou il ne vous emmènera pas au repas de

Noël de sa famille, même si vous avez participé à d'autres événements familiaux avec lui. Ou encore, il pourrait commencer à trouver à redire sur vous, sur des caractéristiques qu'il adorait en vous autrefois. Il existe de subtiles nuances entre les niveaux 3 et 4. Si vous reconnaissez votre relation dans la liste d'énoncés ci-dessous, vous n'êtes pas encore arrivée au nivau 4.

1. Vous projetez un voyage en Italie, et tout à coup vos conversations téléphoniques avec lui sont difficiles. Il se dit trop occupé au travail et envisage de reporter le voyage jusqu'à ce qu'il doive se rendre en Italie pour affaires, et seul.
2. Autrefois, il aimait votre façon de donner de la vie aux fêtes, maintenant il vous accuse d'être forte en gueule.
3. Maintenant il se plaint des appels de votre mère, alors qu'auparavant il aimait bien lui parler quelques minutes avant de vous la passer.
4. Vous le surprenez à dire à un ami au téléphone: «Bien sûr que je peux te rencontrer vendredi. Ce n'est pas comme si j'étais fiancé ou marié, tu sais.»
5. Quand vous parlez à son colocataire et que vous faites allusion aux vacances que vous passerez l'été prochain dans leur chalet, son regard devient vague et il change de sujet.

Passer du niveau 3 — la monogamie — au niveau 4 — la monogamie affirmée — est beaucoup plus facile pour la femme que pour l'homme parce que le niveau 4 sous-entend un engagement sérieux. Il arrive souvent que les couples sautent le niveau 5, la vie commune, et passent directement de la monogamie affirmée au mariage. Rappelez-vous donc que, quelle qu'ait été la durée de votre relation exclusive, vous n'allez pas nécessairement passer à l'engagement mutuel au niveau 4. Tout dépend du niveau d'engagement qui motive l'homme. C'est ce critère qu'il vous faut utiliser pour déterminer où il en est, avant de pouvoir passer au niveau 5 ou à un engagement sérieux.

Sandra voyait Terence depuis cinq ans. Petite blonde séduisante, elle s'occupait de certains comptes dans une agence de publicité de St. Louis. Terence, lui, était pigiste en rédaction publicitaire. Ils se rencontrèrent à la suite d'un travail qu'elle lui avait assigné. Aux amis de Sandra, il semblait évident que Terence ne pourrait jamais s'engager. Au cours des années, ils essayèrent de l'avertir à mots couverts qu'elle ne devrait pas se faire trop d'illusions. Avec Sandra, Terence passa au niveau 3, la monogamie (sexuelle au moins). Mais il ne lui disait jamais d'avance s'ils allaient se rencontrer; il ne la faisait jamais participer à ses activités familiales; il se montrait souvent brusque ou grossier envers elle devant les amis. Malgré tout cela, Sandra s'accrochait. Elle aimait vraiment Terence, et elle croyait que l'amour pouvait transformer n'importe qui.

Finalement, le jour de leur cinquième «anniversaire» arriva et il était «trop occupé» pour la rencontrer et célébrer l'événement avec elle. Sandra prit alors conscience du fait que Terence ne pourrait jamais s'engager envers elle, ni même la traiter avec respect. Elle décida qu'ils devaient retourner au niveau 1, celui des fréquentations occasionnelles. Elle décida également de chercher à rencontrer d'autres hommes et de le laisser entendre à ses amis. Se retrouver sur le «marché» des célibataires l'effrayait, surtout en raison des maladies transmises sexuellement, mais elle devait le faire. Elle commença à ne plus compter sur Terence. Celui-ci sentit la subtile différence dans son comportement: elle ne lui demandait jamais quand ils allaient se voir et, en fait, elle avait souvent déjà fait des projets pour le week-end quand il se décidait à l'appeler.

Sandra sortit avec plusieurs hommes qu'elle ne connaissait pas, grâce à l'entremise de ses amis: certaines de ces sorties étaient simplement ennuyeuses, d'autres tout à fait ratées. Un soir, à une fête, une de ses amies, qui «projetait de le faire depuis un bout de temps», la présenta à un certain Rodney. Celui-ci plut immédiatement à Sandra, mais elle ne voulait pas se faire trop d'illusions. Quand il lui demanda son numéro de téléphone à la fin de la soirée, elle se dit en elle-même qu'il n'allait probablement jamais l'appeler. Mais Rodney l'appela. Ils décidèrent de dîner ensemble au cours du week-end. Quand Rodney vint la chercher chez elle, il lui apporta une rose. Sandra était si abasourdie qu'elle se contenta de la fixer du regard. Pendant toutes les années où elle était sortie avec Terence, elle avait souvent fait allusion au fait qu'elle aurait aimé recevoir des fleurs, mais celui-ci n'avait même jamais pris la peine de lui en cueillir une. Maintenant, voilà que cet homme lui en offrait une à leur premier rendez-vous. Ce fut un bon présage. Rodney et Sandra s'entendirent à merveille. Il se montrait prévenant et attentionné et, par la suite, il devint un amant passionné et sensible. (Plus tard, Sandra s'excusa d'avoir fixé la rose du regard et expliqua à Rodney pourquoi elle avait été si étonnée. Rodney n'arrivait pas à croire qu'un homme qui fréquente une femme pendant cinq ans ne lui envoie jamais de fleurs.)

Ce qui est le plus intéressant dans l'histoire de Sandra, c'est le comportement de Terence, une fois qu'elle cessa de lui être disponible. Au début de ses fréquentations avec Rodney, Sandra continua de sortir occasionnellement avec Terence. Il lui était difficile d'exclure cet homme de sa vie. Qui plus est, elle éprouvait de la pitié pour lui. Mais plus elle se dégageait de la vie de Terence, plus celui-ci la poursuivait assidûment. Le Noël précédent, quand elle avait tenté de le faire lever du divan pour qu'il l'aide à décorer l'arbre, il avait continué de regarder la télévision en silence. Au mois de novembre, il l'avait appelée *(quatre semaines à l'avance)* pour l'inviter à l'accompagner à une soirée de chants de Noël. Elle avait refusé, parce qu'elle ferait sans doute des plans avec son nouvel ami. Terence commença à l'appeler plusieurs fois par jour au bureau. Sandra dut aviser sa secrétaire de ne plus lui transmettre les appels. La coupe déborda le jour de l'anniversaire de Sandra. Elle reçut un magnifique bouquet qu'elle croyait de Rodney. Il venait de Terence. Maintenant qu'il l'avait perdue, voilà qu'il lui envoyait des fleurs.

Sandra, frustrée par tout cela, éprouvait des sentiments contradictoires. Mais elle était consciente du fait que Terence lui témoignait de l'attention pour la *seule* raison qu'elle n'était pas disponible. Elle était devenue un défi pour lui. Si elle retournait vers lui, il retomberait dans le comportement qu'elle n'acceptait pas. Le fait qu'il essayait de l'attirer de cette façon l'irritait vivement. D'autant plus qu'elle savait qu'il la considérerait comme faisant partie du décor aussitôt qu'elle lui reviendrait. Sandra était trop intelligente pour tomber dans ce piège. En outre, elle commençait à être amoureuse de Rodney. Terence la poursuivit pendant encore un mois. Finalement, un beau soir, il l'appela et la demanda en mariage. Sandra éprouva une fois de plus de la pitié pour lui, mais elle se rendait compte de la nature presque pathologique de son acharnement à la poursuivre, maintenant qu'il l'avait perdue. Elle lui répondit qu'elle allait épouser Rodney et le pria de ne plus l'appeler. Sandra est maintenant fiancée à Rodney et il semble que leur relation témoigne d'un engagement profond et permanent.

Quand vous êtes prise dans une relation avec un homme qui vous traite mal, il peut vous être encore plus difficile d'en sortir, du fait que votre amour-propre a souffert. Il ne vous est pas aisé d'être lucide quand vous êtes amoureuse de quelqu'un, même si tous vos amis vous font sentir (ou vous disent ouvertement) que votre homme est un bon à rien. Rappelez-vous le cas de Sandra si vous êtes aux prises avec un homme qui est à peine arrivé au niveau 3 et qui ne peut passer au niveau suivant.

Vers le niveau 5

Le niveau 5 est le dernier niveau d'engagement avant le mariage. On doit y faire attention. À une certaine époque, la vie commune signalait la libération du couple. Quand vous vous «accotiez», vous faisiez fi des conventions les plus chères à la société. Pour la femme, cette vie commune était particulièrement libératrice parce qu'elle se prouvait, et prouvait au monde entier, qu'elle pouvait avoir des rapports sexuels en dehors du mariage. Pour la première fois, la femme avait le choix.

De nos jours, les choses sont plus compliquées. La vie commune n'est plus considérée comme une manifestation de libération sexuelle. Elle finit souvent par révéler que les attentes des partenaires sont incompatibles. Vous pourriez, par exemple, vous laisser glisser malgré vous dans une vie commune à l'âge de vingt-six ans, mais à trente ans vous pourriez fort bien y accorder plus de valeur qu'au début.

Nous avons décelé une tendance que nous appellerons «syndrome de Wall Street», selon laquelle les partenaires, qui ont chacun un poste important, occupent le même appartement et partagent le même lit, mais demeurent, à cause de leurs longues heures de travail et de leur absorption dans leur carrière respective, de parfaits étrangers durant la nuit. Un couple, avec qui nous travaillons depuis plus d'un an, vit dans un petit studio et semble manifester tous les signes d'un vrai ménage: ils partagent leur argent, la vaisselle, les meubles et la lessive. À toutes fins utiles, ils sont un couple. Mais il y a un hic: un jour elle décida qu'elle voulait davantage qu'un colocataire, joua les trouble-fête et le força à suivre avec elle une thérapie de couple. Maintenant, elle commence à se rendre compte que les conditions actuelles de la relation sont idéales pour son «colocataire» (il n'est même plus son amant, son intérêt sexuel s'est dissipé il y a presque un an). En même temps, elle admet nier la réalité. Elle ne la regarde pas en face, même quand il refuse qu'elle rencontre ses amis ou ses collègues. Pourquoi? Parce que cette femme a peur des hommes «possessifs» qui la mettraient en tutelle et qui essayeraient de lui voler son indépendance. Son pire cauchemar: le stéréotype de l'épouse au foyer, vivant en banlieue. Ce cauchemar l'empêche de voir qu'elle vit avec un homme qui ne peut laisser naître aucune intimité. Ces gens devraient-ils vivre ensemble? Absolument pas. Ils ne devraient probablement même pas sortir ensemble.

Il arrive que les gens emménagent ensemble pour vérifier si oui ou non ils devraient se marier. Dans une «expérience» de ce type, c'est généralement la femme qui sert de cobaye. Margaret avait fréquenté Charles pendant huit mois seulement avant d'emménager avec lui. Ils cohabitent maintenant depuis un an. Pourtant, Charles n'a pas encore décidé s'il veut rompre avec Margaret ou l'épouser. Le *comportement* de Charles, toutefois, est éloquent: en présence d'invités à dîner, par exemple, il discutera de *ses* projets de voyage pour l'hiver suivant, pas de leurs projets, pendant que Margaret se taira et se sentira comme une domestique. Ne permettez pas à un homme de vous placer dans une position où vous aurez à retenir votre souffle pendant qu'il décidera de votre avenir. Si vous n'avez pas réussi à obtenir un engagement de sa part avant d'emménager avec lui, vous ne le pourrez pas davantage une fois qu'il aura vu vos bas pendus à la tringle de la douche. Ce sont justement ces bas — ou toute autre raison insignifiante — qui lui fourniront le prétexte pour vous dire non.

À l'âge de trente-quatre ans, et après plusieurs années de monogamie affirmée, Jessica donna à George six mois pour se décider à l'épouser. Ce n'est pas seulement son âge qui avait incité Jessica à adresser un ultimatum à George. Jessica était devenue particulièrement proche d'Emily, fille de George, née d'un mariage précédent. «Je suis tout à fait mêlée à ta vie et à celle de ta fille, lui dit Jessica. Le moment est venu de régler les choses entre nous.» Quand elle avait emménagé avec George et Emily, la date du mariage avait été fixée à l'automne suivant.

En fait, nous vous recommandons d'emménager avec un homme *seulement* si tous deux planifiez de vous marier dans un délai de moins d'un an, si vous êtes âgée de vingt-huit ans ou plus. Autrement, vous vous priveriez d'un temps précieux que vous pourriez consacrer à rencontrer d'autres hommes. En outre, il se pourrait que vous découvriez trois, quatre ou cinq ans plus tard que l'Homme acceptable avec qui vous aviez emménagé s'est transformé en un Homme parfait aujourd'hui/parti demain qui refusera toujours de vous épouser.

Si l'un des partenaires a connu un mariage malheureux suivi d'un divorce pénible, la situation pourrait exiger beaucoup de patience et de compréhension de la part de l'autre. Larry avait connu un mariage horrible il y a un certain nombre d'années. Par la suite, les symboles du mariage l'effarouchaient. Il aimait Ruth, avec qui il vivait depuis trois ans; il était véritablement engagé envers elle. Ruth, elle, commençait à parler d'officialiser leur relation. À trente-six ans, elle voulait avoir des enfants. Mais le seul mot de mariage restait dans la gorge de Larry. Nous lui avons fait remarquer qu'ils étaient davantage engagés l'un envers l'autre que beaucoup de couples que nous rencontrons dans nos cabinets. Mais, pour Larry, le mot «mariage» avait une connotation insupportable. Il croyait que le mariage allait faire de lui un stéréotype et que leur relation n'avait pas besoin de cela. Le mariage n'est pas une obligation si les partenaires peuvent, sans un tel lien, s'engager profondément l'un envers l'autre. Dans le cas de Larry et de Ruth, la vie commune ne constitue pas nécessairement un obstacle à un mariage possible.

De façon générale, cependant, avant que vous viviez avec lui, la question du mariage devrait être clairement établie: le mariage est prochain (très prochain). La vie commune n'est pas une expérience destinée à vous apprendre comment vous vous entendrez. Si vous décidez de vivre avec lui pour une question de commodité, d'accord, mais soyez bien claire: il ne s'agit pas d'autre chose.

Voici une liste de situations possibles. Avant d'emménager avec lui, vérifiez si elles vous sont familières.

1. Tout le monde vous pousse au mariage, mais tous deux avez déjà formulé vos propres projets et avez convenu de n'en parler à personne avant d'être prêts. (C'est une bonne raison de passer au niveau 5.)
2. Quand vous partez tous les deux en vacances, vous vous disputez au sujet du temps à consacrer aux emplettes ou aux musées; vous ne vous entendez pas et vous ne vous laissez réciproquement aucune liberté.
3. Si vous vivez ensemble, l'un de vous projette de garder un appartement séparé.

4. Si vous emménagez avec lui, il refuse de laisser entrer vos meubles, sous prétexte qu'ils ne s'harmonisent pas avec son décor.
5. Vous êtes amoureux l'un de l'autre, engagés l'un envers l'autre, mais le mariage vous semble trop conventionnel à tous deux. (Encore une fois, c'est une bonne raison de passer au niveau 5.)
6. Vous savez en tout temps qui doit combien à qui. Votre relation est monogame, mais ce n'est pas vraiment une relation de partage.
7. Si vous vivez ensemble, vous agissez de façon indépendante; sans doute que le soir vous ne vous attendez pas mutuellement et que vous ne prenez que peu de repas ensemble.
8. Vous vivez ensemble depuis six mois, mais il n'a pas encore eu le temps d'inscrire votre nom sur sa boîte aux lettres, ni d'informer ses amis que vous vivez maintenant ensemble. (Vous pouvez vivre physiquement ensemble sans que votre homme en soit arrivé au niveau 5 d'engagement.)

Grâce aux cinq niveaux d'engagement, vous serez en mesure de constater où vous vous situez dans votre relation; vous pourrez revenir à son niveau et repenser vos rapports avec lui. Ces cinq niveaux vous permettent de connaître *le statut exact de votre relation*.

Au chapitre 3, nous verrons comment la femme assume la responsabilité des relations stagnantes et comment le fait de se blâmer elle-même *nuit* en fait à la possibilité de passer à un niveau supérieur d'engagement. De plus, nous vous enseignerons les moyens d'éviter de tomber dans le piège de l'auto-accusation.

LES CINQ NIVEAUX D'ENGAGEMENT

NIVEAU	DESCRIPTION	DURÉE IDÉALE*	DEGRÉ D'ENGAGEMENT	QUE FAIRE?
1. Fréquentations occasionnelles	Aucune régularité dans les rencontres. Vous devez décider de ce que vous voulez et savoir ce que vous éprouvez pour lui.	1-4 mois	Aucun.	Mieux vaut ne pas coucher ensemble si vous craignez que cela mène à l'attachement émotionnel. N'essayez pas *ouvertement* de découvrir s'il voit d'autres femmes. Ne parlez pas trop de cet homme à vos amis. Soyez réaliste dans vos attentes.
2. Fréquentations assidues	Vous commencez à bien vous connaître et à bien vous aimer. Vous vous sentez plus à l'aise ensemble. Vous vous rencontrez plus régulièrement; vous vous appelez pour converser; vous décidez à l'improviste de dîner ensemble, etc.	2-4 mois	Vous savez que vous tenez l'un à l'autre, mais aucun engagement réel n'existe encore. Il se peut que vous sortiez avec d'autres hommes.	Résistez à l'envie de tout «avouer» (que vous êtes amoureuse, que vous avez subi un avortement, etc.). Vous n'en êtes pas encore au niveau 3, ne vous privez donc pas de voir d'autres hommes. Ne lui suggérez pas de prendre des vacances avec vous.

3. Monogamie	Vous bâtissez une vraie relation en ce moment et vous avez décidé de n'avoir de rapports sexuels avec personne d'autre. C'est le bon moment pour vérifier si son échelle des valeurs et ses objectifs sont ou non compatibles avec les vôtres et d'apprendre à mieux vous connaître l'un l'autre.	6 mois-1 an	C'est le niveau ou naît l'engagement.	Remarquez la fréquence à laquelle il vous fait participer à ses activités avec sa famille et ses amis. C'est un grand pas à faire pour un homme — ne paniquez pas s'il se comporte de façon inattendue (il néglige parfois de vous appeler alors qu'il est censé le faire; il lui arrive d'être en retard; il vous voit moins souvent pendant quelques semaines).
4. Monogamie affirmée	Vous faites partie de sa vie et lui de la vôtre. Vous êtes un couple. Vous prenez vos vacances ensemble. Vous avez rencontré sa famille et ses amis. Vous vous sentez à l'aise en tant que couple. Les gens vous demandent à quand le mariage.	6 mois-2 ans	C'est le niveau de l'engagement sérieux. Nombreux sont les couples qui passent directement du niveau 4 au mariage.	C'est souvent le point tournant pour l'homme atteint du syndrome de la corde au cou. S'il commence à prendre ses distances, s'il a soudain besoin de plus d'«espace» sur de longues périodes ou si vous remarquez un changement important dans sa façon de vous traiter, considérez cela comme un *avertissement*. (Vous trouverez de bons conseils à ce sujet au chapitre 7.)

NIVEAU	DESCRIPTION	DURÉE IDÉALE*	DEGRÉ D'ENGAGEMENT	QUE FAIRE?
5. Vie commune	Vous vivez ensemble comme couple. Les gens vous considèrent presque comme des gens mariés.	6 mois-1 an	Multiples degrés: de l'engagement nul (commodité seulement) à l'engagement profond. Si *ni l'un ni l'autre* ne croyez au mariage en tant qu'institution, ce niveau peut être celui de l'engagement total.	Beaucoup de couples décident de vivre ensemble, mais sans se marier. La vie commune n'est *pas nécessairement* le prélude au mariage. Prenez garde au syndrome de Wall Street. Il existe quand les partenaires cohabitent mais se voient rarement à cause de leurs horaires chargés. N'emménagez pas avec lui comme s'il s'agissait d'une expérience. Si vous souhaitez le mariage, le délai doit être clairement convenu entre vous.

* Par durée idéale, nous entendons la période optimale durant laquelle vous êtes engagée envers un homme à chacun des niveaux. C'est un point de référence qui, bien entendu, n'est pas absolu. Notez que cette durée dépend aussi de l'âge des partenaires. Si vous et/ou votre ami êtes âgés de moins de trente ans, vous pouvez vous attendre à passer un peu plus de temps à chaque niveau.

3

Cesser de se blâmer

«Est-ce que que j'attends trop des hommes?» «Suis-je trop exigeante?» «Suis-je arrogante?» «Ai-je dit ce qu'il ne fallait pas?» «En quoi me suis-je trompée?»

C'est ce que nous appelons le syndrome de l'auto-accusation («en cas de doute, blâme-toi», «je suis désolée, c'est ma faute»); quel que soit son nom, il s'est transmis de mère en fille, *comme s'il* était dans les gènes. *Ce n'est pas le cas*. L'auto-accusation est une attitude acquise dont on peut se débarrasser une fois qu'on l'a reconnue.

Nina, 29 ans, est une productrice de films habituée à voyager un peu partout pour tourner des messages publicitaires. Il n'est pas rare que, à bord d'un hélicoptère, elle se place devant la porte ouverte, en vue d'une prise particulière; cela fait partie de son travail. Nina gagne près de 100 000 dollars par an. Elle vient de donner un acompte sur un appartement en copropriété.

Nina sort avec beaucoup d'hommes, mais pas sérieusement. Elle a rencontré la plupart d'entre eux par le biais de son travail. Depuis quelque temps, toutefois, elle aimerait entretenir des liens plus étroits avec un homme. Nina voudrait une famille, un foyer chaleureux qu'elle créerait avec lui. Elle n'avait jamais rencontré d'homme animé de telles intentions avant de rencontrer Jack.

Jack est rédacteur au service des nouvelles d'une station de télévision. Il est drôle et sympathique. Il a trente-trois ans. Il aime autant son travail que Nina aime le sien. Il est grand, plutôt dégingandé, et sa démarche est désinvolte; Nina était à même de supposer qu'il avait joué au basket avec l'équipe de son école secondaire. (Quand elle lui a demandé si c'était le cas, il a ri: comment l'avait-elle su? «Comme tu es attentive», lui avait-il dit.) Tous deux sont arrêtés dans leurs opinions et ils discutent beaucoup; mais ils ne peuvent se faire taire l'un l'autre.

Nina et Jack sont bien assortis aux points de vue sexuel et intellectuel. Non seulement ils éprouvent une attraction électrique l'un pour l'autre, mais ils aiment aussi se détendre ensemble en ne faisant rien, traîner à table ou au lit le dimanche matin.

Après être sortie avec Jack pendant quelques mois, Nina s'est lancée dans un vaste projet professionnel. Durant un week-end de travail au bureau, elle appelle Jack et lui demande s'il ne voudrait pas apporter quelques sandwiches pour pique-niquer sur le toit. Jack refuse, sous prétexte que cela perturberait ses projets à lui pour la journée. En mangeant son sandwich seule à son bureau, Nina songe à quel point elle est contente d'être assez indépendante pour ne pas avoir besoin qu'un homme prenne soin d'elle. Puis elle se demande pourquoi Jack n'a pas consenti à lui faire ce petit plaisir. Après tout, malgré son horaire surchargé, c'est toujours elle qui prépare le dîner. Pourquoi a-t-*elle* toujours du temps pour préparer le dîner, et du temps à lui consacrer en général? Il peut lui parler pendant des heures de ses problèmes au studio, mais quand elle lui fait part de ses problèmes à elle, elle voit dériver son regard. Même s'il lui dit respecter sa réussite professionnelle, il ne s'enquiert jamais de son travail et se sent toujours lésé quand elle doit partir en voyage d'affaires. Attend-elle trop de lui?

Quand les pressions que son travail exerce sur elle s'intensifient, elle demande à Jack s'il ne ferait pas quelques courses pour elle et s'il n'accepterait pas de préparer leurs repas tardifs. Jack accepte à contrecœur, puis se fatigue après un jour. Quand elle le lui reproche, il est abasourdi. Pourquoi diable est-elle en colère contre lui? «Tu es trop exigeante», lui dit-il. Il recule — elle en demande *beaucoup trop*.

Entre-temps, Nina se morfond. «Je suis trop exigeante. Tout doit être de ma faute», se dit-elle. Mais une petite pointe de colère lui pique le cœur — *pourquoi* se blâme-t-elle? C'est *lui* qui lui fait faux bond.

Pourquoi Nina se blâme-t-elle? Non, non. La vraie question, c'est: «Pourquoi Jack et Nina blâment-ils Nina?» Les réponses se trouvent dans le passé.

Retour en arrière: 1954. Susan et Henry, les parents de Nina, tombent amoureux, se marient et achètent une petite maison de banlieue. Quand Susan devient enceinte, le couple célèbre la réalisation de leur rêve le plus cher: fonder une famille.

Tous les jours, le soutien de famille, Henry, monte dans le train qui le conduit au travail. À la naissance du bébé, Susan se rend compte qu'elle adore son rôle de mère. Ensemble, Susan et Henry créent un petit nid confortable. S'ils sont jeunes — au milieu de la vingtaine —, Susan et Henry n'en sont pas moins des adultes responsables qui, avec les autres membres de leur collectivité, bâtiront un monde sûr et solide dont hériteront leurs enfants.

Quelques années plus tard. Susan regrette parfois de ne jamais exploiter les ressources de son intelligence. Même si elle ne se l'avoue pas, elle commence à trouver son ménage — et sa vie — ennuyeux, routinier. Elle attend un deuxième enfant.

Henry se plaît dans son rôle de soutien de famille. Avec sa fidèle Susan pour le soutenir, il se sent fort, viril. Il vient d'avoir une promotion importante au travail. Mais il lui arrive de se sentir pris au piège, surtout maintenant qu'un deuxième enfant va naître. Il se sent coupable de nourrir ces pensées. Bien sûr, il n'en parle pas à Susan. Pour elle, il semble lointain, renfermé. Elle regrette le bon vieux temps où ils étaient si proches l'un de l'autre.

«Qu'est-ce que je peux faire pour améliorer la situation?» se demande Susan constamment. Dans des efforts effrénés pour plaire à Henry, elle s'acharne à devenir l'épouse «parfaite», la mère «parfaite» et la ménagère «parfaite». Toujours patiente, elle ne se met jamais en colère. Elle fait passer ses propres besoins en dernier lieu.

Après Nina, le deuxième enfant vient au monde. Henry achète une plus grande maison et une plus grosse voiture. C'est le mari modèle — du moins, selon toute apparence. L'été, il tond le gazon; l'hiver, il pellette la neige. Il ne trompe pas Susan. Mais Henry a une vie secrète: il se procure des magazines porno et il s'imagine être un playboy qui dispose de tout un harem de filles magnifiques à son seul service. Dans la réalité, il sent une multitude de pressions s'exercer sur lui: argent, maison, voiture... c'est son devoir de soutenir sa famille, n'est-ce pas? Mais un jour, il se libérera du boulet du mariage et redeviendra un «homme libre».

Nombre d'années plus tard, quand Nina et son frère ont quitté le foyer, Henry a une aventure avec une femme qui pourrait être sa fille. Susan le découvre. À ce moment, Henry demande le divorce; il laisse à Susan la maison, la voiture et le magot.

Susan, foudroyée, dénuée de toute aptitude au travail, reste assise seule dans sa cuisine immaculée. «Je n'y comprends rien», se répète-t-elle inlassablement. Elle a sûrement fait quelque chose de mal. Comment Henry a-t-il pu la quitter? Ils sont mariés... ils ont eu des enfants... comment a-t-elle pu cesser de lui plaire?

Qu'a-t-*elle* donc fait de mal?

Le syndrome de l'auto-accusation a son origine dans la belle petite maison de banlieue d'il y a trente ans. Comprendre pourquoi une femme comme Susan peut en arriver à être seule, abandonnée dans sa cuisine, à se blâmer pour l'effondrement de son mariage, c'est comprendre pourquoi Nina, sa fille, se blâme aujourd'hui, même si elle sait très bien que cela n'a aucun sens. Comprendre pourquoi un homme comme Henry se sentait comme un cheval de labour et rêvait de recouvrer sa «liberté», c'est comprendre pourquoi Jack, aujourd'hui, croit que l'engagement envers une femme signifie qu'il lui faut renoncer à trop de choses.

Durant la décennie qui a précédé le mariage de Susan et de Henry, pendant la Deuxième Guerre mondiale, nombre de femmes rapportaient à la maison des chèques de paye qu'elles avaient gagnés grâce à des travaux d'usine traditionnellement réservés aux hommes. Mais aussitôt que les hommes ont commencé à revenir d'Europe et d'Asie, les femmes qui gagnaient leur pain se sont senties obligées de rentrer au foyer et de s'y cantonner. Durant les années 1950, l'ordre et la stabilité étaient considérés comme des antidotes contre les perturbations et l'incertitude qu'avaient engendrées les années de guerre. Pour éviter le traumatisme de l'après-guerre, il fallait préserver les valeurs familiales traditionnelles et garder des rôles bien précis à l'homme et à la femme.

Dans les années 1950, le foyer familial est devenu le Foyer, glorifié et sacro-saint — un temple de sécurité, de chaleur et d'amour dans un monde sombre et menaçant. À la femme, en qui veillait une petite flamme subversive d'indépendance, on enseignait que les rôles d'épouse, de mère et de reine du foyer étaient le nec-plus-ultra de la féminité. Pendant ce temps, les responsabilités de l'homme se limitaient aux questions d'argent et de travail.

De nos jours, ces rôles nous semblent rigides, artificiels, contraignants, disons-le, à périr d'ennui. Mais pour nos parents, au sortir de la guerre, règles, rôles et structures représentaient un certain confort. Il a fallu attendre à la fin des années 1960 et au début des années 1970 pour voir la femme se révolter et refuser le rôle inférieur qui lui était imposé dans la vie.

Des possibilités dont sa mère n'aurait jamais même rêvé s'offrent aujourd'hui à Nina. Elle possède sa propre maison, elle mène une carrière réussie et elle est libérée du point de vue sexuel. C'est une femme indépendante. Elle veut une relation d'égale à égal avec un homme; le couple doit être composé de deux êtres indépendants et égaux qui se soutiennent l'un l'autre. Elle ne veut pas revivre ce que ses parents ont vécu. Elle préférerait rester célibataire.

Cela étant, il reste que Nina est la fille de sa mère. Elle se dit que, si elle était moins exigeante et moins amère, tout irait mieux. Contrairement à sa mère, toutefois, Nina n'y croit pas vraiment. Au fond d'elle-même, elle sait bien que c'est une duperie. C'est en cela que Nina — et nous toutes, filles de femmes traditionnelles — différons grandement de nos mères. Quand Nina est venue nous consulter au sujet de sa relation avec Jack, nous avons reconnu immédiatement qu'elle était une femme comme nous. Nous savons que vous pourriez vous attacher à prendre soin de vous-même au point de négliger certains indices importants. Quand Jack ne se dérange pas lorsque Nina le lui demande, celle-ci n'en fait pas un drame. Mais quand Nina remarque un modèle de comportement qui se répète — Jack n'est pas disposé à se déranger pour elle ou à penser en fonction d'*elle* ou d'*eux* plutôt qu'en fonction de lui seul —, elle refuse d'abord d'y penser. Une attitude acquise il y a longtemps s'éveille en elle: «Ce doit être ma faute», s'entend-elle dire.

Après une consultation avec Nina, nous l'avons pressée de revenir la prochaine fois accompagnée de Jack. Notre intuition nous disait qu'il était du type Homme parfait aujourd'hui/parti demain — non pas un cas désespéré, mais un homme qui veut que tout se fasse en fonction de lui et que la femme s'en accommode. Elle et Jack n'en étaient pas arrivés au même niveau d'engagement. Même monogame, Jack sentait ses responsabilités lui peser. Serait-il en mesure de passer de la monogamie, niveau 3, à la monogamie affirmée, niveau 4?

Avant que Nina et Jack ne reviennent à une autre séance, l'image de Susan nous a hantées. Nous nous sommes rappelé toutes les fois qu'elle avait dû se lever en pleine nuit pour le bébé parce que son mari se disait trop fatigué pour le faire, alors qu'elle aussi avait eu une dure journée. Nous nous sommes aussi rappelé l'époque où elle avait rédigé sa thèse de doctorat et où son mari pouvait à peine la voir, époque où elle se sentait coupable à cause des contraintes que son travail à elle lui imposait à lui. Comme un très grand nombre de nos clientes souffrent du même problème, nous avons réfléchi longuement à la question: Pourquoi les femmes se sentent-elles si responsables de tout?

La responsabilité a ses «avantages». Si vous assumez la responsabilité de votre relation, vous vous en rendez maître, ce qui vous donne une impression de puissance. Hélas! vous êtes tout sauf puissante: vous êtes une bête de somme, vous perdez le sommeil pour le protéger et vous enrayez votre propre développement pour lui (le fait de rédiger votre thèse de doctorat dans un réduit ne vous aide pas).

Alors, pourquoi continuer de vous blâmer? Parce que cela semble moins douloureux que de se rendre compte que l'homme doit changer. C'est ce qui fait monter l'angoisse en nous. C'est à lui de décider s'il veut changer ou pas. Et nous avons le terrible sentiment qu'il ne changera pas. Voilà qui est trop effrayant pour y penser. Alors, nous préférons nous interroger sur ce que nous avons raté et sur ce que nous pouvons faire pour que tout aille bien.

Entre-temps, plus vous assumez de responsabilités, moins il en assume. Dans son ouvrage, *The Hearts of Men,* Barbara Ehrenreich parle de ce qu'elle appelle la «révolte de l'homme» contre son rôle traditionnel de soutien de famille, révolte qui a abouti à une attitude d'irresponsabilité presque totale envers la femme. Parallèlement, la femme a assumé *trop* de responsabilités.

Ce qui nous afflige profondément, c'est de voir que certains thérapeutes encouragent implicitement cette regrettable situation et, en fait, font empirer les choses. Nina se fit dire qu'elle manifestait une tendance névrotique à «mal» choisir ses hommes et qu'elle devrait entreprendre des années de psychothérapie pour découvrir la nature de son «mal». Un autre genre de thérapeute traditionnel (orienté vers le couple) lui aurait conseillé de revenir sur ses pas et d'imposer moins d'exigences à Jack, de sorte qu'il s'intéresse davantage à elle. Le message: Adapte-toi! N'attends pas trop d'un homme si tu veux l'attraper. Les thérapeutes se sont donc joints aux hommes pour prétendre que le désir des femmes d'obtenir *plus* est d'ordre pathologique. Mais pourquoi serait-il pathologique chez la femme de vouloir *plus* et ne le serait-il pas chez l'homme de vouloir *moins*?

Vous avez sans aucun doute lu un grand nombre d'ouvrages qui disent: Bien sûr, cet homme a des problèmes, mais tu ne peux lui demander de *changer*. Si quelqu'un doit changer, Nina, ce sera toi. Cette façon de voir les choses est malsaine: parce que Nina est une femme, il est entendu que c'est elle qui a le plus investi dans la relation et qui doit en assumer la responsabilité. Le préjugé de la thérapie est évident: il ne faut pas s'attendre à trop des hommes (quel dénigrement!), alors laissez-les tranquilles.

Une femme comme Nina a besoin qu'on renforce sa conviction selon laquelle ses exigences ne sont pas exagérées. C'est ce type de soutien que nous nous efforçons d'offrir à nos clientes. Les femmes *devraient* imposer des exigences aux hommes. Sinon, ceux-ci ne changeront jamais et ne deviendront jamais des partenaires égaux dans les relations.

Nina recherche-t-elle les hommes «problèmes»? Non. En fait, elle pourrait se retrouver avec trois, quatre ou cinq Jack de suite, sans que ce soit sa faute à elle. Après avoir constaté que les Jack sont en si grand nombre, ce serait nier l'évidence que de croire que toutes les Nina du monde les choisissent. La vérité crue, c'est que *les femmes trouvent les hommes qu'il y a à trouver.*

Le syndrome de l'auto-accusation

La découverte de ce syndrome ne sert aucun but utile à la femme. Quand une femme saine y pense, elle se dit: «Un instant! je n'ai rien fait de mal.» Un bon moyen pour nous de découvrir si nous sommes saines, c'est d'observer la durée de notre première réaction d'auto-accusation. Ne vous en faites pas; même si vous croyez que la manie de l'auto-accusation est solidement ancrée en vous, sachez que la plupart des femmes s'en déferont aussitôt qu'une autre femme, souvent une amie, la leur fera remarquer.

Voici quelques façons typiques qu'a la femme des années 1980 de se blâmer. Vous pourriez sans doute allonger cette liste.

1. «Je suis trop exigeante.» Quand un homme veut quelque chose de vous et vous le demande, l'accusez-vous d'être trop exigeant? Non, vous le trouvez séduisant et assuré, parce qu'il sait ce qu'il veut.

Laura craint d'être trop exigeante quand elle demande à Jason ce qu'il fait des soirées qu'il ne passe pas avec elle. Jason se sent «possédé» par cette question, mais en fait Laura ne veut pas le posséder, elle veut simplement se rapprocher de lui.

Jason a grandi dans une famille typique des années 1950. Son père (comme Henry) était un homme d'affaires accablé que les responsabilités irritaient et que les relations intimes dérangeaient. L'homme d'aujourd'hui désire que la femme soit là quand il le veut et qu'elle disparaisse quand il en a assez d'elle — désir qui habitait le père de Jason, mais qu'il s'attendait rarement à voir se réaliser.

Laura ne croit pas vraiment qu'elle cherche à posséder Jason. Ils ont passé par le niveau 2, celui des fréquentations assidues, mais Laura, elle, a progressé jusqu'au niveau 3, celui de la monogamie, et a ainsi dépassé Jason. Elle a cessé de sortir avec d'autres hommes sans savoir si c'était le cas pour Jason aussi. Le fait que Jason déteste faire des projets, même pour le week-end à venir, pose un autre problème. Laura se dit qu'il aime se sentir libre ou qu'il a de nombreux autres intérêts. Mais parfois un éclair lui révèle que, en fait, il craint l'intimité.

Cette pensée donne à Laura l'envie de rentrer sous terre. Elle tente donc parfois de se convaincre que Jason a raison quand il l'accuse d'être trop exigeante. Si elle lui accorde qu'effectivement elle porte le blâme de tous leurs problèmes, elle se sent plus près de lui. Au moins, ils s'entendent sur un point: sur qui rejeter la faute. Mais ce sentiment de proximité ne dure jamais.

Laura doit se rendre compte que, pour le moment, Jason et elle n'en sont pas arrivés au même niveau d'engagement. Jason n'est sans doute pas prêt à sauter dans la monogamie et, pour être réaliste, Laura devrait envisager de sortir avec d'autres hommes (pourquoi serait-elle monogame quand elle ne sait même pas s'il l'est?). Pour être réaliste, elle doit également lui demander d'arrêter à l'avance leurs prochains rendez-vous.

Que signifie être «trop exigeante»? Si la femme attend de l'homme qu'il fasse tout à sa façon à elle, elle en demande trop. Mais il est franchement rare que cela se produise. «Exiger» demeure l'apanage des hommes. Même si les femmes commencent à s'endurcir un peu, peu d'entre nous se sentent réellement à l'aise quand il s'agit d'exiger assez. Nous aidons les femmes à trouver le point raisonnable où imposer les exigences semble aisé et naturel.

Comme beaucoup d'entre nous, femmes «exigeantes», Nina (dont nous avons parlé au début de ce chapitre) nourrit de grandes attentes au sujet des hommes et des relations. C'est une femme intense et fougueuse — elle veut obtenir beaucoup d'affection, d'attention et d'énergie de la part de Jack. Elle imagine aussi le genre de relation engagée et passionnée qu'elle souhaite. En réalité, elle n'aura pas tout ce qu'elle voudrait. Mais ce qui compte le plus, c'est qu'elle le *veuille:* elle est dynamique, vivante. Pourquoi n'aurait-elle pas le droit de vouloir une relation intense, stimulante, d'égale à égal? A-t-on tort de vouloir tout? Nous ne voudrions pas étouffer ce désir en nous-mêmes, par conséquent, nous ne vous conseillerons jamais de le faire.

Vous avez raison de demander, vous avez raison de vouloir et vous avez raison de défendre ce que vous voulez. Nina attend de sa relation deux fois plus — du point de vue émotionnel — que sa mère n'attendait de la sienne. L'ennui, c'est que Nina éprouvera plus de déceptions et de frustrations que la femme qui aurait moins d'attentes. Mais cela ne veut pas dire que Nina doive réduire ces attentes.

Toutefois, la plupart du temps, quand les hommes disent aux femmes qu'elles en demandent trop, cela veut dire que la femme désire davantage que ce que lui donne l'homme. Les hommes font *sentir* aux femmes qu'elles sont trop exigeantes parce qu'ils ont peur de perdre leur identité: plus l'homme donne à la femme, plus il perd de lui-même, croit-il. Selon notre expérience de travail auprès de couples, quand l'homme accuse la femme d'être trop exigeante, en fait il essaie de la réduire au silence. Et cela marche toujours. Pour lui, c'est un moyen facile et rapide de faire fléchir la femme. Les hommes le savent. «Je ne veux pas qu'il me croie désespérée ou acariâtre, pense la femme. Je suppose que je devrais me taire.» Alors l'homme, soulagé, peut enfin respirer librement.

Jack trouve Nina trop exigeante même si ses revendications sont parfaitement légitimes. «Quand une femme me demande quelque chose, je me fige. C'est ma nature», nous a-t-il avoué au cours d'une séance de thérapie avec Nina.

«Il est fou, lui avons-nous dit, de considérer tout ce que Nina demande comme étant des exigences. Tu ne lui donneras jamais ce qu'elle veut, parce que tu réagiras toujours en pensant de cette façon: «Pas du tout. Si elle le demande, je ne le lui accorderai pas.» Bien sûr, si Nina se tait, elle n'obtiendra jamais ce qu'elle souhaite. Il n'y a pas moyen qu'elle s'en sorte.»

Jack s'est mis à réfléchir. «Oui, je sens que quelque chose ne va pas, a-t-il avoué. Aussitôt qu'elle veut quelque chose, je le lui refuse. C'est vicieux.»

Jack *pourrait* bien se révéler assez vicieux pour refuser même de changer. Mais c'est bon signe qu'il ait accepté d'écouter sans tout balayer du revers de la main.

Un homme ne cessera pas d'accuser sa compagne d'être trop exigeante pour la seule raison qu'ils sont mari et femme. À ce moment-là, il lui reprochera ses remarques continuelles. Le mari et la femme s'entendront sur la division des tâches domestiques — ménage, cuisine, courses. Vaines promesses. Quand il manquera à ses engagements (il voudrait que vous fassiez tout), vous les lui rappellerez. Alors il vous dira que vous êtes toujours sur son dos. C'est une autre situation dont il n'y a pas moyen de se sortir. Si vous ne dites rien, vous bouillez en dedans. Si vous parlez, il regimbe.

2. «Je suis trop agressive.» «Ne crois-tu pas que tu es un peu trop agressive?» s'entendit demander une femme par un ami témoin d'une dispute avec son mari. «Bien sûr, je suis agressive. Et alors?» lui répliqua-t-elle. D'aucuns diront que cette femme est agressive, intimidante, autoritaire, dominatrice, etc.; tout adjectif péjoratif fera l'affaire. Pourtant, c'est une femme normale, dont l'attitude est saine et assurée. Elle se dispute quand elle est fâchée.

L'ami de Judy, Frank, suit ses cours de pharmacie le jour et étudie le soir. Avant d'aller se coucher, il lui téléphone; c'est un plaisir pour lui. Mais Judy a besoin de toutes ses heures de sommeil. Quand il l'appelle, elle a du mal à garder les yeux ouverts. Elle est contrariée. Il fait tout ce qui lui plaît quand ça lui plaît. Elle aussi travaille dur toute la journée. Mais elle ne dit rien parce que Frank est «sensible» et qu'elle ne veut pas le blesser. En outre, peut-être que, si elle se plaignait, Frank en conclurait qu'elle se fait «trop valoir».

La passivité ne marche pas. De toute façon, ce n'est pas à vous de protéger l'amour-propre de l'homme. Judy, forte et assurée dans tout ce qu'elle fait, explosera. Avant qu'il ne soit trop tard (un détail comme celui-là prend vite de grandes proportions), elle devrait dire à Frank: «Écoute, quand tu m'appelles tard comme ça, ça ne me convient pas. J'aime beaucoup converser avec toi, mais trouvons une autre heure pour le faire.» En dépit de sa sensibilité, Frank n'en mourra pas. En fait, quand vous établissez vos propres modalités dans une relation, les deux partenaires s'en voient raffermis. L'Homme acceptable ne manquera pas de relever le défi.

3. «J'ai trop de colère en moi.» Quand Nina a explosé devant Jack, il lui a déclaré qu'elle était une «femme en colère.» Voilà qu'elle était démolie. Ne vous semble-t-il pas quelquefois que l'homme a le don de toucher en vous des points sensibles? À nous aussi. Vous faire dire que vous êtes en colère vous fait vous sentir comme une femme déprimante, négative, qui déteste probablement les hommes. De toute façon, il laisse entendre que vous n'êtes pas *féminine*. Se rend-il compte de ce qu'il est en train de vous faire? Non, il essaie sans doute de se défendre. S'il vous dit que vous êtes une femme en colère, ce n'est pas pour vous briser le dos, c'est qu'il en a plein le dos.

Ce n'est pas votre colère comme telle qui est le problème, c'est que l'homme n'aime pas vous voir en colère. Enfant, il se peut que l'homme ait été terrifié de voir sa mère courroucée. Maintenant, voilà qu'une femme en colère ébranle les fondations de son monde. Inconsciemment, la femme est sans doute attentive à son besoin d'être réconforté, et elle pourrait céder à sa première impulsion qui est de cesser de l'ébranler.

Au cours de séances de thérapie avec des couples, nous avons découvert que, quand la femme se comporte comme si elle était blessée, en fait, elle est en colère. Aussitôt qu'elle se met à pleurer, nos oreilles se dressent et nous soupçonnons qu'elle est furieuse. Nous lui dirons: «Es-tu triste? Nous croyons que c'est autre chose.» Ça ne rate jamais. La femme nous parlera librement de sa colère; tout ce dont elle avait besoin, c'était d'être soutenue.

Quand Nina se fâche contre Jack parce qu'il ne l'appuie pas suffisamment du point de vue émotionnel — qu'il ne lui donne pas assez — et qu'il n'est pas attentif à ses besoins, elle éprouve le même manque et la même rage que des millions d'autres femmes. Sa rage — votre rage — est justifiée. Dans notre société, il est acceptable que les femmes pleurent, mais pas qu'elles se fâchent. Cet état de chose devrait faire voir rouge à toute femme saine et normale.

Pensez à toutes les situations qui se sont produites au cours des quelques semaines passées et dans lesquelles vous vous êtes sentie triste ou blessée. Il est plus que probable que votre vraie émotion était la colère. Au cours d'une de nos séances de thérapie de groupe, Lynn nous a parlé de son patron, qui s'attribuait des commissions qui auraient dû lui revenir à elle. Elle craignait tant de s'emporter et de passer pour une chipie qu'elle lui trouvait des excuses. Fait intéressant, ses collègues hommes la poussaient à lui faire face: «Il te vole, poursuis-le.» Pendant ce temps, ses collègues femmes lui conseillaient d'essayer de régler la situation sans faire d'histoire.

Pour les femmes, les relations représentent tout. Le docteur Carol Gilligan, de l'Université Harvard, a découvert dans ses recherches auprès d'enfants que les filles vont généralement cesser de jouer si des problèmes personnels commencent à les ronger, alors que les garçons cesseront de jouer si quelqu'un viole les règles du jeu. Lynn est encore une petite fille: elle protège sa relation avec son patron plutôt que de crier maldonne.

Nous toutes dans le groupe l'avons appuyée dans sa colère («Il n'a jamais été ton ami. Il t'a toujours volée.») Elle a fini par écrire une lettre cinglante à son patron. Nous avons célébré la victoire de Lynn; sa colère, bien orientée et bien articulée, lui a donné les résultats escomptés.

4. «J'ai dit ce qu'il ne fallait pas sur l'oreiller... au dîner... à la fête... au téléphone...» Le fait que vous ayez dit ce qu'il ne fallait pas ne sera jamais la cause de son trac devant l'engagement.

Quand Nancy et Bill se sont rencontrés à une soirée, un éclair a jailli; les cloches ont sonné et la terre a tremblé. Il avait d'autres engagements ce soir-là, lui a-t-il dit, et il lui a proposé de quitter la fête avec elle. Dans le taxi la ramenant à son appartement à elle, ils se sont embrassés et caressés passionnément, en faisant l'amour. «Je n'ai jamais rien ressenti de pareil», s'est-t-elle entendue dire à un moment donné. «Moi non plus, a-t-il répondu. Je t'appelle demain.» Hors d'haleine, il l'a embrassée longuement avant de la laisser descendre du taxi.

Elle n'a plus jamais entendu parler de lui.

Elle avait tout raté. Elle l'avait rebuté. Elle avait dit ce qu'il ne fallait pas. Mais comment l'avait-elle rebuté? Il avait été tout aussi excité qu'elle.

Un homme vous désire et est attiré par vous: l'émotion et le désir montent, puis viennent l'exaltation et la promesse du plaisir et de la satisfaction. En esprit, il se peut que vous sautiez plusieurs niveaux d'engagement. Vous pourriez même déjà vous voir en train d'envoyer les faire-part de mariage. Pour vous, ce n'est qu'un début; pour lui, c'est la fin. Il a éprouvé un tel chaos d'émotions que sa peur d'être avalé par vous l'a fait fuir. Dire qu'il est un Homme bon à rien est un euphémisme. Sa vie est sans doute une suite ininterrompue d'expédients, de mesures palliatives. Ce type de situation se produit souvent pour nos clientes. Même si cela vous est arrivé plus d'une fois, ce *n'est pas* de votre faute.

Au début de leur relation, Don appelait Deirdre le lundi soir afin de faire des projets pour le samedi suivant. Puis un jour, il n'appela Deirdre que le jeudi. La semaine suivante, il ne l'appela pas du tout. Puis il l'appela le jeudi suivant encore une fois. Deirdre croyait devenir folle. «Qu'est-ce qui ne va pas? lui a-t-elle demandé. Qu'est-ce que j'ai fait?»

Don voulait sentir que toutes les possibilités lui restaient ouvertes. Appeler Deirdre était devenu une obligation. Pour l'homme qui souffre du trac, toute routine, même celles qu'il aime, finit par devenir un fardeau. Sa crainte de perdre son identitié (de renoncer à de petits morceaux de lui-même) refait surface. La femme devrait alors reconnaître qu'elle l'a sans doute dépassé dans l'échelle de l'engagement. Pour cet homme, le fait de sentir qu'il «doit» ou qu'il «devrait» faire quelque chose pour une femme fait surgir le spectre de son père, l'homme qui a passé toute sa vie esclave de sa famille et de sa femme. «Je ne deviendrai pas comme mon père», se jure-t-il.

Fondamentalement, il croit avoir le droit de ne pas devenir comme lui. Du temps du père de Don, l'engagement, c'est-à-dire le mariage, allait de soi. C'était ce qui faisait d'un homme un adulte. De nos jours, il se peut que l'homme considère comme un droit de rester célibataire, sans obligation ni engagement, tant et aussi longtemps qu'il lui plaira. Du fait que la théorie du «soutien de famille» est dépassée, nous observons à quel point il est difficile que le nouveau type d'engagement «prenne» et que la nouvelle relation naisse.

Don est l'exemple typique de l'Homme parfait aujourd'hui/parti demain. Il est déchiré entre son idéal de «liberté» et son envie de se rapprocher de Deirdre. Elle devrait observer son comportement. Elle peut tenter des expériences. Si elle lui dit: «Très bien, ne m'appelle pas» ou si elle lui propose qu'ils se téléphonent tour à tour, son trac s'intensifie-t-il? Deirdre se saborde elle-même quand elle croit avoir dit ou fait ce qu'il ne fallait pas. Elle doit plutôt se demander: «Qu'est-ce que sa réaction m'apprend sur lui? Pourquoi le fait de m'appeler le lundi soir le fait-il réagir ainsi?» Il n'y a pas de paroles magiques susceptibles de dissiper illico les craintes de Don, de Jack ou de tout autre homme. Ces hommes souffraient du trac bien avant de rencontrer Deirdre ou Nina. S'il n'y a pas de cure magique, il reste quand même extrêmement utile que vous voyiez clairement son comportement et que vous refusiez de vous blâmer.

5. «Je ne suis pas assez sexy.» Ève a les cheveux bruns, les pommettes saillantes et les lèvres charnues et sensuelles. Elle ne pourrait être ni plus belle ni plus séduisante aux yeux de tous, sauf à ceux de Bill, son amant. La femme idéale pour Bill est espagnole. Elle est foncée de peau, et de tempérament fougueux. La seule fois où il a été heureux avec Ève, c'est quand elle est revenue de Floride. «Je lui plaisais, dit-elle, du moins aussi longtemps que mon bronzage a tenu.»

L'attitude de Bill consistait à continuer de se chercher une femme parce qu'Ève n'était pas assez sexy. (Bill avait été dorloté par ses parents qui l'avaient élevé comme s'il était un dieu. Il éprouvait donc de la difficulté à trouver une femme qui soit à la hauteur.) Au début de leur relation, Bill avait posé les règles du jeu: pas d'engagement. Mais, comme Ève le dit, il voulait profiter de tous les avantages que procure l'engagement comme, par exemple, qu'elle soit toujours là pour lui et qu'elle satisfasse ses moindres désirs.

Comme leurs rapports sexuels laissaient à désirer, Ève se blâmait. Il était évident qu'elle n'était pas assez sexy. «Je n'ai jamais pensé qu'il souffrait de problèmes d'ordre sexuel. Je pensais que, si j'étais belle et que ma silhouette lui plaisait, tout irait mieux.»

Nous avons dit à Ève que chaque fois qu'elle croyait devoir changer pour lui de silhouette ou de teinte de cheveux, une petite sonnette d'alarme devrait retentir en elle. Si un homme ne vous trouve pas «bien» comme vous êtes, quelque chose ne va pas. En fait, même si Ève s'était transformée en la *doña* mythique de Bill, cela n'aurait rien changé; il aurait sans doute décidé qu'il préférait les blondes. Aucune femme ne peut être assez sexy et assez séduisante aux yeux de celui qui est atteint du syndrome de la corde au cou, parce que, aux dires d'un homme, «il y aura toujours une femme encore plus belle au prochain tournant». Ne laissez pas cette déclaration vous faire vous sentir laide. Ce n'est pas votre problème. C'est sa peur qui se manifeste, pas son appétit sexuel.

Bill était un Homme bon à rien facile à dépister. Ève s'en rend compte maintenant. Mais à l'époque Bill avait touché des points sensibles: sa beauté et sa sexualité. Elle était vulnérable et il le savait. Autre exemple: L'ami d'une de nos clientes a déclaré à celle-ci que ses jambes étaient trop grosses. «Quel culot, avons-nous dit. Comment ose-t-il critiquer tes jambes? Toi, critiques-tu ses défauts?» Elle a ri; bien sûr, elle ne les critiquait pas. Trouver à redire à propos de votre corps est une façon pour l'homme de vous diminuer et de se rendre maître de vous en vous faisant vous sentir moins bien que les autres.

Quelquefois, on peut changer le comportement de l'homme par le choc. Un homme avait dit à son amie qu'elle devrait se soumettre à une plastie des seins destinée à en augmenter le volume. «Très bien, lui avait-elle répondu. Je le ferai aussitôt que tu te seras fait allonger le pénis.» Une fois remis de son choc, il a admis que, à moins d'être lui-même disposé à se faire charcuter, il n'avait aucun droit de le lui demander.

Les femmes sont incroyablement vulnérables et sensibles quand il s'agit de leur visage ou de leur corps. Voilà un point sensible que les hommes ne manquent jamais de toucher. En réfléchissant à sa relation passée avec Bill, Ève se rend compte que si leurs rapports sexuels étaient loin d'être satisfaisants, c'est qu'il voyait le sexe avec elle comme un engagement. Comme vous le verrez au chapitre 4, une fois qu'un homme fait partie de votre vie, il se peut que son comportement sexuel cesse d'être satisfaisant. Du fait qu'il ne veut pas voir en face les craintes et les angoisses que l'engagement provoque en lui, il s'en prend à vos seins ou à vos jambes, comme prétexte.

6. «J'attends trop de lui.» Pensez à ce que vous attendez de vos amies: réconfort, soutien, fiabilité, *intimité*. Alors, pourquoi n'attendriez-vous pas la même chose d'un homme? Pourquoi ne recevriez-vous pas la même chose?

Quand Oliver tombe malade, Felicia se tient à son chevet avec les aspirines et le bouillon de poulet. Quand la journée de travail d'Oliver a été dure, Felicia laisse tout tomber pour l'écouter et le réconforter. Quand Felicia tombe malade, elle s'estime chanceuse s'il l'appelle une fois. Elle est toujours *là* pour lui, pourquoi ne peut-il pas être là pour elle?

Devriez-vous faire des compromis dans une relation? Nous sommes convaincues que certaines choses valent la peine qu'on en lâche d'autres pour les obtenir. Par exemple, rien ne dit que vous deviez toujours avoir raison. Chacune d'entre nous se souvient que, durant les premières années de mariage, elle allait jusqu'au bout dans toutes les discussions. Aujourd'hui, nous choisissons nos causes plus parcimonieusement. Dans chaque cas, nous nous demandons si le jeu en vaut vraiment la chandelle.

Felicia *ne devrait pas* vivre privée du soutien émotionnel qu'elle attend d'Oliver. S'il ne peut pas le lui donner, peut-être devra-t-elle envisager de le laisser tomber. Nous constatons généralement qu'en arriver à un «compromis» dans une relation, cela revient à laisser le dernier mot à l'homme. La femme n'a plus à faire de compromis comme elle le faisait à l'époque où se marier était ce qui comptait le plus pour elle (si elle refusait de céder devant lui, elle risquait de ne jamais se marier). De nos jours, la femme est assez solide pour insister sur ce qu'elle veut vraiment d'un mariage ou pour décider de rester célibataire.

Si vous faites des compromis pour protéger une relation médiocre, vous allez finir par devenir quelqu'un que vous n'aimerez pas. Vous n'entretenez même pas l'*espoir* d'une relation satisfaisante parce que vous êtes enchevêtrée dans une relation qui ne l'est pas. La femme n'est pas désespérément à la recherche d'un homme, mais à la recherche d'une relation satisfaisante. Nombreux sont les ouvrages de psychologie populaire qui conseillent aux femmes de ne pas examiner les hommes de trop près. Allons, voyez la vie en rose. Il n'est pas si mauvais. Sautez sur le premier venu. Qu'importe si vous devez vous teindre en blonde et faire le tour du monde pour l'attraper.

Nous allons vous demander d'oublier les chansonnettes. Il y a un monde de différence entre la femme qui négocie avec son partenaire des compromis mutuellement satisfaisants et celle qui tente de se convaincre qu'elle devrait se contenter de moins.

7. «Je suis trop intelligente.» Marlene est censée laisser son intelligence au bureau. Son ami, Dennis, n'aime pas l'entendre dire que son patron la louange régulièrement. Dans les soirées, il ne veut pas qu'elle soit en désaccord avec ses vues à lui. «Je suis en faveur de l'égalité dans les relations, dit-il sans ironie, mais la femme doit savoir que l'amour-propre d'un homme, c'est très fragile.» Mais il se fait que les femmes aussi ont de l'amour-propre. Qu'arrive-t-il à Marlene quand elle étouffe le sien pour «sauver» sa relation?

«Je suis heureux de ta promotion, mais quand nous sortons avec des amis, j'ai l'air ridicule quand tu en parles.» Si vous avez l'habitude des déclarations comme celle-là, entendez la première partie de la phrase — avant le «mais» — et oubliez le reste. La première partie est destinée à vous empêcher de vous énerver; après le «mais» paraissent ses vraies émotions.

Voulez-vous entretenir des rapports avec un homme qui souhaite que vous soyez inférieure à ce que vous êtes vraiment? Si vous l'épousiez et aviez des enfants avec lui, voudrait-il que votre fille soit inférieure à ce qu'elle est vraiment? Il est évident que beaucoup d'hommes se sentent menacés par la réussite professionnelle des femmes. L'Homme acceptable pourrait bien vous avouer que c'est ce qu'il ressent. Mais il attribuera cette émotion à sa propre insécurité, pas à un débordement d'intelligence de votre part. L'Homme bon à rien s'acharnera à diminuer vos réussites — avez-vous vraiment besoin de lui?

8. «Je ne suis pas une vraie femme.» Si vous l'étiez, vous sauriez où sont ses chaussettes. Vous lui prépareriez ses repas. Vous saisiriez l'occasion de faire tout le ménage, même si vous avez travaillé dur toute la journée. La femme tente trop d'être parfaite: femme de carrière compétente et affairée le jour, femme ultraféminine qui, pendant ses «heures de loisir», soutient son homme et le valorise. Il arrive que la femme de carrière craigne d'être en train de sacrifier son côté «féminin». Voilà un autre point sensible, vulnérable à l'attaque de l'homme.

Sait-il où sont vos bas? Cuisine-t-il pour vous? Aimez-vous faire le ménage plus que lui? L'homme a besoin de tendres soins, vous aussi. Nombreuses sont les femmes qui hésitent à abandonner leur rôle de dispensatrices de tendres soins, de peur de créer un vide en elles qui provoquerait la rupture de leur relation.

Ce n'est pas inévitable. Rachel, experte en relations publiques, est mariée à Will. Ils ont un fils de trois ans, Jerry. Il y a quelque temps, Rachel était déprimée. Elle et Will sont venus nous consulter. Rachel, qui se sentait coupable de consacrer trop de temps à son travail, croyait devoir être la Mère Parfaite pour Jerry, en plus d'être la Femme Parfaite pour Will. Nous lui avons dit qu'elle et Will devaient établir des limites aux exigences de Jerry. On ne doit pas laisser un enfant de trois ans devenir un tyran. Et Will devrait partager les tâches domestiques. Ce qui était difficile pour Rachel, c'est qu'elle se croyait obligée d'exceller dans ses rôles de mère, de femme et de femme de carrière. Elle y était arrivée, mais ne s'en était pas encore rendu compte.

Rachel s'acharnait à se blâmer de n'être pas parfaite. Quand elle se montrait ferme avec Jerry, elle était moins déprimée. Le couple suivit une thérapie qui dura environ deux mois. Will apprit que les soins à son fils lui incombaient tout autant qu'à Rachel. Tous deux furent en mesure d'apporter à leur ménage les changements nécessaires. (Une des raisons pour lesquelles les femmes ont tant besoin d'être appuyées dans ces cas-là, c'est qu'elles sont constamment bombardées de conseils sur la façon de mieux s'acquitter *seules* des tâches imposées par leur travail et par leur relation. Un article du *New York Times,* par exemple, montrait aux femmes comment réussir au travail et à la maison, sans proposer une seule fois que l'homme partage le fardeau des tâches domestiques; en fait, sans jamais faire mention du rôle des hommes.)

Pourquoi, pour les femmes, «tout avoir» équivaut-il à «tout faire»? Rachel ne souhaitait pas vraiment tenir maison et être parent unique de Jerry. Elle croyait tout simplement que c'était ce que les «vraies femmes» doivent faire. À l'époque de sa mère, l'épouse-mère parfaite faisait tout ce que Rachel faisait maintenant, sauf qu'elle ne menait pas de carrière en plus. Le concept de superfemme restera une supercherie tant et aussi longtemps que les hommes se déroberont à leur part des responsabilités.

La plupart des femmes savent parfaitement que l'auto-accusation n'est pas une solution mais un problème. Nous avons toutes été entraînées à être de bonnes petites filles et, malheureusement, nous entendons encore une petite voix en nous qui nous harcèle. Nina entend sa mère Susan. Vous entendez votre propre mère. Notre tâche est de montrer à Nina, et à toutes les femmes qui viennent nous consulter ou qui lisent notre livre, que cette petite voix n'est pas la leur. Faire taire la petite voix de votre mère en vous exige une déchirante séparation d'avec elle. En fait, les femmes d'aujourd'hui doivent se séparer de leur mère comme jamais auparavant.

C'est douloureux. Si vous n'avez pas d'autre modèle, il se peut que vous ressentiez un vide. C'est pourquoi les femmes qui attendent beaucoup des relations ont besoin d'un soutien solide pour demander, faire et obtenir ce qu'elles veulent. Nous ne croyons pas que les thérapeutes doivent demeurer neutres. Nous mettons au point un nouveau style qui aidera les femmes à casser les vieux moules et à entretenir avec les hommes des rapports nouveaux et meilleurs. Si nous lançons des défis aux femmes, si nous les soutenons et les conseillons, c'est parce que c'est *efficace*. Les femmes ont besoin de modèles temporaires comme d'un pont pour traverser le gouffre. Nous ne sommes pas neutres; nous ne le serons jamais.

Les difficultés auxquelles la célibataire d'aujourd'hui doit faire face sont sans égales, et les choix sont plus difficiles que jamais. «Ce n'est pas le Prince Charmant que je cherche, nous dit une cliente. Je veux un homme qui m'attire de toutes les façons: sexuellement, intellectuellement, affectivement. Je ne suis pas authentique quand j'accepte d'être avec un homme que je ne respecte pas. Je préférerais alors être seule.» À mesure que les femmes acquièrent force et objectivité en matière de relations, nombreuses sont celles qui adoptent une attitude envers le mariage que beaucoup d'hommes ont: se marier, c'est renoncer à trop. Cette attitude ne vient pas facilement aux femmes. Mais nous souhaitons qu'elles exigent ce qu'il y a de mieux; elles ne doivent se contenter de rien de moins.

Nina est revenue nous voir avec Jack. Au cours de la séance, elle nous a dit que c'était une accumulation de petites choses qui fâchaient Jack. Il incombait encore à Nina d'organiser la vie sociale du couple et leurs soirées, mais Jack insistait généralement pour faire les choses à sa façon ou pas du tout.

Jack soupira. «Quand tu souris, tu es gentille et j'aime te regarder. Mais quand tu es en colère, j'ai envie de prendre mes jambes à mon cou.»

Nous avons toutes ri à la pensée que Jack était venu à la séance de thérapie dans l'espoir secret que Nina redeviendrait «gentille». Les hommes détestent que les femmes se fâchent contre eux. Pourtant, ils détestent aussi les femmelettes. Les femmes «devraient» se faire valoir, être indépendantes, réussir — et toujours être gentilles avec eux. Jack incarnait un bon exemple de contradiction. S'en rendait-il compte? Pas vraiment.

Nina fit remarquer que le dîner était toujours prêt quand il venait chez elle après avoir travaillé tard. Depuis un bout de temps, elle était occupée à un grand projet. Elle rentrait morte de fatigue tous les soirs. Pourtant, il ne levait jamais le petit doigt pour l'aider. «Ne vois-tu pas, lui dit-elle, que quand je travaille, j'aimerais que tu me rendes les mêmes services?»

Jack y réfléchit. Revient-il aux femmes de s'occuper de tous les «petits détails»? Il savait qu'il avait tort, mais il lui était difficile de l'admettre et d'accepter de ne pas toujours en faire à sa tête. Les partenaires doivent régler avec précision le mécanisme de leur relation. Cette idée n'était pas familière à Jack; Nina, elle, savait que c'était ce qu'elle voulait, mais ne savait pas vraiment comment y arriver.

Quelques instants plus tard, Jack précisa: «Si j'étais avec une femme un peu moins indépendante, un peu moins exigeante, ce serait plus facile, mais je m'ennuierais.»

Au moment de partir, Jack inspira profondément, comme s'il allait effectuer un plongeon vertigineux: «D'accord, si tu travailles tard, je prépare le dîner.»

Nina éclata de rire: «Tu devrais préparer le dîner tous les jours.»

«Allons donc, protesta-t-il.»

Nous avons tous bien ri. Mais nous avions le sentiment que Jack pensait qu'assumer quelques responsabilités n'était pas si mal après tout.

C'était un début.

Il existe des hommes qui peuvent se montrer à la hauteur des attentes des femmes. Dans les chapitres suivants, nous traiterons du comportement sexuel et social de l'homme atteint de trac.

Si vous vous posez l'une des questions suivantes, vous souffrez sans doute du syndrome de l'auto-accusation. Réexaminez vos relations avec plus d'objectivité, en concentrant votre attention autant sur son comportement que sur le vôtre.

- Suis-je trop exigeante?
- Suis-je trop agressive?
- Suis-je trop souvent en colère?
- Ai-je dit ce qu'il ne fallait pas sur l'oreiller... au dîner... à la fête... au téléphone...?
- Suis-je assez sexy?
- Est-ce que j'attends trop?
- Suis-je trop intelligente?
- Suis-je une «vraie femme»?

4

Sueurs froides, femmes chaudes

Jon se tortille dans son fauteuil: «Je fréquente une femme fantastique», dit-il.

Après un long silence, il poursuit: «Le hic, c'est le sexe. Quand elle est excitée, elle crie.» Il s'interrompt encore un moment et, embarrassé, ajoute: «Je n'aime pas ça.

— Étrange, lui avons-nous dit. On dirait qu'elle prend beaucoup de plaisir à vos rapports sexuels. Elle doit adorer faire l'amour avec vous.

— Peut-être, avoue-t-il avec hésitation, je n'ai jamais pensé à cela sous cet angle, je ne sais pas. Tout ce que je sais, c'est que ça me déplaît.»

Jon avait une idée préconçue sur la façon dont les femmes étaient «censées» se comporter durant les rapports sexuels. Si une femme ne correspondait pas à cette idée, il cessait de la trouver attirante et n'aimait plus faire l'amour avec elle.

Comme Jon travaille dans l'investissement de capital de risque, il nous a semblé pertinent de faire appel à son sens des affaires. «Si vous présentez une proposition d'investissement et qu'elle est mal reçue, est-ce la fin de tout? lui avons-nous demandé. Dans ce cas, n'essayez-vous pas plutôt de trouver une solution de rechange qui plaise à tout le monde?»

Jon se mit à rire: «Bien sûr, on peut toujours se débrouiller.»

Nous avons ajouté que, s'il pouvait trouver des solutions de rechange dans le domaine des affaires, il le pouvait aussi dans la chambre à coucher, et qu'il s'agit là d'une aptitude applicable à beaucoup de situations.

Comment cette histoire se termine-t-elle? Deux voies sont possibles.

Fin triste: La prochaine fois que nous rencontrons Jon, il nous parle encore d'Allison. Cette fois il lui en veut parce qu'elle a été «trop intense» au cours d'une réception où elle a expliqué en long et en large la nature de son travail dans une agence municipale. Encore une fois, nous disons à Jon qu'il reproche à Allison de ne pas être conforme à la vision qu'il se fait des femmes. Il s'agit du même problème que celui qui a été abordé la semaine précédente. Jon nous regarde d'un air ébahi et hoche la tête.

Fin heureuse: Après réflexion, Jon apprécie la diversité des réactions sexuelles. Il comprend qu'Allison n'incarnera jamais sa version à lui de la femme sexy, mais qu'elle sera sexy à sa façon à elle. En fait, il se pourrait bien que la vraie Allison soit beaucoup plus excitante qu'un fantasme de femme tranquille et accommodante qui ne prend pas plus d'initiatives au lit qu'elle ne le fait ailleurs. Comment un fantasme pourrait-il rivaliser avec une femme en chair et en os qui réagit à ses attentions avec tant de passion? Jon est à la hauteur de cette femme indépendante et entreprenante, à tous les points de vue, sexuels et autres.

L'Homme acceptable aimera la femme sexy qui indiquera ce qu'elle aime et lui manifestera son plaisir. Trop d'hommes s'attendent — du moins au début — à ce que les femmes se montrent à la hauteur des fantasmes qu'ils nourrissent. Nous avons constaté que les hommes qui éprouvent de sérieuses difficultés à s'engager désirent des femmes enthousiastes du point de vue sexuel (pourvu qu'elles n'aient pas d'exigences) et qui réagissent (pourvu que ce ne soit pas à leur façon à elles). Si la femme réagit comme elle le veut plutôt que comme lui le veut, il se peut qu'il recule d'un pas. Pour lui, si les rapports sexuels ne sont pas exactement comme il les veut, il sent qu'il n'en est pas maître. (Tous les hommes n'attendent pas nécessairement la même réaction des femmes: «Toutes mes femmes deviennent folles au lit, celle-là pas. Ça me déplaît.») Un client nous a raconté qu'il avait demandé à son amie de réaliser un de ses fantasmes, mais que cela avait été un désastre. Il lui avait demandé d'arriver chez lui vêtue d'un manteau sous lequel elle ne porterait que des bas et un porte-jarretelles noirs, puis qu'elle entreprenne de le séduire. Mais elle était arrivée portant également un soutien-gorge et un slip noirs — ce qui ne faisait pas partie du fantasme. Tout à coup, ça n'allait plus. Elle lui déplaisait. À peine avait-elle mis du sien dans son fantasme qu'il perdait le contrôle et que le fantasme était détruit. Il nous dit qu'après il ne pouvait même plus la revoir.

Quand une femme réagit ou participe à sa façon, l'homme ne peut s'empêcher d'admettre qu'elle est une *personne à part entière* et que leurs expériences communes tiendront autant d'elle que de lui. Ce que nous voulons souligner, ce n'est pas que la plupart des hommes ont des fantasmes, mais bien que certains hommes, comme Jon (il a fini par choisir le happy end), peuvent y renoncer au profit de la vraie vie.

Toutefois, cet échange n'est pas facile pour les hommes. Le docteur Ethel S. Person, psychanalyste et chercheure, parle du mythe de la Femme-Toujours-Disponible. Dans ce fantasme masculin, la femme, toujours prête à s'engager dans des rapports sexuels au seul signal de l'homme, n'existe que pour satisfaire les hommes *exactement* comme ceux-ci le veulent. Ce mythe a tout à voir avec le pouvoir et avec la maîtrise de la situation. Très jeune, le garçon se sent impuissant devant sa mère. Plus tard, grâce aux fantasmes, il retourne la situation: c'est lui qui a le pouvoir, c'est lui qui est maître de la situation.

Une de nos clientes, mariée, met son diaphragme tous les soirs au cas où son mari voudrait faire l'amour. Il trouve excitant qu'elle soit toujours prête et disponible (qu'elle en ait envie ou pas). Il est maître de la situation. Le fantasme de la domination est le jumeau du fantasme de la Femme-Toujours-Disponible. Quand Ethel Person a interrogé les hommes au sujet de leurs fantasmes sexuels, elle a constaté que bon nombre d'entre eux s'imaginaient torturer leur partenaire ou la forcer à se soumettre à des actes sexuels. Les femmes, elles, ont très rarement rapporté de tels fantasmes. Le lien entre les fantasmes sexuels sadiques et la difficulté d'être intime est évident: La crainte de l'intimité, c'est-à-dire la crainte d'être dominé par la femme, pousse certains hommes à vouloir dominer les femmes ou à se rendre maîtres d'elles.

Les fantasmes des hommes au sujet de leur pouvoir et de leur contrôle sur elles remontent loin. Dans les années 1950, nombreux étaient ceux qui se plaignaient de la «frigidité» de leur femme. Mais les femmes avaient inconsciemment conclu un pacte avec leur mari: en se montrant sexuellement passives, elles lui donnaient le beau rôle. L'homme pouvait se plaindre de ce que sa femme se contentait de «rester couchée là», alors que lui était un étalon insatiable. Quand il rêvait que sa femme était plus sexy, c'était selon sa version à lui: elle lui flattait le pénis par des caresses buccales, par exemple. À cette époque, les «filles bien» ne faisaient pas ça, c'était impensable. Avec la révolution sexuelle, les «filles bien» se sont adonnées à la fellation, qui plus est, elle ont voulu des caresses buccales de la part des hommes. Tout à coup, voilà que les hommes en avaient plus que pour leur argent.

Il n'est jamais venu à l'idée des hommes que, si les femmes commençaient à aimer les rapports sexuels, elles auraient leurs propres exigences aussi. La conséquence principale de la révolution sexuelle, c'est que les femmes d'aujourd'hui sont plus à l'aise avec leur corps et avec le sexe. Elles savent ce qu'elles aiment et ce qu'elles n'aiment pas.

L'Homme acceptable *apprécie* de ne pas avoir à se tracasser au sujet de ce qui provoque l'orgasme chez la femme; il sait qu'elle le lui dira ou du moins il attend d'elle qu'elle le lui dise. Cependant, de nombreux hommes acceptent mal les femmes qui savent ce qu'elles veulent et qui le demandent. Ce sont les hommes qui refusent de traiter la femme comme une égale qui éprouvent ces difficultés. Pour eux, les exigences sexuelles annoncent des exigences émotionnelles et deviennent tout à coup accablantes.

Ce qu'il est navrant de constater dans notre pratique, c'est que, pour les hommes atteints du syndrome de la corde au cou, l'intimité affective avec une femme signifie la *détérioration des rapports sexuels*. Maintenant que les hommes ont censément obtenu ce qu'ils voulaient — des femmes enthousiastes du point de vue sexuel —, ils battent en retraite.

Il se peut que l'homme se désintéresse du sexe ou devienne sadique. D'habitude, il ne se rend pas compte qu'il se retient de donner et qu'il diminue la femme. La chambre à coucher devient alors l'arène dans laquelle pouvoir et contrôle sont disputés.

Les femmes que les hommes détestent aimer

Mythe ou réalité: Les hommes n'aiment pas les femmes «sexuellement entreprenantes». La vérité, c'est que l'homme d'aujourd'hui qui souffre du trac aime et déteste tout à la fois la femme «sexuellement entreprenante». Le terme même est chargé de connotations négatives: la femme entreprenante va contre la nature, elle n'est pas féminine. Elle prend trop de place. La femme qui se montre entreprenante ne peut s'en prendre qu'à elle-même si elle fait peur aux hommes. Dans notre cabinet, nous avons rencontré des femmes que l'on pourrait étiqueter comme étant sexuellement entreprenantes, mais dont nous dirions plus volontiers qu'elles ont une attitude *positive* face au sexe — des femmes qui peuvent prendre l'initiative des rapports sexuels et en tirer du plaisir ouvertement.

Si certaines femmes s'épanouissent sexuellement avec de nombreux amants, nous avons constaté que, pour la plupart d'entre elles, la liberté sexuelle c'est d'avoir des rapports sexuels satisfaisants à l'intérieur d'une bonne relation (surtout à l'ère du SIDA). Parallèlement, pour les hommes, la liberté sexuelle en est venue à représenter la possibilité d'avoir de nombreuses femmes et de passer facilement de l'une à l'autre.

Pour les hommes qui se sentent menacés par les femmes sûres d'elles-mêmes du point de vue sexuel et du point de vue affectif, être une cible mouvante est plus facile et plus rassurant. Et les femmes qui sont sûres d'elles-mêmes du point de vue sexuel et du point de vue affectif en arrivent souvent à croire que, si elles se montrent trop expertes au lit, l'homme se sentira écrasé.

Nous nous rendons compte que le rejet apparent du sexe par les hommes, ou leur fuite devant lui, non seulement laisse beaucoup de femmes perplexes, mais les afflige aussi. Si la femme exige de l'homme qu'il la touche et la caresse davantage, il se peut qu'il refuse ou qu'il ignore sa demande. Disons qu'il a toujours été ouvert à tout et sensible à ses besoins, mais que depuis peu, lui et elle sont devenus vraiment proches et passent de plus en plus de temps ensemble. Maintenant, quand elle lui demande une faveur d'ordre sexuel, il croit qu'elle essaie de prendre le contrôle. Comme ses rapports avec elle sont devenus plus profonds, il commence à croire qu'elle essaie de prendre le contrôle sur tous les plans. Pour échapper à son assurance et prendre ses distances par rapport à elle, il pourrait bien l'accuser d'être «trop exigeante» et faire de leurs rapports sexuels des séances de baise impersonnelles.

L'homme dont l'amie vient de recevoir une promotion et une augmentation de salaire qui la propulsent bien loin devant lui sur le marché du travail pourrait bien la punir en la privant de sexe. Il est fort probable qu'il ne s'en rend même pas compte. Ou, comme une de nos clientes se l'est fait dire, il se peut qu'elle ne soit «pas assez médiocre» pour lui. «J'ai besoin de quelqu'un avec qui je n'aie pas à entrer en compétition, lui avait-il déclaré. Je ne veux pas de quelqu'un de si brillant.» Pendant ce temps, leurs rapports sexuels étaient devenus impersonnels, entretenus pour la forme. Maintenant que certaines femmes réussissent financièrement et professionnellement et que les hommes ne peuvent plus compter sur le fait qu'elles soient «médiocres» ou «accommodantes», à beaucoup d'égards l'équilibre des forces dans les relations a changé. C'est pourquoi certains hommes se servent du sexe dans une tentative désespérée de réduire leurs «pertes».

Au cours de notre première séance avec eux, Bill et Kate ont fait allusion à leurs difficultés sexuelles. Nous avons donc posé franchement la question: «Comment va votre vie sexuelle?

— Très mal», s'est empressée de répondre Kate.

Bill nous a ensuite raconté leur histoire. Quand lui et elle ont commencé à travailler ensemble au montage d'un film documentaire, Bill a senti immédiatement qu'il n'avait jamais été à ce point attiré par une femme: non seulement elle était son type — petite brune bouillante d'énergie —, mais elle était brillante. Il lui fallait sortir avec elle.

Kate, de son côté, trouvait Bill intéressant. Elle aimait son tempérament intense mais tranquille et elle croyait qu'il pourrait être sérieux dans une relation avec une femme. Ils ont commencé à se voir. Quelques mois plus tard, le colocataire de Bill a déménagé. Lui et Kate ont donc décidé de mettre leur ressources en commun et de vivre ensemble. Un mois après avoir emménagé avec Kate, Bill commençait à se trouver des prétextes pour éviter le sexe. «Chaque fois qu'elle s'excitait, dit-il, cela me rebutait.» Il s'est mis à détester les manifestations d'affection en public de Kate — ses «mamours exagérés», comme il disait — alors qu'elle voulait seulement lui tenir la main. Selon Kate, leurs rares rapports sexuels n'étaient que des «baises impersonnelles», et cela lui déplaisait. Elle en est venue à la conclusion que, s'il se comportait ainsi, c'était sûrement qu'*elle* lui déplaisait.

Quelques séances plus tard, après avoir découvert que Bill se refusait à elle d'autres façons aussi (il ne lui parlait presque plus et il voyait de plus en plus ses amis seul sans tenir compte d'elle), nous avons suggéré qu'il déménage. Il était évident que le couple avait passé trop rapidement au niveau 5 de l'engagement, la vie commune, et que Bill y réagissait en se refusant à elle sexuellement. Un recul prudent vers la monogamie, le niveau 3, semblait être la solution la plus logique.

Bill et Kate nous ont regardées, puis se sont regardés. Bill a avalé nerveusement. Kate a tiré sur les longs cheveux qui s'échappaient de sa barrette. Il était évident qu'ils hésitaient entre la peur et le soulagement. Nous leur avons dit qu'ils devraient continuer de se voir, mais que la combinaison d'intimité émotionnelle et sexuelle s'était révélée «trop lourde» pour Bill. Son instinct avait été de se protéger en fuyant le sexe. Cependant, nous ne croyions pas qu'il avait voulu consciemment remettre Kate à sa place ni qu'elle le rebutait de façon définitive. «Je suis allé trop loin», nous avait-il avoué à un moment donné. Cet aveu nous avait mis la puce à l'oreille. Kate était celle qu'il voulait, mais quand il l'avait eue, il avait pris peur. Nous désirions savoir si les choses s'amélioreraient une fois que Bill aurait un peu plus d'«espace».

Bill, cependant, hochait la tête: «Non, je ne peux croire cela. Ce n'est pas quelque chose que je ferais. Je n'ai jamais eu de difficultés sexuelles. C'est-à-dire que je crois que nous avons emménagé ensemble prématurément. Si mon colocataire n'était pas parti, j'aurais peut-être attendu. Kate et moi pourrions bien ne pas être arrivés au même stade dans notre relation.»

Nous sentions que Bill était un Homme parfait aujourd'hui qui pourrait réussir sa relation. Non seulement Kate ne lui déplaisait pas, mais il était évident qu'il l'aimait. Il se sentait humilié par la détérioration de leur vie sexuelle. Nous avions toutefois confiance en l'avenir. «Donnez-vous du temps et de l'espace pour réussir dans cette relation, leur avons-nous conseillé. Voyons ce qui arrivera au cours des prochains mois.»

Nous avons appris plus tard que, le soir où Bill a déménagé, il est allé au magasin, a rapporté de la crème fouettée, et a fait l'amour avec Kate comme ils ne l'avaient pas fait depuis des mois. Puis, au cours des semaines qui ont suivi son départ, lui et elles se sont retrouvés tristes, déprimés. Chacun avait besoin de la compagnie de l'autre. Il leur était difficile de ne pas se voir pendant quelques jours. Leurs rapports sexuels ont continué d'être satisfaisants. Aussi triste que Bill ait pu être, quand il s'est rendu compte qu'il pouvait quitter le lit de Kate pour regagner le sien et pour retrouver son «espace» à lui, ses frontières personnelles sont redevenues intactes. Tant et aussi longtemps que Kate restait quelque peu distante et non disponible, elle ne présentait aucun risque pour son sens précaire de l'individualité.

Avoir le dessus

Jusqu'à tout récemment, le seul «problème sexuel» susceptible d'amener l'homme en thérapie était celui de l'impuissance. Maintenant, ce que nous observons chez nos clients, c'est un tout autre ordre de problèmes sexuels. Ils concernent l'interaction sexuelle plutôt que la performance. Avoir le pouvoir et être maître de l'autre sont les enjeux. L'homme lutte pour «avoir le dessus» sur la femme qui l'attire.

Quand Charles, photographe dans la trentaine, et Natasha, enseignante dans la vingtaine, sont venus nous voir pour la première fois, nous avons immédiatement senti que leurs difficultés étaient beaucoup plus profondes qu'ils ne semblaient s'en rendre compte. Charles nous a alors dit que, dès leur première rencontre, Natasha représentait tout ce qu'il désirait: «C'est une personne motivée, une amie authentique et une femme séduisante.» Mais tout ce qu'il nous a raconté par la suite faisait mentir ces premières déclarations. La première fois qu'ils ont couché ensemble, Charles avait mis au point toute une scène de séduction: dîner raffiné, vins exquis, éclairage tamisé à la bougie. Il avait projeté, nous a-t-il dit, de faire la «conquête» de Natasha. Quand elle lui avait damé le pion en lui annonçant qu'elle voulait passer la nuit avec lui, Charles avait été déçu, même fâché. Pourquoi? Parce que si Natasha était prête à coucher avec lui et en avait hâte, il lui devenait impossible de la conquérir. Natasha usant délibérément de ses charmes pour séduire Charles, l'enivrement de la conquête échappait à celui-ci.

Après ces débuts de mauvais augure, Charles intensifia ses demandes: il voulait que Natasha soit parfaitement passive dans le lit de sorte qu'il puisse réaliser ses fantasmes les plus débridés. Si elle osait lui faire part de ce qu'elle voulait, il se mettait en colère. Natasha détestait les mises en scène de Charles. Selon elle, sa seule raison de rester avec lui était leurs excellents rapports à tous autres égards. Natasha, en femme résolue qui répugnait à abandonner ce qu'elle entreprenait, était prête à se battre pour préserver sa relation. Mais le comportement sexuel de Charles la déroutait: durant leur première nuit ensemble, elle avait présumé qu'il voulait qu'elle participe. Jusque-là, il avait montré tous les signes d'un homme «libéré» qui aime en fait la femme «entreprenante» et qui souhaite avoir ce qu'elle considère être une relation sexuelle d'égal à égale où les deux partenaires sont actifs.

Charles avait toujours eu le sentiment, nous a-t-il avoué, d'être incapable d'avoir une bonne relation avec une femme. Il était habitué à se sentir esseulé. En rencontrant Natasha, qu'il voyait comme la femme «parfaite», il avait voulu se prouver à lui-même qu'il pouvait amorcer une relation avec elle. Dès le début, toutefois, il avait essayé frénétiquement de se rendre maître d'elle: s'il n'y parvenait pas, elle pourrait se révéler être trop femme pour lui.

L'impasse était évidente. Nous leur avons donc donné des instructions claires: «Pas de sexe.» Nous croyions important qu'ils repartent à zéro.

Mais les difficultés de Charles étaient si sérieuses que même une période d'abstinence n'arrivait à dissiper ni ses craintes ni ses fantasmes. En désespoir de cause, Natasha mit au point un compromis peu satisfaisant selon lequel Charles pourrait visionner un vidéo porno pendant leurs rapports sexuels. En se détachant ainsi de Natasha, il se sentirait moins menacé de tomber sous son joug et d'être avalé par elle.

Vous pourriez penser qu'il nous est difficile d'éprouver de la sympathie à l'endroit d'un homme dont le principal fantasme sexuel consiste à attacher et à humilier la femme qu'il est censé aimer. Ce qui stimule notre empathie, c'est évidemment d'apprendre comment il en est arrivé là. Le père de Charles était une brute incorrigible qui traitait de haut sa femme, un être doux souffrant d'agoraphobie. Charles détestait son père à cause de son comportement odieux mais, en même temps, il éprouvait le même dédain que lui pour sa mère. Charles avait appris de son père que l'essence de la virilité, c'est l'agression sans pitié contre les femmes. Adulte, il avait tenté d'échapper à cette influence en choisissant Natasha qui, femme de carrière indépendante, n'aurait pu être plus différente de sa mère. Le problème, c'est qu'il avait besoin de rendre Natasha aussi impuissante que sa mère l'avait été.

Les angoisses de Charles étaient loin de se limiter à sa chambre à coucher. Sa peur fondamentale était de faiblir et de devenir dépendant de Natasha. Nombreux sont les hommes qui se demandent secrètement si les femmes qui réussissent sur les plans financier et professionnel vont en fait se révéler plus compétentes et plus puissantes qu'eux. Cette crainte fait que certains hommes se sentent trop petits, trop faibles, trop incompétents. Ils essaient par tous les moyens de se sentir forts, mais cette «force» ne trompe personne: au fond d'eux-mêmes, les hommes comme Charles sont terrifiés.

Natasha devait choisir entre rompre la relation ou se battre pour la sauver. Nous savions que cette décision l'empêchait de dormir la nuit. Elle était arrivée en thérapie amaigrie, de grands cernes sous les yeux. Nous sentions qu'elle aurait aimé nous voir prendre la décision à sa place. Un jour, finalement, elle nous téléphona. En larmes, elle nous demanda d'une voix tremblante ce qu'elle devrait faire. Nous lui avons expliqué aussi gentiment que possible que nous n'étions pas en mesure de le lui dire. «L'objectif de la thérapie, lui avons-nous dit, c'est de te donner suffisamment d'information pour que tu puisses prendre ta propre décision. À notre avis, tu as toute l'information dont tu as besoin.»

Elle a attendu au bout du fil, comme si nous allions en dire plus. Mais nous ne l'avons pas fait, parce que nous savions qu'elle n'était pas encore prête à abandonner la lutte.

Six mois plus tard, nous avons eu des nouvelles de Natasha. Par ses propres moyens, elle en était arrivée à la conclusion que la soumission totale à Charles était le prix à payer pour maintenir sa relation avec lui. Ce prix était trop élevé. Elle quitta Charles.

Nous sommes toujours disposées à croire que, munie de l'information dont elle a besoin pour le faire, la femme peut reconnaître un mauvais risque et s'éloigner le plus vite possible. C'est encore plus important quand le besoin de l'homme d'avoir le dessus sur la femme en matière sexuelle peut devenir affaire de vie ou de mort. Oublier que nous vivons à une époque où les rapports sexuels peuvent littéralement tuer est pure folie.

Sara savait que Jake menait une vie sexuelle très active. C'est pourquoi elle lui demanda de toujours porter un condom durant leurs rapports. Jake se moqua de sa demande. Seules les mauviettes en portent. En outre, son plaisir sexuel était aiguisé par la possibilité de la rendre enceinte. Quand Sara se mit à insister, Jake lui dit qu'elle était en train de le castrer. Cette déclaration la piqua; elle se demanda pendant un moment si c'était le cas. Non. Elle n'allait pas se laisser compter d'histoires. Il essayait seulement de lui donner un sentiment de culpabilité.

Ce soir-là, aussitôt au lit, Sara plaça un condom dans la main de Jake. Il se retourna et s'endormit. Le lendemain matin, il lui demanda de lui faire l'amour oral, un moment seulement.

Il la prit par surprise en éjaculant dans sa bouche. Furieuse, Sara se rendit compte qu'il tentait par tous les moyens de s'en tirer sans porter de condom. Ce qui la dérangeait presque autant que sa peur des maladies, c'était le mépris total de Jake pour ce qu'elle souhaitait. Même s'il pensait que les peurs de Sara étaient sans fondement, il lui montrait que son propre plaisir était tout ce qui comptait pour lui. Jake est véritablement un Homme bon à rien.

À l'ère du SIDA, la femme devrait toujours garder des condoms dans son sac quand elle pense coucher avec un homme dont l'histoire ou les habitudes sexuelles lui sont inconnues. Comme pour la plupart des hommes la liberté sexuelle a voulu dire la multiplication des partenaires, il est de toute première importance que la femme soit réaliste. Un nouvel amant pourrait avoir eu dans son passé toute une ribambelle d'aventures. En un sens, coucher avec lui, c'est coucher avec elles toutes. C'est pourquoi, *tout homme qui refuse de porter un condom est un Homme bon à rien.* Un point c'est tout. Il n'y a pas d'excuses. Soit qu'il refuse parce que vous le lui demandez (il vous trouve «trop exigeante» ou il n'aime pas se sentir «obligé» de faire quoi que ce soit pour vous), soit qu'il est convaincu d'être trop «homme» pour que quelque chose lui arrive.

Pour lui, accepter de porter un condom c'est vous «céder», c'est accepter que vous soyez maître du jeu sexuel; pour lui le sexe est un jeu, que le plus puissant gagne. Préserver le mythe de sa «mâlitude» est beaucoup plus important pour lui que de protéger votre santé. En outre, n'oubliez jamais que beaucoup d'hommes associent le SIDA à l'homosexualité. Votre insistance pour qu'il porte un condom pourrait réveiller en lui des craintes ou des doutes latents au sujet de sa virilité. L'alternative: la protection de votre vie ou celle de son amour-propre. Le choix est évident.

La révolution sexuelle est bel et bien terminée pour tout le monde. Les hommes viennent à peine de s'en rendre compte. Mais ce ne sera pas facile pour eux. Il leur faudra renoncer au mythe de la Femme-Toujours-Disponible. Dans les années 1950, ce n'était qu'un fantasme pour l'homme et, s'il le réalisait, sa partenaire était une «femme de mauvaise vie». La révolution sexuelle a permis au fils de cet homme de poursuivre en toute liberté ce qui avait été le rêve le plus grand de tous les hommes de la génération précédente. «Dans mes rêves, nous a raconté un de nos clients, je suis un souteneur entouré d'un essaim de belles femmes qui réclament à grands cris mon attention.» Dans la réalité, cet homme est heureux en ménage et fidèle à sa femme. Un autre de nos clients, également heureux en ménage, qui a échangé délibérément sa liberté sexuelle contre la sécurité, l'amour et la permanence, et qui se prend de nostalgie chaque fois qu'il pense au bon vieux temps, nous a déclaré: «Ce n'est pas d'une femme en particulier dont j'ai faim, c'est de la sensation de pouvoir n'importe quand coucher avec autant de femmes que je le veux.»

De plus en plus d'hommes se retrouvent face à face avec des femmes qui disent «non merci» aux aventures d'un soir. Les femmes ont dépassé la révolution sexuelle. Elles en sont arrivées à la révolution des *relations*. Celle-ci n'est pas aussi spectaculaire que la première, mais en est l'aboutissement. Et le retour en arrière n'est plus possible.

Le champ de mines sexuel

Pendant les rapports sexuels, les frontières personnelles s'évanouissent. L'Homme acceptable sait bien que c'est temporaire. Pour les autres hommes cependant, c'est à ce moment que la peur surgit naturellement. Heureusement, tous ne sont pas aussi phobiques que Charles ou Jake. Ce que vous rencontrerez probablement, c'est l'ambivalence. Avec beaucoup d'hommes, il existe des moyens d'y faire face. Nous allons maintenant examiner une série de comportements sexuels qui devraient vous indiquer jusqu'à quel point votre homme craint l'engagement.

Si un homme veut avoir des rapports sexuels avec vous et que vous ne le voulez pas, il pourrait tenter de vous convaincre que vos pulsions sexuelles sont «trop faibles». Walter veut des rapports sexuels quotidiens avec Sally, sa femme. Elle, non. Walter lui dit que ses pulsions sexuelles ne sont pas ce qu'elles devraient être (qu'elle n'est pas «assez sexy»). Il croit qu'il est bon pour lui de se libérer de sa tension par le biais du sexe et que Sally pense comme lui.

Sally a fini par se rebeller. Elle s'était crue *obligée* d'avoir des rapports sexuels avec lui et, maintenant, il lui arrivait de détester cela. Furieuse, elle dit à Walter qu'il ferait aussi bien de se masturber.

Étonné, il lui demanda: «Ne préfères-tu pas faire l'amour avec moi plutôt que de me voir me masturber?» Elle lui répondit que non, du moins pas tant que les choses resteraient ce qu'elles étaient.

À la réflexion, Walter s'est rendu compte que ce qui était bon pour lui ne l'était pas pour Sally. «Ce ne serait pas ma préférence, lui dit-il à propos de sa suggestion de se masturber. Mais je suppose que ça ira.»

Une fois libérée des pressions exercées sur elle, Sally commença à avoir de nouveau envie de sexe. Elle se mit à le proposer elle-même à son mari. Pour la première fois, chacun apprenait à connaître et à apprécier l'esprit et le corps de l'autre. L'Homme acceptable, comme Walter, pourrait présumer que vos besoins sont identiques aux siens. Au début, il ne se rendra probablement pas compte que rien ne vous oblige à satisfaire ses besoins ou à ressentir la même chose que lui. Toutefois, si vous lui en faites prendre conscience, il s'apercevra qu'il a tort.

Contrairement à Walter, l'Homme bon à rien se servira du sexe pour soulager ses tensions, sans tenir compte de ce que vous ressentez. Il considère comme son droit le sexe sur demande. Il vous harcèle quand vous vous y refusez et tente de vous donner un sentiment de culpabilité. Il s'entête et refuse de négocier. Pourtant, beaucoup d'hommes, après avoir d'abord résisté, accepteront de négocier.

Maintenant que la femme est plus ouverte du point de vue sexuel, l'homme souffrant du trac pourrait réagir en lui disant qu'elle est trop exigeante. Demandez à un homme qu'il vous «prépare» au sexe et voyez ce qui se produit. On nous a souvent parlé d'hésitation ou de refus sans équivoque. Il se peut que vous demandiez qu'il vous fasse l'amour oral et qu'il s'y refuse, ou encore que lui le veuille, mais qu'il ne vous rende pas la pareille. Il n'est pas rare non plus que l'homme rechigne quand la femme propose une nouvelle position sexuelle. «Je pensais que nous avions réglé ces choses-là», répondit un homme à qui son amie avait demandé de faire l'amour debout. Pour cet homme, expérimenter de nouvelles positions pour en arriver au plaisir sexuel constitue une menace. Si c'est vous qui proposez, il a peur de perdre le pouvoir. Ce n'est pas qu'il soit pudibond. Non, il a peur de se faire avaler. Trop de satisfaction avec une femme pourrait correspondre à trop d'engagement.

Ce même homme pourrait résister quand vous guidez sa main d'une façon qui vous donne du plaisir. Encore une fois, il a peur de ne plus être maître de la situation. Si vous lui dites quoi faire, il cesse de se sentir puissant. Il peut également refuser de discuter de sexe avec vous ou vous accuser de «gâcher l'atmosphère» si vous tentez de le faire. Il boudera et vous dira que vous avez tout fait rater. Selon lui, tout était magique jusqu'à ce que vous ouvriez la bouche.

Si, comme la plupart des femmes, vous avez connu au moins une de ces expériences avec un homme, il faut d'abord vous rappeler que c'est *son* problème, pas le vôtre. Deuxièmement, vous devez jeter un regard objectif sur lui. Ce comportement sexuel est-il habituel chez lui? Si vous voulez voir tel film ou manger des mets, disons, chinois, refuse-t-il simplement parce que c'est vous qui l'avez proposé? Faut-il que tout aille selon ses désirs à lui? Si c'est le cas, cet homme voit la vie comme une lutte pour le pouvoir. Peut-être devrez-vous considérer la situation comme étant sans espoir.

Toutefois, vous ne devez pas oublier non plus que même les Hommes acceptables éprouvent beaucoup de difficultés avec le sexe et l'intimité. Aucun des comportements que nous venons de décrire n'élimine automatiquement tel ou tel homme. Un homme, qui avait d'abord refusé de faire l'amour oral à sa femme, notre cliente, sous prétexte «qu'il détestait le goût», apprit plus tard à lui embrasser les cuisses tout en lui massant des doigts le clitoris, pour qu'elle parvienne à l'orgasme. Pour elle, le compromis fut merveilleux, un véritable signe d'amour: son plaisir à elle lui tenait à cœur. Dans un autre couple, la femme voulait des rapports sexuels plus fréquents que son mari. Au début, elle était gênée de le demander. Penserait-il qu'elle était «trop exigeante»? Finalement, elle lui avoua qu'elle n'était pas satisfaite. Ensemble, ils ont trouvé des moyens oraux et manuels de la faire jouir sans pénétration.

Vous devez toujours dire clairement et directement à l'homme ce que vous voulez, parce que c'est un excellent moyen de découvrir sur lui bon nombre de choses qu'il est essentiel que vous sachiez. Est-il capable de parler de sexe avec vous? Se fâche-t-il — et reste-t-il fâché — quand vous essayez d'en parler? Ou peut-il surmonter sa colère, réfléchir et découvrir l'origine de ses propres peurs?

Un homme ne mettra pas en marche lui-même la machine du changement. Vous pouvez choisir d'apaiser ses craintes et d'étouffer vos propres besoins. Mais pourquoi l'un des partenaires devrait-il être insatisfait? Et pourquoi cela devrait-il être vous? Si vous persistez et lui parlez de sexe et de ce que vous voulez, il se pourrait qu'il finisse par réagir.

Combien de temps devraient durer vos efforts dans ce sens? Il est difficile de répondre à cette question parce que chacun change à son propre rythme. Par exemple, n'attendez pas de l'homme qui refuse une nouvelle position sexuelle qu'il se transforme en tigre du jour au lendemain. Si vous essayez depuis trois mois, disons, et qu'il n'y a eu aucun progrès, laissez tomber. Mais s'il y a eu progrès, attendez de voir si ça continue. Dans tous les cas, imposez-vous une limite de temps.

La nouvelle impuissance

L'Homme acceptable voudra exciter la femme. Il aura hâte d'essayer les nouvelles positions que vous pourriez lui proposer. En fait, il y prendra plaisir. Même s'il est hésitant au début (il sera sans doute quelque peu intimidé), il ne vous accusera pas d'exercer des pressions sur lui ou d'être trop entreprenante quand vous lui ferez part de vos souhaits.

Cependant, l'idée — ou la menace — que représentent le sexe et l'intimité, toujours au même endroit, toujours au même moment, toujours avec la même femme, peut exaspérer les meilleurs hommes. Quand ils rencontrent des femmes qui les attirent profondément, ils agissent souvent d'une façon qui rend les femmes désirées perplexes, voire d'une façon qui rebute celles-ci. En fait, ces hommes amoureux manifestent si souvent un type particulier de comportement sexuel que nous sommes convaincues qu'il s'agit d'une tendance générale.

Paul, représentant âgé d'une trentaine d'années, a emménagé avec Holly, une enseignante de trente-six ans. Après le déménagement, Paul est devenu impuissant. Il tenta d'abord de rejeter la faute sur elle: elle était grassouillette. Il lui dit qu'il la trouverait plus attirante si elle maigrissait de quelques livres. Mais, dans son cœur, Paul savait que son impuissance n'avait rien à voir avec Holly. Il connaissait ses propres peurs. C'était la première fois qu'il se rapprochait d'une femme. Ancien alcoolique, Paul avait vécu seul pendant plusieurs années. Maintenant, il était amoureux d'une femme chaleureuse, affectueuse et intelligente qui voulait partager son foyer vec lui. Paul était dépassé par les événements. Ériger des barrières sexuelles était pour lui une façon de définir ses frontières personnelles.

Quand Paul l'avait accusée, Holly avait d'abord été blessée. Elle avait toujours été chatouilleuse quand on lui parlait de son poids, pourtant elle se voyait comme une femme séduisante. Mais apparemment, elle rebutait Paul. Holly a fini par se fâcher. Il n'avait pas été rebuté auparavant. Quel était donc son *vrai* problème?

Paul avait décidé de discuter de ses peurs avec elle. Il n'avait pas assez d'espace à lui dans son appartement à elle, lui avait-il dit. Il se sentait étouffé par toutes ses affaires. Holly accepta de vider pour lui une pièce qui lui servirait de tanière. Elle veilla aussi à ce qu'il eût beaucoup d'espace de rangement. Puis ils allèrent acheter de nouveaux meubles. Petit à petit Paul commençait à se sentir chez lui. L'appartement n'était plus seulement celui de Holly, c'était le leur. Avec le temps, il cessa d'être impuissant.

Quand Jim rencontra Roberta à un dîner-réception, il tomba amoureux d'elle immédiatement. Il était gêné de l'avouer à qui que ce soit, encore plus à l'intéressée. Après tout, il avait quarante-quatre ans; il était divorcé et père de deux enfants. Il n'était plus jeune, ni certainement plus romantique, s'il l'avait jamais été. En fait, il était devenu cynique: il avait connu un mauvais mariage suivi d'aventure futiles. Mais Roberta, de dix ans plus jeune, réveillait en lui des sentiments qu'il ignorait avoir. Jim était aussi nerveux qu'un adolescent quand il lui demanda son numéro de téléphone et sincèrement étonné qu'elle accepte de sortir avec lui.

Deux mois plus tard, ils se voyaient régulièrement. Jim se sentait de plus en plus ardent, sans pour autant pouvoir lui faire d'avances sexuelles. Il craignait qu'elle le repousse en riant de lui, ou qu'ils couchent ensemble et qu'elle ne le trouve pas à la hauteur. De toute façon, il préférait attendre qu'elle fasse les premiers pas. Ce qu'il voulait surtout éviter, c'était de la forcer à avoir des rapports sexuels avec lui si elle ne le désirait pas. Il attendit donc, mais l'attente était pénible.

Finalement, un soir où ils étaient sortis pour dîner, Roberta, le sourire légèrement agacé, lui dit: «Mais enfin, Jim, ne vas-tu donc jamais me demander de coucher avec toi?»

La réaction de Jim fut un mélange de ravissement, de soulagement et de honte: il se sentait idiot d'avoir attendu si longtemps. Maintenant, Dieu soit loué, l'attente était terminée. Toutefois, à la sortie du restaurant, alors qu'ils se dirigeaient vers l'appartement de Roberta, Jim suait à grosses gouttes et son cœur voulait sortir de sa poitrine. Si jamais il connut le trac, c'était à ce moment-là.

Même une fois couché, Roberta dans ses bras, Jim ne pouvait dissiper ses craintes. «Mon Dieu, pensa-t-il désespéré, qu'est-ce que j'ai qui ne va pas?» Ce soir-là, Jim fut impuissant. Roberta se comporta merveilleusement: elle ne prit pas panique, ne se fâcha pas, ne rit pas, ni ne le chassa de chez elle. Elle l'embrassa et alla chercher du vin dans la cuisine. Ensuite, ils trouvèrent ensemble d'autres moyens de la satisfaire. Après avoir passé plusieurs fois la nuit avec Roberta, Jim cessa d'être impuissant et se révéla être un amant magnifique.

Un Homme acceptable comme Jim n'essaie généralement pas de séduire une femme ou de faire sa conquête. En fait, il manifeste le respect sincère du droit de la femme de décider d'avoir ou non des rapports sexuels et d'en choisir le moment. Aux yeux de cet homme, la chambre à coucher n'est pas un champ de bataille: il a assez d'assurance pour laisser la femme participer à part entière aux rapports sexuels et les diriger elle aussi. Une fois dissipée son angoisse initiale, les difficultés d'ordre sexuel de cet homme se révèlent généralement temporaires.

Au bout de six mois, Bill quitta l'appartement de Kate et vint nous voir seul, pour faire le bilan de la situation. Kate et lui revenaient de vacances en Jamaïque. Dans les mois écoulés depuis notre dernière rencontre avec eux, ils avaient passé beaucoup de temps ensemble, et les problèmes sexuels qui, à l'origine, les avaient poussés à venir nous consulter s'étaient réglés. En fait, leur vie sexuelle était devenue très harmonieuse. (Le niveau 3 d'engagement, la monogamie, leur convenait parfaitement à ce moment.) Cependant, une fois en Jamaïque, tout avait bien été *sauf* le sexe. Chaque soir, après qu'ils avaient passé la journée ensemble et s'étaient sentis proches l'un de l'autre, Bill se couchait et s'endormait avant même que Kate eût fini de prendre sa douche. Ou bien, il s'endormait devant la télévision... ou encore, il voulait faire une promenade seul sur la plage...

Après quelques jours, Kate commença à se demander ce qui n'allait pas. «Nous sommes plus proches l'un de l'autre que jamais, lui dit-elle. Nous devrions presque *vivre* dans notre lit. Pourquoi n'est-ce pas le cas?»

Bill refusa d'abord de réfléchir à la question: «Je suis fatigué, c'est tout. J'essaie de me détendre. Je suis incapable d'oublier ma semaine de travail du jour au lendemain.»

Quelques jours passèrent sans changement de sa part. Bill se rappela ce dont nous avions parlé avec lui au cours de nos séances de thérapie des mois précédents: quand ils étaient le plus proches l'un de l'autre, lui n'avait aucune envie de rapports sexuels; quand tout allait trop bien entre eux, il prenait des distances. Lui et Kate étant seuls sur cette île, il ne pouvait échapper au lit double qui était le leur: la fuite était impossible. Cette seule pensée l'oppressait. Il voulait avoir des rapports sexuels avec Kate, mais il avait également besoin d'être seul avec lui-même.

À un moment donné il se rappela comment il s'était senti, enfant, quand ses parents avaient divorcé. Depuis lors, il s'était toujours méfié des relations intimes. Allait-il faire échouer sa relation avec Kate? Permettrait-il que de vieux traumatismes modifient sa vie actuelle ou future? Bill se vantait d'être maître de sa vie, de faire et d'obtenir tout ce qu'il voulait. La pensée qu'il laissait d'autres forces — sa propre peur, surtout — le manipuler lui déplaisait vivement. Il décida d'en parler avec Kate dès le lendemain.

«Je ne crois pas que je m'endorme si rapidement pour la seule raison que je suis fatigué, lui avoua-t-il. Je pense que c'est plus compliqué que cela.»

Kate ressentit d'abord de l'impatience. Montrant du doigt ce qui les entourait — le coucher de soleil orange, les palmiers gracieux, le sable fin, les bougainvillées courant sur les treillis —, elle répondit: «Écoute, je comprends. Mais tu gâches ces belles vacances.»

Bill lui dit qu'il n'était jamais parti en vacances avec une femme auparavant: «Nous sommes ensemble dans cette île;

je ne peux m'échapper.» Ils éclatèrent de rire. Bill sentit qu'une barrière s'était ouverte.

«Tu es vraiment fou, dit Kate. Et tu as vingt-quatre heures pour redevenir normal.»

Quand Bill prit un moment pour voir à quel point Kate était belle sous les reflets du soleil couchant, il se dit que vingt-quatre heures lui suffiraient amplement.

Voici quelques situations d'ordre sexuel qui masquent des difficultés d'engagement:

- À mesure que votre relation devient intime, la vie sexuelle se détériore plutôt que de s'améliorer.
- Son intérêt pour le sexe diminue, après que les liens sont devenus plus étroits.
- Il commence à modifier sa façon de faire l'amour. Avant, il était doux et sensible. Maintenant, il est brusque ou il cherche la stimulation dans la pornographie.
- Il veut que vous restiez parfaitement passive dans son lit pour pouvoir réaliser ses fantasmes sur vous. Si vous faites des suggestions ou prenez part à ses fantasmes, vous les lui «gâchez».
- Il refuse de porter un condom malgré votre volonté de prendre des précautions.
- Il ne s'intéresse pas aux préliminaires et vous ignore quand vous lui demandez caresses et baisers particuliers avant la pénétration.
- Vous partez en vacances avec lui, et plus vous passez de temps ensemble, moins il a d'intérêt pour le sexe. Vous, toutefois, vous vous sentez plus proche de lui que jamais.

5

Faire craquer le trac

«Quand une femme me demande quelque chose, je me fige...» «J'élève des obstacles entre nous, je ne sais pas pourquoi...» «Je ne me sens pas menacé par elle; je ne l'écoute tout simplement pas...» «Quand elle me harcèle, je décroche...»

Nous entendons sans cesse de telles déclarations — et bien d'autres —, que ce soit dans nos séances de thérapie, nos ateliers, nos séminaires, ou à l'occasion de dîners ou de conversations impromptues. Les hommes qui tiennent ces propos sont courtiers, banquiers, médecins, thérapeutes, artistes, universitaires, etc. Au début de nos recherches cliniques, nous croyions que l'intimité n'occasionnait de difficultés qu'à un petit nombre d'hommes troublés. La réalité est tout autre: *tous* les hommes de notre société sentent plus ou moins un certain danger dans l'intimité avec les femmes. Pour beaucoup, la fuite est la première réaction.

«Il ne peut y avoir qu'une seule personne qui mène et ce doit être moi.» «Je dois être l'homme de la maison.» «Ça m'est égal qu'une femme soit entreprenante au travail, mais pas à la maison.» Comme dans le cas de l'homme qui prend la fuite, celui qui tient ces propos sent un danger, mais sa réaction est de *dominer* la femme, de se rendre maître d'elle.

Si les hommes sentent le danger dans une relation, ils se rendent rarement compte que c'est la peur qui les anime. Ils croient que le danger les guette dans les relations intimes avec les femmes. Carol Gilligan, psychologue chercheure, a trouvé que le signal de danger n'apparaît pas au même moment pour les hommes et pour les femmes. Pour les hommes, le danger réside dans les situations d'intimité, alors que les femmes le voient dans des situations qui sont plus impersonnelles et où la concurrence entre en jeu. Gilligan se sert d'un test dans lequel on demande au sujet d'interpréter des dessins de scènes sociales vagues et ambiguës. Dans son interprétation de ces scènes, le sujet sera influencé par ses propres conflits et ses propres problèmes. L'homme qui ignore qu'il craint l'intimité imaginera, par projection, que le dessin d'un couple assis sur un banc public illustre une histoire violente et effrayante. L'échantillonnage de Gilligan montre que c'est précisément ce qu'ont fait 21 p. 100 des 88 répondants masculins, qui ont imaginé des scénarios de «prise au piège» ou de «relations étouffantes». Aucune des 50 femmes qui ont participé au test n'a perçu de danger dans la scène représentée, ni n'y a associé de scénario violent.

Le fait que l'homme voie du danger dans l'intimité a sa source dans sa première enfance. Nous avons constaté que, même si l'homme admet intellectuellement que sa peur de l'intimité est irrationnelle et qu'il se comporte de façon destructive avec les femmes, ses craintes restent aussi fortes qu'avant. (Son comportement pourrait toutefois changer une fois qu'il aura compris ce qu'il ressent.) Il ne fait aucun doute que toute une réserve de sentiments inhérents à sa nature d'homme modèle continuellement (et sans qu'il en soit conscient) ses réactions envers la femme et l'intimité.

Nous nous écartons de la majorité des travaux traditionnels sur le développement individuel qui sont axés sur une idée de base: l'angoisse de la castration est un élément majeur de l'identité de l'homme, et sa période «œdipienne» —

quand il se rend compte qu'il est «différent» des petites filles — constitue le grand tournant de son développement psychologique. Selon la théorie du complexe d'Œdipe, la «mâlitude» émerge de l'«amour» qu'éprouve pour sa mère le garçon de trois ans (l'intimité avec elle est sexualisée) et de la compétition avec son père pour l'amour de la mère. Le petit garçon a une peur bleue que son père se fâche et lui coupe le pénis, pour le punir d'avoir essayé de lui enlever maman. Cette peur est si intense que le garçon *s'identifie* à son père plutôt que de lui faire concurrence, en même temps qu'il rejette l'intimité avec sa mère. Tristement, à partir de l'âge de trois ans, le petit garçon n'a que son père, probablement un personnage détaché et inaccessible, auquel s'identifier.

En ce qui nous concerne, le complexe d'Œdipe est loin d'expliquer totalement les problèmes d'intimité que nous observons chez les hommes. Nous soupçonnons qu'il n'est qu'un élément parmi bien d'autres et que les différences entre les garçons et les filles apparaissent beaucoup plus tôt et sont beaucoup plus profondes.

Il y a maintenant une nouvelle vague de théoriciens — surtout des femmes — qui formulent une nouvelle théorie sur les différences entre l'homme et la femme. Leurs noms ne nous sont pas encore familiers. Leurs points de vue sont nouveaux et stimulants, bien que l'ensemble des praticiens traditionnels les aient reçus avec ambivalence. Le tranchant de la théorie procède du féminisme et combine l'analyse d'ordre culturel à la psychologie. Qu'est-ce qui est «masculin»? Qu'est-ce qui est «féminin»? Ces théoriciens proposent de nouvelles réponses à ces questions.

Comme Carol Gilligan, d'autres psychologues, Nancy Chorodow, Lillian Rubin et Dorothy Dinnerstein, ont fait remonter leur examen des différences entre les sexes au-delà du stade œdipien, dans les profondeurs troubles de la période préverbale — ou pré-œdipienne — du développement humain. C'est la période, allant de la naissance à la troisième année, durant laquelle le monde n'est que sensations chaotiques et sentiments bruts, viscéraux. C'est durant cette période que les besoins de l'individu sont à leur niveau le plus primitif et que, selon qu'ils sont satisfaits ou non, sa vision du monde prend forme.

Que nous soyons hommes ou femmes, au départ nous aimons être près des autres. Les bébés aiment qu'on les prenne et qu'on les blottisse contre soi. En fait, tout ce que le bébé connaît, c'est une union paradisiaque. Dans cet état de symbiose il se sent comme s'il faisait partie intégrante de la personne qui le tient, le nourrit et l'aime. Puis, vers l'âge de six mois, en raison d'une pulsion physiologique vers la séparation, le bébé commence lentement à prendre conscience d'un monde qui s'étend au-delà de sa mère, ainsi que du fait qu'il est différent et distinct d'elle. Le bébé trace les frontières de sa personne, ce qui est nécessaire pour qu'il devienne un individu.

Au cours de la période pré-œdipienne, l'enfant intériorise le monde en le réduisant à des images mentales. Il se forge une image de chaque personne importante et combine ces images dans une perspective personnelle. Arrivé à l'âge adulte, il conserve encore ces images primitives et éprouve encore les sentiments qui y sont rattachés. Dans le cas de l'homme, si le premier dispensateur de soins était une femme, l'expérience première avec cette femme aura été décisive et orientera sa réaction envers toutes les femmes.

On a tenu pour acquis que si la mère et l'enfant, surtout l'enfant mâle, vivent en harmonie durant les trois premières années, le pronostic est favorable: l'individu sera sain et heureux. Naturellement, il est logique qu'une relation harmonieuse avec sa mère soit bénéfique au garçon plus tard dans la vie. Par ailleurs, sur un autre plan, quelque chose cloche dans ces hypothèses. Premièrement, la documentation et la littérature traditionnelles ont glorifié et idéalisé le lien mère-enfant, en en faisant une union presque parfaite. La réalité, c'est que cette relation «sacrée» est pleine de danger pour la femme, parce que c'est à elle que toutes les responsabilités incombent. La mère peut «rater» la vie de son enfant de mille et une façons. Comme la plupart du temps elle est la seule adulte en cause, la situation est telle qu'il lui est impossible d'atteindre la perfection.

La mère n'est pas la seule à être perdante. Même si la relation mère-fils est aussi bonne que possible, ses répercussions sur l'avenir de l'enfant sont bien sombres. L'événement le plus destructif dans la vie des hommes d'aujourd'hui est en vérité un *non*-événement: l'absence du père dans la formation de leur vie affective. Le père étant absent dans l'éducation de l'enfant, la mère devient le Parent-Tout-Puissant que l'on adore et que l'on aime, un personnage presque mythique qui peut prodiguer ou refuser son amour. Pour le jeune garçon, la mère détient le pouvoir absolu. Elle a la main haute sur tout. Elle est la première personne à dire «non», celle qui insiste pour qu'il ne porte plus de couches, celle qui lui dit de manger ses légumes, qui exige qu'il se comporte bien à table, qu'il porte un bonnet quand il fait froid et qu'il se couche avant d'en avoir envie. Elle étouffe son enthousiasme. Le garçon n'oubliera jamais que c'est une *femme* qui lui a fait ça. Dès lors, il est facile de comprendre pourquoi tant d'hommes se croient obligés de *dominer* des femmes. Au début de sa vie, une femme le dominait; s'il n'est pas prudent, il redeviendra un bébé.

L'homme adulte qui a besoin de dominer les femmes évoque inconsciemment l'époque où sa mère était forte et lui pas. L'Homme bon à rien qui a besoin de vous dominer rejoue la relation qui existait avec sa mère, sauf que, cette fois, c'est lui qui est le plus fort. L'Homme parfait aujourd'hui/parti demain réagit de façon excessive à la question de domination en préservant jalousement sa liberté. L'Homme acceptable pourrait souhaiter que dans une relation tout aille selon ce que lui désire, mais si son comportement est mis en question par une femme, il finira par prendre conscience qu'elle n'existe pas seulement pour le servir.

Margaret Mahler, qui a étudié de près le processus de séparation entre la mère et l'enfant, parle d'une période tortueuse dans la vie du bébé, qu'elle appelle «rapprochement». L'enfant est alors âgé de dix-huit à vingt-quatre mois. Au cours de cette période, l'enfant mâle essaie de s'arracher à sa mère et de se lancer dans le monde. À maintes reprises, il «s'éloigne» puis revient chercher ce qu'il aime: la douce et rassurante proximité de sa mère. Ensuite, réveillé de sa douillette quiétude par la peur de s'y perdre, il s'éloigne de nouveau. Quand la «distance» est suffisante, la peur d'être loin de sa mère le ramène vers elle et il «refait le plein». Il poursuit ce balancement émotionnel — proximité puis éloignement — jusqu'à ce que, une fois seul, il se sente en sécurité et sûr de lui.

Durant cette période, le garçon prend conscience de son appareil génital et commence à se définir comme mâle. Malheureusement, puisque la première personne de qui il se sépare est la Mère (femme) plutôt que le Parent (femme *ou* homme), pour lui être un homme *consiste d'abord à ne pas être comme elle*. L'intimité et les rapports étroits sont entièrement associés avec elle, une femme. Par conséquent, pour devenir un individu à part entière *et* un homme, il doit rejeter non seulement la femme, mais l'intimité aussi.

L'expérience parallèle de la fille n'est pas aussi déchirante. Elle peut rester proche de sa mère tout en se séparant d'elle et en développant sa propre identité de femme. Une fois adulte, il est probable que la femme préférera la réciprocité dans une relation, alors que l'homme aimerait tout prendre sans rien donner en retour. Une des raisons qui font que beaucoup d'hommes veulent que les femmes *prennent soin d'eux,* c'est que, inconsciemment, ils ont envie de retrouver l'époque qui précède celle du rapprochement, l'époque où leur satisfaction était complète.

Il est à la fois plus facile et plus difficile pour les garçons que pour les filles de se séparer de la mère. Plus facile, parce que la différence sexuelle est visible, preuve tangible que la mère et le fils sont des individus séparés. Plus difficile, parce que le garçon doit «abandonner» sa mère pour établir son identité mâle et aussi parce que leur différence génitale n'est pas la bonne raison pour qu'il se sépare de sa mère. Si les deux parents jouaient le même premier rôle, le garçon devrait quand même se séparer pour se développer, mais il ne serait pas forcé de rejeter les femmes et l'intimité pour y arriver.

C'est comme une mort en bas âge. Il se peut que des parcelles de la psyché du garçon soient tuées, étouffées ou gravement endommagées. Il se peut qu'il grandisse comme un «mâle», mais il ne grandit pas comme une personne complète capable d'aimer et d'être aimée. En fait, si passable que soit l'homme adulte, il se peut qu'il croie encore qu'être intime avec une femme revient à perdre une part de lui-même.

Un de nos clients, Phil, nous a raconté une expérience étrange, presque onirique, qu'il avait connue un soir qu'il était au théâtre avec son amie, Regina. Avant le premier acte, Phil voulait bavarder avec ses amis dans le foyer. Regina, elle, avait eu une dure journée et voulait rester seule avec lui quelques minutes dans un des petits salons attenants. Quand Phil regarda le petit salon où Regina s'était assise pour l'attendre, il fut frappé par la quasi-obscurité qui y régnait et crut qu'il étoufferait s'il y pénétrait.

Au cours d'un test d'association libre avec l'image du petit salon, Phil parla d'une sensation d'«étouffement»: il se sentait «enveloppé» et attiré si fort vers la pièce sombre et fermée qu'il ne pouvait y résister, mais s'il cédait, il serait annihilé. En nous racontant son histoire, Phil se mit à rire — au fond, il savait qu'un foyer de théâtre n'a rien d'effrayant — et il comprit qu'en vérité il exprimait sa crainte d'être proche de Regina. Phil est un homme conscient de ses craintes. Pourtant, les vieilles émotions ont la vie dure. Pour Phil, l'idée de se trouver tout près de Regina fit ressortir de son inconscient le souvenir lointain de son union bienheureuse mais redoutable avec sa mère.

L'expérience de Phil, typiquement masculine, est loin d'être inhabituelle. Phil n'est pas incapable d'intimité. Parce qu'il se connaît, il peut contrôler son comportement. Pour beaucoup d'hommes, il n'est pas facile de parler de sentiments qu'ils éprouvaient à trois ans. Il se pourrait qu'un homme se rapproche de vous et vous laisse tomber à plusieurs reprises. Il vous blâme pour son propre comportement: «Tu es trop exigeante» ou «Tu n'es pas assez sexy». Certains hommes en sont si convaincus qu'ils ne peuvent voir la situation autrement. Ceux-là ne changeront pas. Ces hommes extériorisent leurs conflits, c'est-à-dire qu'ils les attribuent à des sources extérieures à eux. Le comportement de Phil, toutefois, est exprimé plus directement — il ne blâme pas Regina pour ses sentiments — et son problème peut être résolu.

L'homme peut tirer parti des sentiments inhérents à sa nature d'homme pour changer sa vie. Art voulait rompre avec Emily depuis longtemps, mais chaque fois qu'il la quittait, il finissait par lui revenir. Chaque fois il se sentait avalé, et chaque fois il devait de nouveau s'arracher à elle. Il discuta avec nous de cette habitude et se prépara à quitter Emily une fois pour toutes. Mais il désirait se comporter en adulte responsable et il voulait que chacun soit préparé à la rupture, financièrement et émotionnellement. Ensemble, ils décidèrent d'une date et Art déménagea.

Après la rupture, Art rendit visite à sa mère. Ensuite, il nous dit que, pour la première fois, il ne sentait pas que les attentes et exigences de sa mère contrôlaient sa vie. Jusque-là, il avait toujours essayé de lui plaire, sentant qu'il lui cédait toujours. Les seules fois où il ne se sentait pas avalé, c'est quand il se trouvait à des centaines de kilomètres d'elle.

Avec Emily, les sentiments d'intimité, pour Art, allaient de pair avec le sentiment d'être pris au piège. Enfant, il n'avait jamais tracé autour de lui les frontières solides qui lui permettraient d'entretenir des relations intimes. Le spectre de son enfance planait encore au-dessus de lui. Nous l'avons encouragé à *ne pas* se lancer dans une autre relation avant de s'être senti bien seul depuis un bout de temps. Une fois installé dans son propre foyer, il finit par se rendre compte que, en rompant avec Emily, il avait en réalité «rompu» avec sa mère. Art est un Homme parfait aujourd'hui/parti demain qui pourrait bien surmonter les obstacles et arriver quelque part, car même s'il éprouve des sentiments contradictoires par rapport à l'intimité, la plupart du temps son comportement est responsable. Il parle de ce qu'il ressent, ce qui peut le faire paraître «bizarre» par rapport aux autres hommes. Mais en réalité ses sentiments sont normaux et tout à fait typiques des hommes.

La société enseigne aux hommes que, pour être «mâles», ils doivent quitter leur mère — à l'âge de trois ans — et ne jamais revenir sur le passé. Mais, durant l'adolescence, la séparation et l'identité masculine reviennent sous le feu des projecteurs, et la personnalité du garçon est malléable. On dirait presque que celui-ci a une deuxième occasion de résoudre ses vieux problèmes. Mais, pour beaucoup d'hommes, c'est la société qui aura le dernier mot: depuis longtemps elle a cruellement divisé garçons et filles en deux camps. À cette étape de la vie du garçon, le père pourrait s'inquiéter de la virilité de son fils (il le voit comme sa propre réflexion) et évincer encore davantage la mère. S'identifiant fortement à son père, le garçon renforce sa détermination d'être agressif, dominateur et, surtout, *différent des femmes*.

Heureusement, rien n'est tout à fait blanc ni tout à fait noir. Tous les garçons n'aspirent pas à devenir l'homme le plus macho de leur rue. William, l'Homme acceptable dont nous avons parlé au chapitre 1, nous a raconté comment, adolescent, il a vu renaître son intimité d'enfant avec sa mère. Quand il parle d'elle, sa voix devient chaude et joyeuse. Il dit que sa mère savait qu'il fumait de la marijuana dans sa chambre. Elle aborda franchement la question avec lui, sans porter de jugement. «J'ai trouvé qu'elle était une personne vraiment dans le coup, nous dit-il. Ce n'était pas une mère traditionnelle. Elle n'était pas d'accord avec ce que je faisais, mais elle me traitait comme un adulte capable de prendre ses propres décisions.» C'est alors que mère et fils se sont rapprochés comme jamais auparavant. Sans devenir des confidents, ils s'intéressaient l'un à l'autre et respectaient mutuellement leurs valeurs, leurs points de vue et leurs opinions. William éprouve un amour et un respect fondamentaux pour toutes les femmes qui animent sa vie. Cette capacité d'amour et de respect ne manque pas nécessairement à bon nombre d'autres hommes, mais elle demeure chez eux à l'état de potentiel.

Nous avons été impressionnées par plusieurs hommes de nos connaissances qui, jeunes adultes, avaient la capacité d'être proches de leur mère. Mais l'homme doit se sentir assez fort en lui-même pour pouvoir se rapprocher de sa mère (et des autres femmes) tout en restant séparé d'elle. C'est un peu comme dribbler: il faut une certaine coordination. Le fait de se rapprocher de sa mère ou d'une autre femme peut toujours faire perdre l'équilibre à un homme. Les femmes sont capables de marcher sur la corde raide entre la séparation et la connexion, parce que nous n'avons jamais eu à nous détacher si cruellement de notre mère. Nous pouvons rester nous-mêmes tout en appréciant l'intimité.

L'homme de l'avenir

Nancy Chodorow et Dorothy Dinnerstein avancent que le meilleur moyen de résoudre les difficultés qu'éprouvent les hommes avec l'intimité, c'est de rejeter les anciens rôles parentaux définis en fonction du sexe et d'élargir l'union mère-enfant pour y laisser entrer le père. James Herzog, psychanalyste de l'Université Harvard, a parlé dans ses œuvres des effets psychologiques sur les jeunes enfants de l'absence physique du père. Herzog appelle «faim du père» le phénomène résultant de cette absence. D'autres chercheurs sont allés plus loin et ont parlé des effets sur l'enfant de l'absence *psychologique* du père. Ils ont constaté que les fils de ces hommes éprouvent de sérieuses difficultés avec les relations intimes. Il est clair pour nous que, si les premiers dispensateurs de soins sont la mère *et* le père, et qu'ils sont également engagés dans le développement de l'enfant, le fils n'aura pas à rejeter l'intimité pour être en mesure de devenir un homme. Il aura devant lui son père, un homme capable d'intimité. La mère pourra finalement descendre du piédestal auquel elle est condamnée en raison de l'adoration — et de la crainte — qu'elle suscite chez son fils.

Nous croyons qu'il revient aux hommes de la présente génération d'élever leurs fils différemment. Nombreux sont les hommes qui, conscients de ce qu'ils ont perdu tôt dans la vie, veulent donner à leurs fils ce qu'ils n'ont plus. Cependant, comme ces hommes n'en sont encore qu'aux balbutiements de l'intimité, leurs bonnes intentions pourraient bien avorter. Il arrive que l'homme refuse soudainement son rôle de parent — peut-être la forme la plus continue et la plus rigoureuse d'intimité — de la même façon qu'il recule devant la relation intime avec une femme. Mais si ces hommes relèvent le défi, un monde de progrès nous attend. Les garçons apprendront qu'il est normal — pas dangereux — d'être proche des gens et sensible à leurs besoins. Ils deviendront des hommes qui ne présumeront pas que les femmes vivent exclusivement pour eux ou que tout dans une relation doit être conforme à leurs désirs à eux. Ces hommes n'éprouveront pas le besoin de contrôler la femme ou de s'éloigner d'elle. L'intimité et l'égalité ne seront plus synonymes de reddition. Certains signes indiquent que la société est en train de changer: des pères obtiennent des congés sans solde pour prendre soin de leurs enfants, ce qui était impossible à imaginer il y a seulement cinq ou dix ans. Certaines compagnies marquent le pas avec une politique qui permet au père de s'absenter du travail après la naissance ou l'adoption d'un enfant. Ce n'est que le début d'une tendance qui fait partie de l'évolution.

Les hommes changent lentement. Mais à ce moment-ci de votre vie, vous pourriez vous sentir frustrée, perdre espoir. Parce que les femmes deviennent plus fortes, qu'elles font mieux valoir leurs idées et qu'elles gagnent de l'assurance, et parce que, pour la première fois, elles attendent quelque chose des hommes en retour, ceux-ci ont de plus en plus peur. Mais c'est la dernière génération d'hommes pour qui il était socialement acceptable d'être élevés par la mère seulement, le père à peine visible demeurant loin dans le décor. Nous aimons penser que ce sera la dernière génération à éprouver de grandes difficultés d'engagement résultant d'un «parentage» dépassé. Voilà qui nourrit notre espoir.

Les difficultés qu'ont les femmes à se sentir à l'aise dans l'autonomie ont été discutées *ad nauseam*. Nous en avons assez d'entendre que la femme excelle dans l'intimité mais qu'elle trouve difficile d'être une personne à part entière et autonome. Le creuset familial nous a laissé ce déficit. Mais si l'on compte à partir de la naissance du mouvement féministe, nous pouvons dire que nous avons une bonne vingtaine d'années d'avance sur les hommes, pour ce qui est de compenser notre déficit. Jusqu'à ce jour, les hommes n'ont même pas admis le leur.

Nous allons maintenant aller un peu plus loin que les nouveaux théoriciens. Puisque les femmes sont expertes en intimité, elles doivent aider les hommes à changer, ce qui ne veut pas dire qu'elles doivent résoudre leurs problèmes à leur place. Jadis, la femme faisait tout pour l'homme. Elle le faisait si bien que l'homme ne s'en rendait même pas compte. Nous insistons sur le fait que, pour changer, l'homme doit d'abord savoir qu'il y a un problème. Vous n'avez pas le choix. Vous ne pouvez pas agir à la place de l'homme, ni refuser le défi, ni refiler le problème à un psychiatre. Cela doit se passer à la maison.

Dans notre travail auprès des couples, nous voyons des hommes et des femmes qui sont déphasés les uns par rapport aux autres. Les femmes ont rattrapé les hommes dans leur point fort — l'autonomie —, mais les hommes sont novices dans l'art de l'intimité. Le déséquilibre est évident, la source du problème aussi. Il ne s'agit pas de régler le déséquilibre, mais plutôt de donner à l'homme le temps et les outils dont il a besoin pour rattraper la femme.

Toutes deux, nous organisons des ateliers sur la différence entre les sexes et sur l'intimité. Les gens savent que ces différences sont le thème sous-jacent de leur vie quotidienne. Dieu merci, les fondements cliniques ont déjà été posés. Il nous reste à analyser les hommes et les femmes pour examiner les ramifications de la recherche.

Jeff, un de nos clients, l'air perplexe, nous raconta un jour un incident étrange. Il avait fait l'amour avec son amie, Marcia, et après, pour une raison qui lui échappe, il s'était mis à pleurer. Il avait été gêné — il ne pleurait jamais — et s'était senti faible, complètement dépassé par la situation contrairement à son habitude. En nous parlant, il comprit graduellement ce qui lui était arrivé. L'intensité de la fusion avec Marcia l'avait bouleversé. «Je n'ai jamais été si proche d'une autre personne, lui avait-il dit. Ça me fait peur. Je pense que je t'aime trop.»

Les larmes de Jeff ne sont pas une réaction typique, mais ses émotions le sont. Beaucoup d'hommes se demandent comment il se fait que l'intimité puisse à la fois être si gratifiante et si effrayante. Jeff essaie de comprendre pourquoi un sentiment de danger imprègne les moments les plus intimes passés avec la femme qu'il aime. C'est la question, croyons-nous, à laquelle devront répondre bientôt la plupart des hommes.

Au chapitre suivant, nous parlerons des défenses auxquelles un homme recourt pour éviter l'engagement.

6

Beau, ténébreux et distant: l'homme et ses défenses

Kevin, trente-quatre ans, est spécialiste de l'import-export. Il a l'air d'un athlète. Ses cheveux sont noirs et bouclés, et il sourit volontiers. La première fois qu'il est venu dans notre bureau, nous avons été impressionnées par son apparente assurance. Il avait l'air à l'aise et sûr de lui dans son élégant costume trois-pièces. À la suite de plusieurs rencontres, nous avons vu cette façade se lézarder, à mesure qu'il prenait conscience que quelque chose clochait dans sa vie.

D'abord il y avait eu Danielle, la femme «la plus belle et la plus exotique» qu'il ait jamais rencontrée. La première fois qu'il la vit, elle était assise à l'autre bout du bar. Impulsivement, il avait inscrit son numéro de téléphone sur une pochette d'allumettes et la lui avait envoyée. Ravi, il vit Danielle venir vers lui. Ils prirent un verre et conversèrent. Il apprit que Danielle était une linguiste française en vacances à Manhattan. Kevin était d'autant plus fasciné. C'était une femme intéressante, pleine d'idées et d'opinions, avec mille impressions sur la vie urbaine. Il ne fit jamais de doute qu'ils iraient chez Kevin passer la nuit. Selon Kevin, ce fut la meilleure nuit jamais passée avec une femme. Danielle retarda son retour en France de plusieurs semaines pour passer du temps avec lui.

La fois suivante, ils se rencontrèrent à Paris, au cours d'un voyage d'affaires de Kevin. Étrangement, même s'il était toujours aussi entiché de Danielle, Kevin se sentait menacé en sa présence et inférieur à elle qui était versée en langues et en art, et dont les manières et la façon de s'habiller étaient si flamboyantes. Sans qu'il s'en rendît compte, ses sentiments envers Danielle changeaient. D'abord il avait aimé son brio. Mais maintenant il souhaitait secrètement qu'elle soit moins accomplie, moins belle — moins tout. Il en vint à la conclusion qu'elle ne mettrait jamais de sourdine à sa personnalité, qu'elle serait toujours un peu trop brillante, un peu trop intéressante. Il se sentait maintenant incroyablement menacé. Il imaginait des situations dans lesquelles elles montrait qu'elle avait plus d'esprit que lui devant ses amis ou qu'elle était particulièrement intelligente et versée dans tous les domaines, de la politique aux arts. Ils avaient assisté à des fêtes ensemble où elle avait montré son assurance et sa facilité à s'exprimer. À côté d'elle, il s'était senti ennuyeux et sans intérêt. Il lui en voulait pour cela, pour son brio. Elle le faisait se sentir petit et faible, rabaissé.

À la suite de plusieurs autres rencontres, Danielle s'éprit de lui. Elle lui dit avoir envisagé la possibilité de déménager à New York. «Nous ne sommes pas faits l'un pour l'autre, lui dit-il. Tu es du genre artiste, moi du genre conventionnel. Nous sommes trop différents.»

Danielle comprit l'insécurité de Kevin, mais n'en saisit pas l'ampleur. Elle le rassura: elle l'admirait et le respectait. Elle appréciait leurs différences. Ne pouvait-il pas lui aussi apprendre à les apprécier? Après tout, c'est ce qui les avait d'abord attirés l'un vers l'autre.

Kevin dit non. Même leurs rapports sexuels avaient cessé d'être satisfaisants. Comme il le dit lui-même: «Chaque chose doit être à sa place, ou alors le sexe me laisse froid.» En ce qui le concernait, il ne lui restait plus qu'à dire adieu à Danielle. Tout à coup, la relation la plus stimulante de sa vie avait pris fin.

Dans les mois qui suivirent, Kevin découvrit à quel point Danielle avait donné à sa vie couleur et piquant. Sans elle, tout était monotone, une grisaille. Il pensait qu'il voulait de la couleur dans sa vie — qu'il la voulait elle — mais à tort. Il décida de chasser Danielle de son esprit. Il y avait un tas d'autres femmes, Sandy, par exemple, qui avait attiré son attention au bureau...

À force d'écouter les hommes nous parler de leurs relations ratées, avortées, vidées ou ambivalentes, nous avons chaque fois été frappées par un certain ton de perplexité. Ces hommes savent que leurs relations ne réussissent pas, que quelque chose ne va pas dans leur vie, mais ils ignorent pourquoi. Comme un client nous l'a déclaré, le malaise ressenti est presque tangible, mais il est impossible de l'identifier ou d'en découvrir la cause.

Malaise, inconfort, confusion. Les relations engendrent une angoisse latente qui se manifeste par des sentiments que les hommes sont incapables de reconnaître. Parallèlement, les hommes recourent inconsciemment à des défenses pour faire face aux conflits et à l'angoisse. Il ne s'agit pas de cas isolés. Nous avons pu reconnaître toute une variété de défenses que les hommes utilisent pour vaincre peur et angoisse.

Voici comment fonctionne la défense: quand un conflit fait naître de l'angoisse, la psyché de l'homme se mobilise contre elle. Maintenant il a un tampon — une défense — qui absorbe l'angoissse ou la masque, le protégeant ainsi de sa brûlure. Personne n'aime se sentir angoissé; le seul but de la défense est de dissiper l'angoisse.

Une «bonne» défense aidera la personne à bien vivre sa vie et à maintenir l'équilibre de ses relations. Une «mauvaise» défense constitue un obstacle aux bonnes relations. Pour beaucoup d'hommes, leurs défenses rendent presque impossible la réussite de toute relation avec une femme.

Dans notre culture, tout le monde acquiert des moyens de se défendre contre l'angoisse. Mais les garçons apprennent trop bien la leçon. Anna Freud décrit comment des petits garçons, âgés de trois ans et en plein conflit œdipien, prétendent être surhommes en réaction à des sentiments de vulnérabilité et d'impuissance. En s'identifiant avec un personnage puissant, l'enfant nie le fait qu'il est petit et faible. Les garçons apprennent également à extérioriser leurs problèmes, c'est-à-dire à y trouver une cause extérieure, pour mettre de la distance dans leurs relations. C'est là la base des mécanismes de distanciation que les hommes utiliseront plus tard dans la vie.

Dans notre cabinet, nous constatons chez les hommes une exagération — ou un durcissement — de cette attitude défensive de la petite enfance. Maintenant que les hommes se sentent encore plus menacés qu'avant par les femmes, l'angoisse s'est intensifiée. Par conséquent, les hommes font appel à des formes encore plus extrêmes de leurs défenses primitives pour dominer les femmes et créer une distance entre eux et elles. Toute critique de cette attitude exagérément défensive est considérée comme une attaque contre les hommes. «Les hommes sont comme ça, c'est tout», nous dit-on. En même temps, on nous dit que les femmes aussi recourent à des défenses.

Bien sûr qu'elles y recourent aussi. Mais ce dont nous voulons parler, c'est des défenses que les hommes utilisent aujourd'hui en réaction à la nouvelle angoisse que la femme fait naître chez eux. Voici six des types de défenses les plus communs. Certains sont plus malsains que d'autres et ce sont les Hommes bons à rien qui vont sans doute y recourir. Certains sont plus évidents que d'autres. L'homme peut utiliser une, plusieurs ou toutes ses défenses, à un moment ou à un autre.

Il ne vous revient pas de changer les défenses d'un homme. Nous vous conseillons simplement d'en être consciente et d'évaluer jusqu'à quel point il les fait jouer dans ses contacts avec vous. Cette évaluation vous aidera à le classer dans l'une de nos trois catégories d'hommes. Vous saurez alors à quoi vous attendre pour ce qui est de sa capacité de s'engager.

1. Le clivage. L'enfant voit sa mère comme étant «totalement bonne» ou «totalement mauvaise». Quand elle est «bonne» il ne peut se rappeler l'avoir vue «mauvaise» et vice-versa. L'enfant finit par réconcilier les deux aspects et par comprendre que la mère peut lui donner quelque chose ou l'en priver.

Il est fort commun aujourd'hui de rencontrer des hommes qui catégorisent les traits de la femme en «bons» et en «mauvais» traits. Jusqu'à récemment, les femmes supprimaient une part d'elles-mêmes, ce qui rendait les choses beaucoup plus faciles pour les hommes. Du temps que les femmes se montraient soumises et qu'elles se taisaient, les relations étaient moins complexes. Maintenant qu'elles se considèrent comme des personnes à part entière, les hommes se voient imposer toute un série de nouvelles exigences.

Comment cette défense agit-elle pour l'homme? Elle lui permet de garder une image fixe de la femme pendant qu'il analyse son comportement. Il se peut qu'il fasse une liste, d'un côté les débits, de l'autre les crédits, et qu'il vérifie constamment le solde. Elle est trop ceci, pas assez cela... Pour se faire croire qu'il est maître de la situation, il se peut que l'homme tente de «démonter» le mécanisme d'une femme complexe.

Sam connaît Gina depuis deux ans. «Je peux lui parler de choses personnelles, dit-il. Je n'ai jamais pu parler avec une autre femme comme avec elle. Quand je suis tendu, elle m'aide à me détendre.» Pourtant, quand la conversation de Gina manque d'intérêt dans les soirées (elle est timide), il la critique. «Est-ce qu'elle me stimule intellectuellement?» se demande-t-il. Il se répond que non. En fait, elle est ennuyeuse. À ce moment-là, Sam oublie complètement l'autre aspect de Gina (aimante, généreuse, attentive: le «bon» côté) et oublie à quel point elle compte dans sa vie. Aux yeux de Sam, quand Gina est «bonne», elle est très bonne. Mais quand elle est «mauvaise», elle est horrible. Il change d'idée d'une minute à l'autre. Sam ne peut pas comprendre que Gina — ou toute autre femme qui entrerait dans sa vie — soit dotée de qualités différentes, certaines qui lui plaisent, d'autres qu'il n'aime pas. Quand la personnalité de Gina lui déplaît, Sam oublie temporairement tout ce qu'il aime chez elle et a des aventures avec d'autres femmes.

Pour Gina, la situation est difficile. Elle se sent mal ajustée, comme s'il lui était impossible d'être ce que lui veut qu'elle soit. Une minute elle compte pour lui, la minute suivante elle ne compte plus. Sam fait d'elle un personnage monodimensionnel en la réduisant à des listes de qualités acceptables ou inacceptables. Aussi longtemps qu'il pourra la peindre à grands coups de brosse, en évitant les subtilités et les nuances, elle représentera pour lui une moins grande menace.

Sam, en raison de ses dures critiques et de ses infidélités, est un Homme bon à rien. Beaucoup d'autres hommes «diviseront» ainsi la femme, mais sans être aussi irrécupérables que lui. Cependant, même un Homme acceptable peut recourir au clivage pour faire face à une situation qu'il trouve menaçante.

2. Identification par projection. Cette défense est au coeur de toutes les relations de couple. Une des raisons qui font que votre partenaire vous attire, c'est qu'il a des qualités que vous avez été incapable de développer en vous. Par exemple, il se peut que l'homme soit dépensier et la femme, économe. Une partie de son attraction à lui pour elle provient de ce qu'il hésite à se refuser quoi que ce soit. Et elle se sent attirée par lui parce qu'elle hésite à s'accorder quoi que ce soit. Si leur relation s'épanouit, il apprendra à être plus prudent et elle, plus généreuse.

Cependant, ce que nous constatons aujourd'hui, c'est que l'homme sera souvent repoussé par les caractéristiques mêmes de la femme qui l'avaient attiré à l'origine. Kevin, dont nous avons parlé au début du chapitre, mit fin à trois relations avant de comprendre que, s'il était attiré et repoussé tout à la fois par une femme, c'est qu'elle incarnait les qualités qu'il avait bannies en lui-même.

Après avoir étouffé le côté flamboyant et vibrant de sa personnalité, il s'était mis insconsciemment à choisir des femmes susceptibles de remplir ces vides. Malheureusement, son «autre moitié» s'était révélée trop menaçante.

Le cas de Paul ressemble un peu à celui de Kevin. Lui et Cynthia sont des avocats. Quand elle plaide, le style de Cynthia est coloré, ce qui la sert bien en cour. La plupart du temps Paul la trouve emballante. Mais il arrive que le penchant de Cynthia pour l'exagération irrite Paul.

Paul est posé, un peu vieux jeu même. Cynthia, elle, est décontractée et pleine de fantaisie. L'attraction qu'il ressent pour elle est puissante, mais il aimerait bien qu'elle se taise de temps à autre. Elle sait très bien que Paul n'aime pas qu'elle exagère quand elle raconte ses histoires. Mais elle continue de le faire, parce qu'elle *aime* ça. Le couple est dans une impasse; ce qui avait attiré Paul commence à le menacer.

Historiquement, la femme a toujours été le complément de l'homme. Dans le mariage traditionnel, les deux partenaires ne faisaient qu'un. La contribution de la femme était sous-estimée; elle n'était qu'une «garniture» posée sur la personnalité de l'homme. De nos jours, il est plus probable que les femmes s'épanouiront en personnes complexes par leurs propres moyens, et moins probable qu'elles se contenteront de remplir les vides de la personnalité de l'homme. Il est également moins probable qu'elles changeront quelque chose en elles sous prétexte que cela menace l'homme. Paul finit par se rendre compte que le «problème» de Cynthia était en fait son problème à lui et qu'elle n'était pas près de changer. C'était à lui d'accepter d'être attiré vers une femme complexe.

3. Idéalisation/La Femme Parfaite. Un grand nombre d'hommes à qui nous avons parlé nous ont décrit leur recherche continue de la Femme Parfaite. Celle-ci varie d'un homme à l'autre. En fait, à la lumière de l'analyse, il semble qu'elle soit impossible à définir... pourtant, on continue de la chercher.

Le mythe de la Femme Parfaite est aussi une défense. Alors que la notion de la Femme-Toujours-Disponible est plus qu'une défense (dans la réalité, il y a plus de femmes célibataires disponibles que d'hommes), la Femme Parfaite est le fruit de l'imagination de l'homme. Elle remonte au temps ou sa mère n'existait que pour lui, sans autre but ou fonction dans la vie.

En imaginant sa Femme Parfaite, David s'enfonce dans son fauteuil, et son regard vague traverse la fenêtre. Non, il ne peut nous dire exactement à qui elle ressemble, ni quel genre de personne elle est. Comment saura-t-il, quand il l'aura rencontrée, que c'est «elle»? Vaine question. Il le saura, c'est tout. Pour beaucoup d'hommes qui rencontrent une vraie femme, le scénario est le suivant: tombe vite amoureux, prends-la pour la Femme Parfaite, trouve-lui une première faille, décide qu'elle n'est pas «Elle». Quel coup monté!

Quand nous parlons du mythe (de la défense) de la Femme Parfaite à des amis et à des collègues, souvent ils ripostent: «Les femmes aussi veulent des partenaires parfaits. Tout le monde veut un partenaire parfait. Montrez-moi quelqu'un pour qui ce n'est pas le cas.»

Nous sommes d'accord avec eux. La femme qui nourrit le fantasme du Prince Charmant n'est pas seule. C'est un fantasme féminin courant. Des filles qui, d'une part, ont été élevées pour devenir des étudiantes de premier ordre et des femmes de carrière, ont appris d'autre part très tôt dans la vie qu'un jour leur Prince viendrait les sauver: elles n'auraient jamais à prendre soin d'elles-mêmes. Les femmes n'étaient pas indépendantes à cette époque; pour elles, leur carrière, c'était leur homme. «C'est comme ça que je pense et mes amies aussi, avoua franchement une de nos clientes. J'essaie d'asseoir ma carrière, je viens de dépenser une fortune à décorer mon appartement, mais je pense encore à mon chevalier monté sur son étalon blanc, qui m'enlèvera et m'emmènera avec lui.» Elle se mit à rire et s'empressa d'ajouter: «Nous savons toutes que c'est ridicule.» C'est vrai. Nous ne connaissons aucune femme qui croie vraiment au Prince Charmant. «C'est mon fantasme, nous dit une autre femme. Un jour, Il — avec un «i» majuscule, bien sûr — sonnera dans le vestibule de mon immeuble. Il montera et frappera à ma porte. Il me dira: Salut, je suis un peu en retard, mais je suis venu quand même.»

Tout le monde ne nourrit pas le fantasme du Prince Charmant. Au moins, les femmes sont capables d'en rire. Ce qui est nouveau et plus pertinent, c'est le dévoilement de la Femme Parfaite. Dans notre culture, elle a été protégée, préservée, et les hommes n'ont jamais eu à la regarder en face et à voir le mythe s'écrouler. Ils n'ont jamais pu rire d'eux-mêmes et dire: «Je continue de chercher la Femme Parfaite, même si je sais qu'elle n'existe pas. N'est-ce pas idiot?»

À notre époque, beaucoup d'hommes s'attendent encore à ce que la Femme Parfaite sonne à leur porte et leur dise: «Me voilà.» Elle est la femme qui sera toujours là pour l'homme et qui satisfera tous ses besoins. Tant et aussi longtemps que pour lui son arrivée sera imminente, il n'aura pas à traiter avec la vraie femme. La vraie femme d'aujourd'hui pourrait le frustrer, voire le rejeter. Ce qui est le plus frappant dans le fantasme de la Femme Parfaite, c'est que la plupart des hommes croient dur comme fer qu'ils ont *droit* à une femme parfaite. Tout un temps, la mère du garçon a tourné autour de lui comme la terre autour du soleil et a satisfait tous ses besoins. L'homme voit maintenant les femmes comme des recréatrices possibles de ces moments merveilleux de narcissisme, quand rien dans l'univers n'existait à part lui et celle-qui-satisfaisait-tous-ses-besoins. Souvenirs divins, certes, mais nous sommes tous censés grandir et revenir sur terre.

La Femme Parfaite peut apparaître au moment où l'on s'y attend le moins. Pour le premier anniversaire de leur relation, Douglas suggéra à Corinne des vacances ensemble en Europe. Il la surprit également, un jour qu'elle parlait de faire recouvrir ses meubles, quand il lui dit: «Attends. Ne les fais pas tous recouvrir. Décidons desquels *nous* aurons besoin.» Corinne était ravie... et un peu inquiète. Leur relation avait grandi lentement au cours de l'année, et cette «lenteur» lui convenait. À vingt-neuf ans, elle n'était nullement pressée de se marier. Elle appréciait simplement l'approfondissement de sa relation avec Douglas. Leur vie sexuelle venait à peine de devenir satisfaisante. Elle n'avait jamais eu d'inhibitions, et Douglas de son côté s'était ouvert. Elle s'estimait chanceuse de l'avoir. Il voulait passer du temps avec elle; il voulait qu'ils soient monogames et il n'essayait pas de la pousser dans quelque chose qu'elle ne souhaitait pas.

Un beau vendredi soir, peu de temps après qu'il eut été question de vacances en Europe, Corinne sentit que quelque chose n'allait pas. Douglas était agité et taciturne. Il avait recommencé à fumer. «Qu'est-ce qui ne va pas?» lui demanda-t-elle.

Après un long silence il lui répondit: «Je sens vraiment que j'ai besoin de plus d'espace. Je t'aime encore, mais ce n'est plus comme avant. Si nous étions vraiment faits l'un pour l'autre, je ne serais pas tenaillé par ces doutes. Je ne sais pas si tu es celle qui m'est destinée.»

Corinne était scandalisée. Elle se rappela toutes les fois qu'il lui avait dit qu'il l'aimait. Elle dit calmement à Douglas: «Ne t'en fais pas. Je suis satisfaite de la façon dont s'est développée notre relation. Je ne désire pas me marier maintenant. Je n'essaie pas de te forcer la main. C'est plutôt le contraire. C'est comme si toi, tu essayais de le faire.» Douglas lui déclara qu'il ne la verrait pas pendant un bout de temps.

Tenaillé par les doutes et par l'angoisse, Douglas en vint à la conclusion que Corinne en était la cause. Si elle avait été exactement ce qu'il voulait (il ne savait pas trop bien ce que c'était), il n'y aurait pas de doutes dans son esprit. Malheureusement, nombreux sont les hommes qui attendent des femmes qu'elles leur rendent la vie facile. Aucune imperfection permise; l'homme ne devrait ressentir aucune angoisse. Si ce n'est pas le cas, il ne lui viendra pas automatiquement à l'idée que c'est lui qui pourrait être à la source de ses propres problèmes. (C'est pourquoi, dans les tests psychologiques, les hommes paraissent si souvent plus «sains» que les femmes.) Il est peu probable qu'un homme avoue son anxiété. Il rejettera plutôt le blâme sur la femme. Aux yeux de Douglas c'était

Corinne le problème, et non pas ses propres sentiment contradictoires au sujet de l'engagement.

4. La réaction contre la peur. Plus Douglas associait sa vie à celle de Corinne, plus il avait peur. Pour combattre cette peur, il fouettait son propre enthousiasme pour la relation et la situait à un niveau d'engagement plus élevé qu'elle ne l'était (il avait proposé des vacances; il avait fait allusion à la vie commune). Douglas avait besoin de maîtriser sa peur, mais n'avait réussi qu'à la masquer. Il fallait bien qu'un jour la situation explose. Il était allé trop loin, trop vite, et il lui fallait s'en sortir presto.

Corinne se retrouvait dans la pire position que puisse connaître une femme. Douglas ne disait pas carrément que l'échec de leur relation était de sa faute à elle, mais que, s'il l'avait aimée davantage, cette rupture ne se serait pas produite. L'amour-propre de Corinne venait d'être piétiné.

Quoi qu'il en fût, Corinne dit à Douglas qu'elle pensait qu'il avait peur de s'engager et qu'il devrait suivre une thérapie. Au cours de notre séance avec elle, elle ne se montra pas si forte. Elle nous demanda si elle pouvait de quelque façon «améliorer la situation».

Nous lui avons répondu que non. «La situation est terrible pour toi, mais c'est précisément à ce moment-ci que tu ne peux rien. Ne l'appelle pas, pour lui c'est le moment de l'introspection. C'est à lui d'agir.

— C'est un homme trop bien pour que je le perde, dit Corinne. Je l'attendrai.» Nous savions ce qu'elle ressentait. Quand on a investi une année de sa vie, que l'on a découvert les bizarreries et les secrets de la personnalité de l'autre, que l'on a pris certaines habitudes ensemble, que l'on a connu une intimité et une confiance mutuelle de plus en plus profondes, renoncer à tout cela pour ainsi dire du jour au lendemain est insupportable.

Il se peut que Douglas se rende compte qu'il a laissé tomber ce qu'il y avait de meilleur dans sa vie. Il est également possible qu'il ne s'en rende pas compte. Si Corinne décide de l'«attendre», qu'est-elle exactement censée faire? Du tricot? De la danse folklorique? La réponse est évidente. Elle ne peut pas attendre; elle doit continuer de vivre. Nous avons interviewé une femme dont la relation s'était terminée pour la même raison. Pendant les trois années suivantes, elle et son partenaire continuèrent de se voir occasionnellement. Par la suite, ils se marièrent. Mais en général, on ne doit pas compter là-dessus. Peut-être, à vingt-cinq ans, pouvez-vous vous permettre d'attendre mais, une fois près de la trentaine, vous n'en avez plus le temps.

«Je ne sais pas quoi faire, nous dit Corinne. Croyez-vous que je pourrais voir un autre homme ce week-end? J'ai rencontré ce gars et...» Nous lui avons répondu: «Bravo, amuse-toi bien.»

5. Désillusion/La Chipie. Le pendant négatif de la Femme Parfaite, la Chipie, est le cauchemar de l'homme. C'est la méchante sorcicère, l'horrible marâtre qui mange les hommes tout crus au petit déjeuner. Même s'il se peut que l'homme soit attiré par une femme entreprenante et assurée, en même temps, au fond de lui-même, elle le repousse. La Chipie nous ramène à l'époque de la vie de l'homme durant laquelle il percevait sa mère comme celle qui sévit, domine et exige. Elle était alors plus puissante que lui, qui était petit et faible. Selon lui, sa mère aurait vraiment pu le dévorer.

Jane nous a raconté une histoire: elle et son ami, Dave, faisaient le tour des vignobles californiens. Ils avaient pour guide une femme belle et assurée, dans la vingtaine, qui connaissait sa matière sur le bout des doigts. «Elle est extraordinaire», murmura Jane à Dave. Il se pencha vers elle et lui dit: «Tu plaisantes? C'est une chipie.»

«J'étais éberluée, nous raconta Jane. Je croyais connaître Dave. Je lui ai demandé plus tard ce qui le dérangeait tant chez ce guide. D'abord il a dit ne pas le savoir exactement. Puis il a déclaré qu'elle agissait comme si elle était en train de jeter des perles aux pourceaux. Elle se pavane comme si tout le monde était fasciné par la moindre de ses paroles.»

Jane fit remarquer à Dave que cette femme savait ce qu'elle disait, qu'elle n'avait pas besoin de l'approbation de son auditoire. Dave en convint à contrecœur. Mais Jane savait qu'au fond elle n'avait pas changé d'idée.

Le dictionnaire nous apprend qu'une chipie est une «femme acariâtre, difficile à vivre». Aujourd'hui, on dirait que c'est celle qui castre les hommes. En réalité, la femme que l'on dit chipie pourrait être celle qui a un but dans la vie, celle qui est sûre d'elle-même, celle qui ne s'excuse ni pour ce qu'elle est ni pour ce qu'elle veut. Elle ne se sent pas obligée de s'adapter aux besoins des autres. Elle n'existe pas pour plaire aux autres non plus.

Beaucoup d'hommes ont appris que les femmes sont censées changer d'opinion, de conduite, d'idée pour se conformer à leurs voeux à eux. Si la femme ne le fait pas, ce peut être exaspérant et même humiliant pour l'homme.

Dans notre société, quand l'homme se sent menacé par la femme, il arrive qu'il la traite de chipie. En fait, il a peur d'elle. Au cours d'une réception, un homme n'arrivait pas à quitter du regard une femme superbe et assurée. Il s'imaginait en train de l'aborder, mais il ne le fit pas. Il se mit à transpirer d'appréhension, tentant plusieurs faux départs en sa direction. «Je suis un type pas mal, se répétait-il. Elle s'estimera bien chanceuse de venir chez moi.» Mais au fond de son âme inquiète, cet homme ne pouvait imaginer qu'une femme comme celle-là s'intéresse jamais à lui. Plutôt que de reconnaître sa peur, il en vint à une conclusion: «C'est une chipie, c'est évident» et partit sans même lui parler.

Il se peut également que l'homme craigne que la femme ait assez d'estomac pour être aussi orientée vers sa propre personne que lui l'est vers la sienne. Il sait que lui, il ne veut être ni docile, ni doux, ni gentil. Il sait fort bien qu'il ne s'intéresse qu'à lui-même. Alors, que se passera-t-il si elle est comme lui? Deux banquiers de Wall Street dans la trentaine discutaient des raisons qui font que les «femmes de Wall Street» sont pour les hommes de bonnes collègues au travail mais jamais des partenaires dans le mariage. Ces femmes sont le modèle parfait de la Chipie — entreprenante, préoccupée d'elle-même d'abord, combative. Au-delà des paroles, la voix de ces hommes reflète le dégoût qu'ils ont pour ces femmes. Si la femme n'est pas douce, gentille, vulnérable, pour certains hommes elle est répugnante.

La femme n'a cependant pas besoin d'être combative pour mériter le titre de chipie. Il suffit qu'elle soit forte, qu'elle fasse valoir ses idées et qu'elle sache ce qu'elle veut. Ces caractéristiques sont à ce point menaçantes pour l'homme qu'il se servira du terme «chipie» comme de son dernier atout. «Je comprends maintenant pourquoi je ne suis pas heureux avec toi: tu es une chipie.»

6. Intimidation et brimades. (Comme pour le mot «chipie», ce ne sont pas des termes scientifiques. Il s'agit simplement de décrire le comportement défensif des hommes.) Le premier soir de leurs vacances au Club Med, quatre femmes de Manhattan étaient assises avec un groupe d'hommes pour le dîner. Dana offrit d'aller au buffet des desserts et d'en rapporter pour tout le monde. À son retour à table, un des hommes, un dentiste près de la trentaine, jeta un coup d'oeil dédaigneux sur le plateau rapporté et lui dit qu'il n'aimait rien de ce qu'elle avait choisi. Dana, surprise, se rendit compte qu'il voulait qu'elle retourne lui chercher autre chose. Ce qu'elle ne fit pas. «Quand je me marierai, dit à la cantonade le dentiste en plaisantant, la première chose que je ferai, ce sera d'envoyer ma femme suivre des cours pour devenir une bonne servante.»

Dana ne trouva pas la plaisanterie drôle. Elle se rendit compte que, en ne retournant pas au buffet des desserts, elle avait suscité peur et colère chez un dentiste qui semblait sans prétentions. Dans un cas comme celui-ci, il se peut que l'homme réagisse en tentant de vous rabaisser ou en attaquant votre dignité. Son message pour vous: «Tu te crois si maligne. Tu ferais mieux d'être plus gentille avec les hommes, sinon tu ne trouveras jamais à te marier.» Ne soyez pas étonnée si un homme réagit par des attaques verbales à ce qu'il perçoit chez vous comme étant de l'«agressivité» ou de l'«arrogance».

En 1985, un sondage d'opinions Roper révélait que 43 p. 100 des hommes visés par l'enquête préféraient les femmes disposées à remplir leurs rôles traditionnels dans le mariage, comme par exemple, tenir maison. Pourquoi tant d'hommes veulent-ils des femmes diplômées d'université, mais qui restent à la maison pour pousser le balai? Pour certains Hommes bons à rien, le simple fait que vous existiez comme femme indépendante et intelligente est un crime. Rien ne leur plairait plus que de vous voir enceinte année après année. Pour la plupart des hommes, l'appréhension n'a pas atteint des proportions cosmiques. On peut la vaincre. Mais si vous vous trouvez dans la situation de Dana, partez à l'autre bout de la plage avec votre serviette et faites-vous bronzer jusqu'à ce que quelque chose de mieux pointe à l'horizon.

Qu'est-ce qui fait d'une personne un tyran? Disons que le père du garçon est agressif, énorme, terrifiant. Le petit tremble dans ses culottes. Il résout sa peur en se modelant sur celui qui le traite de haut. Quand il se sent menacé par quelqu'un, par sa mère disons, sans s'en rendre compte, il la traite de la même façon que son père le traite, lui: il essaie d'avoir la main haute sur elle et de la dominer. Une fois adulte, il se sent en droit d'insulter ou de blesser toute femme qui se trouve sur son chemin.

Trois hommes et leurs défenses

La plupart des hommes recourent à une ou à plusieurs des défenses dont nous venons de parler. Jusqu'à quel point votre homme l'utilise-t-il? La réponse à cette question vous aidera à déterminer jusqu'à quel point votre homme craint l'engagement.

«Avant, je m'amusais bien avec Christine, nous dit Phillip. Maintenant, elle pousse un peu. Je lui avais dit que j'étais un solitaire et que je voulais le rester. Mais les femmes n'écoutent jamais. Elles voient ça comme un défi à relever. Je ne me présente jamais sous un faux jour — dès ma première sortie avec une femme, je vais lui dire de ne pas tenter de me prendre au piège.»

Phillipe a quarante ans bien sonnés; il n'a jamais été marié. C'est un bon exemple d'Homme bon à rien aux mille défenses. «Ma mère était une chipie remplie d'amertume, nous déclara-t-il. J'ai donc pensé qu'il valait mieux ne pas me marier. Et c'est merveilleux: je n'ai jamais à demander à qui que ce soit où elle veut manger, ce qu'elle veut manger et à quelle heure elle veut le manger. Le mariage ne me convient pas parce que je n'aime pas faire de concessions.»

Le père de Phillip se comportait comme s'il était célibataire. Il passait le moins de temps possible avec sa famille. Les rares fois qu'il était au foyer, il se disputait avec sa femme. Les parents de Phillip finirent par divorcer, à l'époque où Phillip entra à l'université. Phillip a de nombreuses femmes pour amies et tout le sexe qu'il désire. Il préfère les femmes de moins de trente ans parce qu'elles «ne s'intéressent pas encore au mariage. Dès trente ans, elles veulent toutes une relation stable, et c'est embêtant.

«Je ne séduis jamais une femme, dit Phillip. J'attends qu'elle me séduise.» Il expliqua ensuite avec aplomb que si la femme est trop entreprenante, il ne s'excite pas. Elle doit l'être juste assez. Phillip doit permettre à la femme de le séduire; elle ne peut le faire de son propre chef, ni à sa façon à elle. Si elle persiste, Phillip cesse de la voir sous prétexte que ça ne va pas.

Phillip n'entretient aucune relation intime. «Et si tu avais besoin d'une épaule pour pleurer?» lui avons-nous demandé.

«Ça n'arrive jamais, répondit-il sereinement. Je me convaincs que jamais rien ne me dérangera, et jamais rien ne me dérange.» Tout les sentiments de Phillip sont émoussés, aplanis, comme avec du papier de verre. Il ne ressent ni passions, ni attachements, ni besoins, ni désirs.

Pour atteindre ce nirvana, Phillip s'est fait maître dans l'art des défenses. Il ne verra jamais une femme comme une personne à part entière. Les femmes «entreprenantes» sont vite classées parmi les chipies. Si la Femme Parfaite existait, il y trouverait encore à redire. Aucune femme ne lui convient, pas même en imagination. Ce qui est le plus ahurissant chez Phillip, c'est que, s'il est l'incarnation même de l'Homme bon à rien, il demeure à tous égards autres que les relations, un chic type. Il est aimé de ses amis et collègues. Aux fêtes, il apporte toujours des cadeaux aux enfants. Mais la femme ne doit pas se leurrer. Il montre ses couleurs, et ses vraies.

Les autres hommes l'admirent de loin. Phillip représente presque l'idéal masculin. Un homme heureux en ménage nous a déclaré: «Phillip mène une vie extraordinaire. Il est libre. Vous le jugez selon des normes de femmes.»

Le fait demeure que, du point de vue de la santé mentale, l'intimité est considérée comme étant un *élément essentiel* de l'état adulte. Dans notre culture, la déficience des hommes en ce qui a trait à l'intimité a été largement ignorée. Cependant, depuis que les femmes ont cessé d'être disposées à être le moteur unique des relations, ce qui était simplement évident auparavant est devenu impossible à ignorer.

Pour l'Homme passable, les défenses sont comme des gadgets utiles dont il se sert au besoin. Elles ne font pas partie de son caractère. Fred sait parfaitement qu'Élaine réussit mieux sur le plan professionnel et gagne beaucoup plus d'argent que lui. Il est content de sa réussite à elle, mais quelque chose en lui refuse de reconnaître l'importance de cette réussite. Elaine paie toutes les dépenses, et à la fin du mois il ne lui reste plus un sou. Par ailleurs, Fred n'apporte aucune contribution aux frais du ménage, sauf pour les vacances et les placements. C'est lui qui dispose de l'excédent d'argent du ménage. «Je suis l'homme du foyer; c'est moi qui porte les culottes», dit-il. Nous ne sommes pas dupes; nous savons qu'il s'agit d'un mécanisme de rejet qui est efficace pour lui — et pour le couple. Elaine ne s'offense pas de l'entendre dire cela. Elle sait que ce n'est pas vrai. Mais elle sait aussi instinctivement qu'être le patron compte beaucoup pour lui; elle lui fait cette concession comme un cadeau.

Dans le cas de Fred, penser qu'il est le patron est la réalisation d'un rêve. il lui arrive de souhaiter qu'Elaine soit une femme plus traditionnelle, plus docile. Mais pour Fred c'est un fantasme discret. L'Homme passable n'étiquette pas la femme soit comme Chipie, soit comme Femme Parfaite, parce que pour lui la femme est une personne à plusieurs facettes. Il ne se sent pas obligé de «cliver» la nature de la femme, parce qu'il est plus à l'aise avec une femme multidimensionnelle. (Encore une fois, nous pourrions sans doute retracer le manque relatif de défenses de l'Homme acceptable en remontant à la relation qu'il entretenait avec sa mère, dans laquelle il maintenait ses propres frontières personnelles, malgré l'existence d'une certaine intimité.)

Vous devez examiner le type de défenses auxquelles l'homme recourt et voir à quelle fréquence il y recourt. Il pourrait dire des choses comme Jack avait dit à Nina au chapitre 3: «Je n'aime pas quand tu es en colère contre moi. Je t'aime quand tu es gentille.» C'est une forme évidente de clivage: il souhaite qu'elle ne soit que gentille. Il peut arriver aussi qu'il critique les traits mêmes de votre caractère qui, vous le savez, l'attirent. Par exemple, un jour il vous aime parce que vous êtes dynamique et de commerce agréable, le lendemain il se fâche sous prétexte que vous parlez trop. Ou encore il aime que vous soyez sexy, puis vous reproche de flirter. Sous leur forme bénigne, ces défenses ni ne blesseront votre amour-propre ni n'endommageront votre relation.

Quant à l'Homme parfait aujourd'hui/parti demain, les défenses n'imprègent pas aussi profondément son caractère que celui de l'Homme bon à rien. L'Homme parfait aujourd'hui trouve que ses défenses lui sont comme étrangères, le mettent mal à l'aise. Une partie de lui voudrait s'en débarrasser. D'autre part, ses défenses pourraient le bloquer, le dérouter et même le torturer, dans ses tentatives d'intimité.

Après que Kevin eut rompu avec Danielle, la linguiste française, il rencontra Sophia, directrice dans une agence de publicité. Ils se fréquentèrent un bout de temps, jusqu'à ce que Kevin décide que, si extravertie et sociable qu'elle fût, Danielle était en fait une grande gueule. Qui plus est, elle n'était pas assez «intellectuelle» pour son goût. Le comble, c'est que leurs rapports sexuels avaient été satisfaisants au début, mais que depuis qu'il s'étaient rapprochés, ça n'allait plus. Si tout n'allait pas parfaitement entre lui et une femme, Kevin, à la place du désir, ressentait un vide, des sensations émoussées. C'était le même sentiment gris qu'il avait éprouvé après sa rupture avec Danielle.

Quand Kevin fit part de ses inquiétudes à Sophia, elle le quitta, le laissant ruminer son destin. Pourquoi avait-il connu tant de déboires avec les femmes? Pourquoi n'arrivait-il pas à trouver l'âme soeur? D'autre part, sa recherche de la bête noire chez la femme n'était-elle pas le signe d'un plus grave problème en lui? Peut-être critiquait-il les femmes pour ne pas avoir à faire face à ses propres faiblesses. Kevin rejeta immédiatement ces pensées. Il décida d'oublier Sophia et Danielle et de trouver la Femme Parfaite qui l'attendait quelque part.

Il rencontra ensuite Melanie, directrice du personnel dans une compagnie. «Elle était parfaite à tout point de vue», dit-il. Melanie était dynamique, ambitieuse, éclatante d'énergie au travail et dans ses relations. En sa présence, Kevin se sentait dans un perpétuel état d'excitation sexuelle. Cependant, les petits tiraillements familiers ne tardèrent pas à poindre. Cette femme n'était-elle pas plus active que lui? N'était-elle pas un peu trop irréductible en ce qui concernait sa carrière? Il lui arrivait de l'observer dans des réceptions: Melanie était simplement trop belle. Pourquoi ne s'occupait-elle pas un peu plus de lui au cours de ces soirées? Il ne pourrait jamais épouser une femme qui se comportait comme s'il n'existait pas.

Les mois passèrent. Melanie s'attacha de plus en plus à Kevin et apprécia davantage le temps qu'elle passait seule avec lui. Dans les réceptions, elle se tenait à ses côtés. Elle lui parlait moins de son travail et plus de ce qu'elle épouvait pour lui.

Kevin ne savait plus où se mettre. Maintenant que Melanie tentait activement de lui plaire, il ne pouvait le supporter.

Un beau soir, attablé à la cuisine, il finit par dresser la liste des fautes de sa belle: elle avait «trop d'égards» pour lui, elle ne se défendait pas assez et, finalement, elle était trop disponible et devrait voir d'autres hommes.

Melanie jeta un coup d'oeil à la liste de Kevin et la lui lança au visage, l'accusant d'être égoïste et inconstant, d'être un glaçon du point de vue émotionnel. D'abord il l'avait critiquée pour ne pas s'être occupée assez de lui et, maintenant qu'elle concentrait son attention sur lui, il déplorait qu'elle manquât de vie.

«Si seulement elle avait fait ce que je lui disais, tout aurait été parfait», dit Kevin, l'air sombre. Melanie n'était pas celle qui lui était destinée. C'est à ce moment que quelque chose changea en lui. Il vint nous voir pour la première fois. «Je trouve toujours à redire sur les femmes, nous confia-t-il. Mais j'aimerais tant avoir une relation étroite avec l'une d'elles.»

Nous lui expliquâmes le concept de clivage de la femme, ainsi que certaines de ses défenses. C'était de cette façon qu'il empêchait les femmes d'être une trop grande menace pour lui.

Il sourit ironiquement: «Je suis dans le pétrin, n'est-ce pas?»

Il nous raconta ensuite qu'il avait appelé Melanie pour lui demander s'il était possible qu'ils se voient de temps à autre. Elle lui avait raccroché au nez. «Un jour, je vais sans doute me marier, dit Kevin, et ce ne sera probablement pas à une femme aussi extraordinaire qu'elle.»

Peu de temps après, invité au mariage de son ami Joshua, Kevin sentit monter en lui l'envie et se mit à penser à Melanie. Il avait voulu qu'elle fût ce que lui désirait, pas la personne qu'elle était vraiment. Elle avait dû se plier à toutes ses humeurs et répondre à toutes ses attentes. Le mariage de Joshua fut le jour le plus triste de la vie de Kevin.

Au cours de l'année suivante, d'autres amis à lui se marièrent. En plaisantant, Kevin disait que, arrivé à l'âge de trente-cinq ans, il commençait à se sentir comme l'oncle célibataire de tout le monde. Pour égayer sa vie, il fit venir quelqu'un qui redécorerait son appartement. «Que ce soit un décor vivant et original», avait-il demandé. Il se retrouva avec des murs peints en noir, des meubles «Minimal Art» mal adaptés à l'anatomie humaine et trois grands cactus rébarbatifs.

Assis dans son chic mais invivable chez-lui, Kevin n'arrivait pas à ne pas penser à Melanie: leurs repas chinois pris au lit, le journal et les croissants du dimanche matin. Il lui arrivait encore de la blâmer pour leur rupture. À d'autres moments il admettait que c'était lui qui avait fait éclater leur relation en mille morceaux impossibles à recoller.

Kevin est plus perspicace qu'avant. Il voit et accepte différents aspects de sa personnalité à lui, ce qui est le premier pas vers l'acceptation des nombreuses facettes de la femme. L'intimité naîtra entre deux êtres complexes, dont la personnalité est faite de subtilités et de nuances, chacun étant conscient des profondeurs et des différences de l'autre. Qu'arrivera-t-il à Kevin? Il pourrait bien devenir un homme épanoui plutôt qu'un homme trop bien défendu.

Nous vous avons montré qui est l'homme d'aujourd'hui, pourquoi il ne s'engage pas et quelle est l'origine de ses problèmes. Armée de cette connaissance, consultez la description des cinq niveaux d'engagement pour analyser votre relation et situer le degré d'engagement actuel de votre homme. Dans la deuxième partie, nous vous proposerons quelques stratégies pratiques pour traiter avec l'homme atteint de trac, notamment des moyens de le pousser à la générosité affective. Entre autres choses, nous examinerons ce que vous devez faire si vous voulez un enfant et lui pas, ou si vous êtes mariée à un homme qui refuse de s'engager. Un chapitre spécial, détachable, s'adresse aux hommes. Faites-le lire au vôtre. Cela lui permettra de mieux cerner ses problèmes d'engagement et d'assumer la responsabilité de ses actions.

Si votre homme manifeste les comportements suivants, c'est qu'il recourt aux défenses typiques des hommes pour échapper aux problèmes que présente pour lui l'intimité:

- Il dresse la liste de vos qualités et défauts, vous «clivant» ainsi en une «bonne» et en une «mauvaise» personne, sans se rendre compte que vous êtes une personne totale et indivisible.
- Il commence à critiquer les qualités mêmes qui l'attiraient naguère. Par exemple, il aimait le fait que vous mettiez de la vie dans les fêtes. Maintenant, il se plaint de ce que vous attiriez trop l'attention des autres et que vous vous rendiez ridicule.
- Il cherche la femme parfaite. Au moment où tout commence à aller bien entre vous deux, il laisse entendre que quelqu'un de mieux l'attend probablement quelque part, si seulement il pouvait la trouver.
- Il croit que les femmes qui réussissent et qui sont sûres d'elles sont des «chipies».
- Il obtient ce qu'il veut en vous brusquant, souvent devant les autres.

Deuxième partie

FRANCHIR LE MUR DE L'ENGAGEMENT

7

Stratégies de relations

Même si votre relation menace de sombrer, cela ne signifie pas que vous deviez y renoncer. Il y a des méthodes particulières pour aborder les problèmes dans les relations — des méthodes qui servent surtout en thérapie de couples. Vous pourrez y recourir vous-même pour sortir des impasses. Ce qu'il ne faut jamais oublier, c'est que *tous* les hommes éprouvent des sentiments contradictoires face à l'intimité. Aussitôt que vous aurez pris conscience de cela, vous prendrez de l'avance. Puis vous pourrez utiliser les niveaux d'engagement pour évaluer votre homme, vous évaluer et évaluer votre relation. À partir de notre travail auprès des couples, nous avons mis au point un plan d'action directe en sept points pour agir avec les hommes atteints du syndrome de la corde au cou. Ces stratégies se révèlent utiles, du niveau 2 au niveau 5 d'engagement. Assurez-vous d'avoir dépassé le niveau 1, celui des fréquentations occasionnelles. Le plan est facile à suivre. Il vous mettra sur la voie menant à un engagement plus profond dans votre relation.

Programme conçu pour l'homme qui craint l'engagement (et pour vous)

Les exercices suivants portent tous sur les difficultés qu'éprouvent les hommes à l'égard de l'intimité, mais ils font appel à la participation totale de la femme. Vous devrez dire à votre partenaire que vous croyez que votre relation est dans une impasse et que vous souhaitez améliorer vos aptitudes en communication. C'est tout ce que vous devez dire pour le moment. Demandez-lui de s'amuser à faire ses exercices. S'il refuse de jouer le jeu, dites-vous que, de toute façon, il n'aurait sans doute jamais été capable de s'engager. Plus tôt vous vous rendrez compte de ce fait et commencerez à vous chercher un Homme acceptable, mieux ce sera.

Exercice 1. Faites-vous un petit plaisir l'un à l'autre, chaque jour. (Simpliste, penserez-vous? Loin de là.) Ne dévoilez pas la nature du petit plaisir à votre partenaire. Contentez-vous de le lui faire et de le noter sur un bout de papier. Demandez-lui de faire la même chose pour vous. *Ne discutez pas de ces petits plaisirs avec lui.* Entre-temps, chacun d'entre vous doit essayer de découvrir le petit plaisir que l'autre lui a fait et le noter. À la fin de la semaine, chaque partenaire devrait avoir une liste de sept petits plaisirs qu'il a faits à l'autre, ainsi qu'une liste de sept petits plaisirs venant de l'autre.

Souvent, les gens ne comprennent pas ce que nous voulons dire par «petit plaisir». Il ne s'agit pas d'acheter à l'homme une belle montre ou à la femme un déshabillé sexy. Un homme qui l'avait fait fut fort surpris de constater que sa partenaire n'avait pas inscrit ce geste sur sa liste des petits plaisirs. Pourquoi? Parce qu'il avait acheté ce déshabillé pour son propre plaisir.

Cet exercice exige: 1) que vous admettiez que votre partenaire est une personne à part entière; 2) que vous preniez conscience du fait que ce qui vous fait plaisir ne fait pas nécessairement plaisir à l'autre; 3) que vous soyez sensible aux petits gestes tendres de votre partenaire et que vous les reconnaissiez (c'est là le fondement de toute relation).

Si l'homme se plaît à cet exercice, c'est un bon présage. En fait, beaucoup de nos clients en raffolent. Puisque les hommes trouvent difficile de donner («Que va-t-il me rester si je lui donne trop?»), cet exercice leur facilite la tâche. Alors qu'il est habitué à sentir que ce qu'elle veut est global (elle veut tout), il se rend compte maintenant qu'il peut lui donner telle et telle petite chose, sans se perdre.

Cet exercice aide les couples à devenir plus sensibles à ce qu'ils se donnent mutuellement et à découvrir s'ils font ce qu'ils doivent. Si vous trouvez à la fin de la semaine que les listes ne concordent pas (il n'a pas découvert les petits plaisirs que vous lui avez faits et vice-versa), voyez cette situation comme une bonne occasion d'en apprendre davantage sur votre partenaire. (En d'autres mots, ne vous querellez pas à ce sujet, refaites l'expérience la semaine suivante.)

Pour que la relation soit réussie, il faut que les partenaires sachent *comment donner et comment obtenir.* Il s'agit de ne jamais oublier l'autre, de faire des choses pour lui, pas nécessairement de gager votre vie pour votre partenaire, mais de lui faire de petits plaisirs. Pour une de nos clientes, c'est que son partenaire veille jusqu'à ce qu'elle rentre de ses nombreux voyages d'affaires. Pour une autre, c'est qu'il lui offre des fleurs quand il lui rend visite chez elle. Pour un de nos clients, c'est qu'elle lui masse le cou quand il est particulièrement tendu.

En un sens, c'est très facile: ce sont les petits plaisirs et les petites attentions qui font que l'on se sent aimé.

Exercice 2. Faites preuve d'égoïsme une fois par jour. C'est le pendant de l'exercice 1. L'égoïsme à petites doses peut rassurer l'homme: même s'il est engagé dans une relation, il n'est pas pris au piège. Cet exercice est utile aux femmes parce qu'il les force à se montrer égoïstes une fois par jour, ce que les femmes ont du mal à faire. Ici, le sacrifice ne vous rapporte aucun «point». Seule restriction: vous devez au préalable discuter de votre geste égoïste avec votre partenaire. (Par exemple, vous pourriez l'appeler au bureau pour lui dire que vous avez décidé de jouer au tennis après le travail plutôt que de dîner avec lui. Ou encore, à la femme qui veut bavarder, l'homme pourrait dire qu'il préfère faire un somme.)

Nous répétons souvent aux hommes que l'espace personnel est un droit inviolable et que le fait d'être engagés dans une relation ne transforme pas des partenaires en siamois. Il arrive souvent que l'homme pense que, une fois amorcée une relation, la femme envahira son espace jusqu'à ce qu'il étouffe. L'exercice 2 montre aux couples que l'espace personnel est aussi essentiel à la relation que l'intimité. Trop d'intimité étouffe: aimeriez-vous avoir quelqu'un sur le dos vingt-quatre heures sur vingt-quatre?

Exercice 3. Encore plus d'égoïsme. Stuart et Phyllis mènent une vie cyclique: ou bien ils sont submergés de travail et ils se voient à peine pendant des jours, ou bien ils passent de longues et intenses périodes ensemble. Quand ils sont ensemble, ils sont si pris par leurs sens et par leurs émotions qu'ils ne savent pas quand s'arrêter. Ils en arrivent à se chamailler à propos de tout et de rien, même à propos de la façon dont ils dorment ensemble. S'ils étaient vraiment amoureux, pensent-ils, ils dormiraient enlacés. En réalité, ils passent la nuit à s'arracher la couverture. Notre première recommandation a été qu'ils s'achètent un lit géant. «Vous avez chacun besoin de beaucoup d'espace. Vous devez être capables de vous étirer.»

Nos paroles avaient un sens figuré bien entendu. Chacun des partenaires dans une relation doit pouvoir s'étirer. Un jour, après une semaine durant laquelle ils ne s'étaient pas vus, Stuart et Phyllis passèrent plusieurs jours et plusieurs nuits ensemble. Le quatrième matin, ils étaient couchés dans l'appartement de Stuart, bavardant et riant, quand Phyllis déclara soudainement: «Stuart, c'est une telle porcherie chez toi que j'endure à peine d'y être.» Stuart s'éloigna d'elle comme si elle l'avait giflé.

Tout couple doit savoir *qu'il y a une limite à la proximité que chacun des partenaires souhaite.* Il convient de temps à autre de prendre une pause, surtout après une longue période passée à deux. Sans le savoir, Phyllis réagissait à une trop longue intimité. Si ce n'avait pas été elle, ç'aurait été Stuart qui aurait réagi à sa façon. Malheureusement, elle ne s'était pas rendu compte qu'elle avait besoin d'espace et elle croyait qu'elle n'y avait pas droit. Plutôt que de le demander, elle a provoqué une dispute, ce qui est un bon moyen d'obtenir illico plus d'espace.

Pour établir un équillibre entre l'autonomie et les liens étroits et pour éviter le type de situation désagréable dans laquelle Stuart et Phyllis s'étaient plongés, nous vous recommandons:

1. D'apprendre à reconnaître le moment critique où vous en avez assez d'être ensemble.
2. De savoir qu'il est parfaitement juste que vous preniez vos distances quand vous en avez besoin.
3. De mettre au point des moyens non blessants et non destructifs de vous éloigner.

Au bout d'un certain temps, vous serez encore plus à l'aise avec votre partenaire. Il vous sera alors permis de dire: «Je vais me lever maintenant et prendre une douche» ou «Je vais rentrer à mon appartement pour un certain temps». Le besoin d'être seul ne signifiera pas nécessairement que vous rejetez votre partenaire.

Exercice 4. Le dialogue remède. Vous allez adorer cet exercice, lui restera sceptique. Chacun des partenaires parle pendant quinze minutes, puis écoute l'autre. L'homme peut-il se dérober en parlant de la partie de base-ball de la veille, de la Bourse ou de la recette de spaghetti qu'il a lue dans le journal du matin? Non, *il doit parler de ce qu'il ressent.* Pendant ce temps, vous devez l'écouter sans l'interrompre, sans grimacer, sans soupirer, sans aller aux toilettes, sans faire d'appel téléphonique «urgent». (En d'autres mots, même si ce qu'il dit vous déplaît, vous devez l'écouter jusqu'au bout.) Quand il a fini, répétez-lui ce qu'il vient de dire. Ensuite vient votre tour de parler. Il vous écoute, sans faire de commentaires, puis répète lui aussi ce que *vous* avez dit.

Tout le monde sait que les hommes n'aiment pas parler de ce qu'ils ressentent. Grâce à cet exercice, le vôtre pourra apprendre à le faire. Disons qu'il est fâché contre vous parce que, la veille, à une réception, vous l'avez rembarré, et il s'est senti humilié. Maintenant, il devra vous en parler, plutôt que de se refermer sur lui-même et vous battre froid. La règle cardinale: ne pas s'accuser l'un l'autre. Le but de cet exercice est de vous apprendre *ce que l'autre pense de votre relation et vice-versa.*

Cet exercice est excellent aussi pour enseigner à l'homme l'art merveilleux (et, malheureusement, en grande partie féminin) de l'écoute. Il se peut qu'au début vous ne trouviez aucune ressemblance entre ce que vous avez dit et ce qu'il *croit* que vous avez dit. Ne désespérez pas. Cet exercice d'harmonisation avec l'autre ressemble à l'exercice 1 et pourrait nécessiter plusieurs tentatives avant de porter fruit. Toutefois, ne dépassez pas le seuil des quinze minutes. Il peut avoir besoin de plus de temps que vous pour articuler sa pensée, mais à la longue il apprendra de vous à couvrir plus de territoire en moins de temps.

La technique du psychodrame n'est pas étrangère à celle du dialogue remède. Ici vous changez de rôle: vous jouez le sien, il joue le vôtre en vous *écoutant.* Quand vous jouez son rôle, imaginez ce que ce doit être de sentir qu'on manque d'espace. Quand il joue votre rôle, il se pourrait bien qu'il découvre en lui un besoin de plus d'intimité. Il n'est pas nécessaire d'être adepte de la méthode de Stanislavski pour réussir cet exercice. Il s'agit seulement d'entrer en communion de sentiments avec l'autre et inversement.

À l'homme pour qui le psychodrame présente des difficultés, nous proposons ceci: Faites-vous son avocat. Défendez sa cause et remportez-la. (S'il voit cela comme un «travail», il s'y lancera les yeux fermés.) Pour défendre votre cause avec efficacité, il doit se montrer empathique avec vous.

Lillian, trente-deux ans, et Michael, trente-cinq, en sont au niveau 5 d'engagement, la vie commune, depuis déjà trois ans. Avant cela, ils s'étaient fréquentés pendant deux ans de monogamie. Lillian voulait parler de son désir d'avoir des enfants et, bien sûr, du mariage. Elle n'arrivait pas à comprendre l'hésitation de Michael. Il disait l'aimer sincèrement (et il agissait comme si c'était le cas) et semblait engagé envers elle. Pourquoi donc hésiter devant ce qui semblait logiquement être l'étape suivante?

Lillian décida de recourir au dialogue remède. Chaque semaine, Michael et elle empruntaient le point de vue de l'autre et l'exprimaient. La première semaine, Michael fit l'exercice sans y mettre de cœur. Quand le tour de Lillian fut arrivé, elle présenta avec force et conviction ce qu'elle croyait être les raisons de Michael de ne pas vouloir se marier. «Pourquoi jouer les trouble-fête? dit-elle dans son rôle de Michael. Tout baigne dans l'huile maintenant. Je profite de tous les bons côtés du mariage, sans avoir dû prendre d'engagement. Je veux des enfants, mais rien ne presse. Je peux en avoir dans cinq ans. Pourquoi en avoir avant d'être prêt?»

Michael, assis sur le bout des fesses, écoutait intensément.

«Qui plus est, poursuivit-elle, le mariage de mes parents n'a pas été si extraordinaire. Mon père n'était jamais là quand ma mère avait le plus besoin de lui. Après qu'elle a eu travaillé pendant trente ans à le servir, à nettoyer sa maison et à cuisiner ses repas, mon père l'a quittée pour sa secrétaire, de dix ans plus jeune que lui. Je suis *terrifié* à l'idée que je pourrais faire la même chose à la femme que j'épouserais.»

Lillian se tut, surprise d'en avoir tant dit. Michael la regardait avec des yeux grands comme des soucoupes. Soudain, il la prit dans ses bras et se mit à pleurer. Après des heures de dialogue, Michael se rendit compte que ses craintes provenaient de la désertion de son père. Il craignait, s'il épousait Lillian, de lui faire le même coup que son père avait fait à sa mère. Une fois qu'il eut exposé ses craintes au grand jour et qu'il put en discuter, il se rendit compte de leur irrationalité. Michael n'était pas son père; Lillian n'était pas sa mère. Leur ménage aurait les mêmes chances de réussir ou de rater que tout autre mariage. En fait, Michael en convint, leur mariage avait plus de chances de réussir, parce que leur relation était plus solide que celle de la plupart des couples qu'ils connaissaient.

Michael et Lillian firent des progrès exceptionnellement rapides. En moins d'un mois, ils arrêtaient la date de la cérémonie. Aujourd'hui, deux ans plus tard, ils sont encore mariés et Lillian est enceinte de leur premier enfant. Le dialogue remède est un outil précieux du fait qu'il peut ramener à un sujet de discussion les problèmes d'engagement de l'homme, et ce d'une manière non menaçante et détachée.

Exercice 5. Jouer ensemble/rester ensemble. Deux partenaires dont la relation était en panne et qui en avaient assez l'un de l'autre, étaient assis en silence dans notre cabinet. Nous les fîmes parler. Nous apprîmes que dans le passé Sharon et Mark avaient joué au tennis ensemble, qu'ils avaient fait des promenades en montagne ensemble et qu'ils étaient souvent allés à la plage ensemble. Mais, à mesure qu'ils s'étaient rapprochés, ils avaient renoncé à leurs heures de loisirs partagés au profit de longues discussions et ruminations de leurs problèmes, jusqu'à en être engourdis. Nous leur dîmes que leur relation était en train de couler à pic, lestée de trop de choses sérieuses. Ils avaient toujours aimé s'amuser ensemble. Notre suggestion: parlez moins, jouez davantage.

Discuter des problèmes est certes important, mais la spontanéité et le sens de l'humour sont deux éléments essentiels de toute relation réussie. Rire un peu ne fera pas disparaître les problèmes, mais cela peut ultérieurement ouvrir les portes à la discussion. En outre, jouer avec bonne humeur a un aspect résolument érotique et peut mener à des expériences sensuelles inédites. Nous croyons fermement qu'une bonne communication sexuelle est le pivot d'une relation d'engagement. N'hésitez pas à mettre votre côté sérieux en veilleuse et à vous amuser.

Exercice 6. Prenez congé de vos problèmes. Allez dîner ensemble et évoquez les bonheurs que vous avez connus. Dites-vous l'un à l'autre les moments où vous avez été le plus heureux et parlez des occasions où vous avez connu le parfait équilibre, la dose exacte d'intimité. Si ce genre de «congé» par rapport à vos problèmes se révèle efficace pour vous, projetez-en un toutes les semaines. Vous pouvez également parler de ce qui vous attirait l'un vers l'autre. Voilà qui fera réfléchir l'homme qui se défend contre l'intimité en critiquant la femme pour les traits mêmes qui l'avaient attiré à l'origine.

Nous demandons souvent aux partenaires de décrire la période de leur relation où ils se sont sentis le plus aimés. Quand nous l'avons demandé à Cheryl et à Dave, Cheryl nous a dit, sans hésiter un seul instant, que c'était quand elle avait été gravement déprimée et que l'amour de Dave avait été mobilisé par la crise. «Alors, avons-nous dit, légèrement ironiques, maintenant que tu n'es plus déprimée et que tu mènes une carrière fantastique, vas-tu devoir laisser tomber tout ça pour sauver ta relation?» Tous deux se mirent à rire. Mais la leçon était importante.

Il semblait que Dave n'avait pu être généreux envers Cheryl que quand elle était comme un «légume» et que lui était maître de tout. (Inconsciemment, Cheryl savait qu'elle n'obtiendrait l'attention de Dave que si elle s'effondrait.) Que faire? Cheryl devait d'abord faire savoir à Dave qu'elle n'était ni une petite fille faible, ni un robot parfaitement autonome. Il ne fallait pas qu'elle attende d'être désespérée pour lui faire part de ses besoins particuliers. Ensuite, bien sûr, Dave devait apprendre à reconnaître les signaux de Cheryl et à y réagir, *avant* qu'elle ne s'effondre. Un tout petit réglage comme celui-là peut mettre fin à des comportements destructifs.

Exercice 7. Évitez les rapports sexuels, à moins d'y prendre plaisir. Quand un couple vient nous voir pour nous dire que les rapports sexuels ne sont plus satisfaisants parce que l'homme répugne à donner, veut tout contrôler, fait preuve de sadisme ou agit comme un automate, notre premier conseil est d'éviter le sexe. En d'autres mots, nous disons à nos clients de ne pas poursuivre des rapports sexuels non satisfaisants. Il n'est pas nécessaire d'être thérapeute pour comprendre cela. Si vous ne prenez plus plaisir au sexe, abstenez-vous.

Pour que l'homme «donne» du point de vue sexuel

Une fois que vous n'avez plus de rapports sexuels, vous pouvez revenir en arrière et recommencer à donner du plaisir et à en obtenir. Quand l'homme se montre «avare» ou qu'il est trop dominateur, c'est qu'il craint d'en donner trop à la femme (et par conséquent de se perdre). D'autres hommes refusent catégoriquement de donner. Ils ne voient pas ce qu'ils ont à y gagner. Les exercices suivants n'ont pour objet ni la performance ni la technique. Leur but est de dissiper les pressions qui pourraient écraser le couple et apprendre à l'homme à donner.

1. Adonnez-vous aux fantasmes. S'il se retient de donner ou s'il est trop dominateur, retournez en arrière, à l'époque où vous aviez encore envie l'un de l'autre. Évoquer le désir et les gestes romantiques du passé vous donnera à chacun une nouvelle aura sexuelle. Racontez-vous vos fantasmes, même au téléphone, *mais ne les réalisez pas*. Louez un film porno et regardez-le ensemble. Ou encore faites-vous la lecture d'œuvres érotiques. (Anaïs Nin, par exemple, a écrit des œuvres d'une qualité incroyablement érotique; les œuvres érotiques écrites par les femmes sont souvent les meilleures dans le domaine.) Faites un jeu de tout cela. Jusqu'où pouvez-vous aller avant d'avoir envie de vous jeter l'un sur l'autre et de vous arracher vos vêtements? La règle de cet exercice: ne faites rien de ce genre, *encore*.

2. Exercices sensuels sans «l'acte» sexuel. Il s'agit ici de plaisir sensuel, *et non sexuel.* Les lentes caresses qui n'ont d'autre «but» que le plaisir tiré du corps de l'autre mènent à des rapports sexuels du tonnerre. Ces exercices sont une véritable épreuve pour les hommes que l'engagement dérange; de tels hommes pourraient bien hésiter à prendre le temps de donner du plaisir à la femme. L'avantage de ces exercices, en plus du plaisir qu'ils procurent, c'est qu'ils font voir comment réagit chacun des partenaires. Pour lui, donner du plaisir pourrait signifier «céder» devant vous ou renoncer au contrôle de la situation. Ce pourrait être aussi qu'il est habitué à faire ses quatre volontés, ou que le sexe, pour lui, consiste à avoir un orgasme le plus vite possible et à passer à autre chose. Quand ces exercices auront eu les effets que tous deux souhaitiez, passez aux massages génitaux, puis aux orgasmes sans pénétration et, enfin, à l'acte sexuel.

Voici une autre suggestion: Disons que vous avez convenu que chacun «dominerait» en alternance un soir sur deux (généralement c'est la personne qui domine qui doit veiller à ce que le rendez-vous d'amour ait lieu). Si mardi est le jour de l'homme, il lui revient de choisir l'endroit, le moment, la position. Quand c'est votre soir, les mêmes règles s'appliquent. C'est un exercice excellent (et excitant) pour les gens qui apprennent à dominer ou à laisser dominer leur partenaire. Si l'homme éprouve des difficultés à être généreux dans d'autres domaines (voir les exercices 1 et 3), *c'est tout de même au lit que ce problème sera le plus évident.* Finalement, si ce problème se manifeste dans tous les domaines et qu'il ne se règle pas, votre partenaire est probablement un Homme bon à rien, qui n'en vaut donc pas la peine.

Mesures plus radicales

Disons que vous avez essayé tous les exercices décrits plus haut et que, malgré cela, les choses ne se sont pas arrangées. Des mesures plus radicales sont désormais nécessaires.

1. L'ultimatum. Ann et Jerry se fréquentaient depuis deux ans. Ils étaient suffisamment proches du niveau d'engagement 4, la monogamie affirmée, pour qu'Ann veuille que Jerry emménage chez elle. Pendant des mois, il hésita et se réfugia derrière des faux-fuyants. Ann crut devenir folle. Finalement, elle regarda sa montre et lui dit: «Tu as exactement quarante-huit heures pour te décider.»

Ann sentait que la tactique de l'ultimatum allait marcher. Vous devez être convaincue du succès de la tactique; c'est-à-dire que l'homme doit être assez près de prendre la décision pour qu'un petit coup de pouce suffise. Une autre cliente, elle, donna six mois à son ami pour décider s'il allait vivre avec elle (ils avaient discuté de ce sujet en long et en large, et le niveau d'engagement que lui avait atteint n'était pas incompatible avec ses attentes à elle). Une autre femme encore, qui vivait avec son ami depuis plusieurs années, décida qu'elle souhaitait entrer dans une forme plus officielle d'engagement. Elle dit à son ami qu'elle voulait savoir dans les trois mois s'ils allaient se marier. Finalement, plaisantant à peine, elle lui tordit littéralement le bras et lui déclara: «Maintenant, ça suffit. Tu vas m'épouser ou pas?» Tous ces hommes cédèrent à l'ultimatum. Mais si vous en donnez un à un homme, soyez bien sûre qu'il en est arrivé au même niveau d'engagement que vous. Sinon, votre tactique pourrait se retourner contre vous. (En outre, une fois l'ultimatum lancé, vous ne pouvez plus faire marche arrière et prétendre que vous plaisantiez. Ce n'est pas un plaisanterie: vous avez défini l'aboutissement que vous souhaitez dans votre relation.)

L'ultimatum secret est une autre tactique que nous recommandons aux femmes dans certains cas. Il est utile aux premiers niveaux d'engagement. Supposons qu'une femme ait essayé de parler à son ami de son insatisfaction sexuelle à elle. Elle a aussi entrepris avec lui les exercices sensuels dont nous avons parlé. Elle est frustrée. Chaque fois que c'est le tour de son ami de lui faire plaisir, il le fait de mauvais gré. Elle déteste sa façon de lui verser de l'huile sur le dos et de la masser machinalement. Il le fait de façon si impersonnelle qu'elle ferait aussi bien d'aller se faire masser au salon de beauté.

Elle décide alors en elle-même que, si leur relation ne s'améliore pas au cours des trois mois suivants, elle le laissera tomber. Immédiatement, elle se sent mieux. La femme qui établit son propre échéancier sent qu'elle a la situation en main. Elle définit ses propres besoins et prend ses propres décisions. Elle n'a pas le fâcheux pressentiment que tout dépend de lui.

Les ultimatums sont particulièrement utiles à la femme pour qui le temps presse. Si vous avez trente-cinq ans et que votre homme refuse de faire des projets qui vont plus loin que le week-end suivant, envisagez sérieusement l'ultimatum ou l'échéancier secret. Vous saurez bien lequel des deux convient à votre situation.

2. La séparation temporaire. Quand vos disputes sont nombreuses, répétitives et épuisantes (comme un cycle de machine à laver qui se répéterait à l'infini), une séparation d'une semaine pourrait bien purger les partenaires de toute colère et de tout ressentiment. Les querelles peuvent mettre les partenaires dans un tel état qu'ils ne se reconnaissent plus (vous ne vous reconnaissez plus vous-même ou vous ne reconnaissez plus votre amant: il est devenu votre tortionnaire). Quel soulagement alors de cesser de se quereller! La séparation peut vous faire comprendre que, en tant que personne, vous pouvez vous passer de cette relation. Une de nos clientes nous a avoué: «Je me suis rendu compte que je pouvais vivre sans lui. J'ai passé la semaine à voir des amis, à aller au cinéma, à lire, à me coucher et à manger quand ça me plaisait. Au moment où je l'ai revu, j'ai eu l'impression que je venais de passer un mois dans une clinique de santé.»

Discutez à l'avance de la séparation avec votre ami et décidez des conditions (allez-vous continuer de vous parler au téléphone ou la séparation sera-t-elle totale?). Essayez de prévoir un événement spécial pour votre première rencontre. Les partenaires s'apprécient souvent davantage après une séparation. Le court hiatus pourrait bien vous rappeler qu'à un moment donné vous teniez à cette personne.

3. Voir d'autres gens. Jusqu'au niveau 3 d'engagement, la monogamie, nous encourageons les femmes à sonder toutes les possibilités qui s'offrent à elles. N'attendez pas qu'il vous appelle: habillez-vous et sortez. C'est probablement ce que lui fait. Une de nos clientes fréquentait plusieurs hommes à la fois, mais n'avait de rapports sexuels qu'avec l'un d'eux. Devait-elle laisser tomber tous les autres hommes pour être monogame? C'est ce qu'elle voulait savoir de nous. Cette démarche lui répugnait visiblement, c'est pourquoi nous lui avons conseillé de ne pas aller trop loin avec celui avec qui elle couchait et de ne pas laisser tomber les autres, jusqu'à ce qu'elle sache lequel elle allait choisir. Si vous cessez d'attendre assise près de votre téléphone et si vous vous amusez, votre amour-propre en sera renforcé.

Voir d'autres hommes quand vous êtes monogame est une autre affaire. Il se peut que vous ayez convenu avec lui d'être monogame trop vite ou trop tôt et que ça n'aille pas comme vous le voulez. Barry refuse de rendre compte de son temps à Andrea, même s'ils se fréquentent exclusivement et semblent en être arrivés au niveau 3 d'engagement. De plus, il attend d'elle qu'elle laisse tout tomber aussitôt qu'il l'appelle. Cette situation donne l'impression à Andrea qu'elle a de nouveau seize ans et qu'elle doit attendre à la maison que le capitaine de l'équipe de football veuille bien l'appeler. «J'ai passé ce stade-là, se dit-elle. Pourquoi devrait-il décider des règles du jeu?» Andrea déclara à Barry qu'elle croyait qu'ils s'étaient embarqués trop vite dans la monogamie et que le mieux serait que chacun voie d'autres personnes.

Andrea et Barry convinrent de faire marche arrière et de revenir au niveau 2 d'engagement. Cela ne signifiait pas pour autant qu'ils allaient rompre, mais simplement qu'ils allaient prendre leur relation un peu moins au sérieux. Après qu'Andrea eut pris la situation en main, elle alla s'acheter la robe qu'elle reluquait depuis des semaines et déjeuna avec un collègue qui l'attirait. «Je n'attends pas Barry, dit-elle. S'il réfléchit et décide d'essayer de faire marcher notre relation, tant mieux. Sinon, je saurai alors qu'il n'était pas fait pour moi.»

Ne considérez pas cette façon de faire comme une tactique pour faire changer d'idée à votre homme et l'amener à penser comme vous. Pensez plutôt que c'est une façon de renforcer votre amour-propre et de prendre plaisir à la vie. Il arrivera qu'un homme vous conseille de voir d'autres hommes et que vous soupçonniez que, en vérité, il essaie de rompre avec vous. Ne dites pas oui pour ensuite rester à la maison à l'attendre. Faites savoir à vos amis que vous êtes disponible et oubliez-le.

En dernier recours

Supposons que vous n'arriviez à rien. Tous deux êtes trop fâchés, trop amers, trop empêtrés dans vos problèmes pour rester objectifs. Vous avez discuté de «la relation» jusqu'à en faire un objet, un monstre qui ne vous laisse pas en paix. Ce monstre est plus gros, plus fort et plus méchant que vous; il est maître de tout. Pour reprendre la situation en main, il est logique de chercher l'aide d'un thérapeute. Ce dernier vous aidera à soigner votre relation ou à la rompre. (Rappelez-vous ceci: le thérapeute ne résoudra pas le problème à votre place; il vous aidera seulement à prendre votre propre décision.)

«Je n'arrive pas à croire que j'aie accepté d'épouser cet homme, dit Laura. Je sens que je ne veux plus jamais le revoir.»

Au téléphone, la voix de Laura tremble de rage et de sanglots contenus. Plus tôt ce jour-là, elle et Eric avaient eu leur première séance de thérapie de couple, qui avait été un choc pour Laura. Depuis leurs fiançailles, Eric s'était comporté comme un tout autre homme, nous avait-elle dit, et la séance avait confirmé qu'elle vivait avec un docteur Jekyll/monsieur Hyde. Après avoir fixé la date de la cérémonie et commandé les faire-part, Laura avait emménagé avec Eric. Soudainement, il avait voulu qu'elle signe une convention prénuptiale qui énumérait tout, de l'évaluation de ses biens au nombre de fois qu'il avait accepté de voir les parents de Laura chaque année (il n'y était pas question de ses parents à lui). Il lui avait aussi interdit d'apporter ses meubles (il n'aimait pas son goût) et s'était plaint amèrement la fois où elle avait posé sa serviette de cuir sur le fauteuil rembourré qu'il préférait (selon lui, le cuir allait endommager le tissu). Au cours de la séance, Laura avait été étonnée d'entendre qu'Eric la jugeait désorganisée, irresponsable et loin d'être à la hauteur de son style de vie à lui, des points de vue intellectuel et esthétique. Elle avait également découvert, avec horreur, que la dernière relation d'Eric avait connu les mêmes péripéties. Il s'était fiancé, puis avait commencé à trouver des défauts à sa future femme. Par la suite, elle l'avait quitté.

Maintenant, au téléphone, Laura nous dit: «Je crois l'aimer encore, mais je n'y comprends plus rien. Il n'est plus le même. Ne croyez-vous pas que ses problèmes sont vraiment trop graves?

— Il semble réagir vivement à l'idée du mariage, avons-nous avancé avec prudence. Mais nous croyons qu'il souffre des mêmes appréhensions que tous les hommes.

— Je ne sais pas si je désire continuer la thérapie ou maintenir la relation.

— Abordons ce problème au cours de notre prochaine séance.»

Nous ne voulions pas forger une alliance avec Laura contre Eric. Rien n'est plus destructif dans une thérapie. Mais Laura, trop bouleversée pour mettre fin la conversation à ce moment-là, ajouta: «La situation pourrait empirer après le mariage. Je n'ai que vingt-huit ans, je ne suis pas arrivée à la fin de ma vie. Je ne suis pas désespérée. Je me souhaite toutes sortes de bonnes choses dans la vie.

— Le fait qu'il soit disposé à venir avec vous en thérapie est bon signe.

— Il ne serait pas venu si je ne l'avais tiré par les cheveux.

— C'est la première fois pour lui. C'est toujours difficile la première fois, pour les deux. Maintenant, il a consenti à donner temps, argent et énergie. Il accepte de travailler à sa relation. Parlons de tous vos doutes à la prochaine séance.»

Laura inspira profondément et accepta de poursuivre la thérapie à court terme pour couples qu'elle avait entreprise avec Eric.

Quand recourir à la thérapie de couples?

Bien sûr, si vous n'en êtes pas arrivés au niveau d'engagement de la monogamie, la thérapie de couple ne vous concerne pas. Comme nous l'avons dit à Laura, le seul fait d'accepter de suivre une thérapie ensemble dénote un minimum d'engagement réciproque. Deux situations de base peuvent vous pousser à suivre une thérapie. Dans la première, comme dans le cas de Laura et d'Eric, il se peut que votre relation soit dans un état de crise soudain et grave: Eric avait commencé à agir comme s'il n'était plus lui-même, selon Laura. En fait, il adoptait le comportement classique de l'Homme parfait aujourd'hui/parti demain. Craignant de perdre la maîtrise de la situation, il avait imposé à Laura une convention prénuptiale impersonnelle. Puis, pris de sueurs froides à l'idée qu'elle emménage avec lui et régente sa vie, il l'avait accusée d'être désordonnée. Eric avait fait appel à toutes les défenses traditionnelles de l'homme pour soulager son angoisse.

Dans la deuxième situation, la relation est stagnante et semble ne mener nulle part. Les partenaires font un pas en avant et deux en arrière. L'exemple parfait, c'est le couple dont la vie sexuelle est satisfaisante, jusqu'à ce qu'ils commencent à passer beaucoup de temps ensemble et à entretenir des liens plus étroits. Ils font alors un pas en arrière; leur vie sexuelle s'améliore. Alors qu'ils se rapprochent de nouveau, leur rapports sexuels se détériorent et deviennent ennuyeux. La frustration monte. Le thérapeute est en mesure d'aider les partenaires à prendre conscience de ce cycle et à en comprendre la signification.

Pourquoi l'homme refuse-t-il de suivre une thérapie?

Vous dites: «Allons suivre une thérapie.» Il répond: «Allons skier.» Il craint secrètement que le thérapeute soit de votre bord et qu'il essaie de lui faire dire ce qu'il veut garder secret. L'idée de laisser un autre prendre les rênes (à ses yeux) dans le seul but de l'exposer sous un mauvais jour lui répugne. C'est pourquoi l'homme déclarera: «La thérapie est une perte de temps et d'argent.» Ou bien il s'érigera en juge et dira: «Si nous ne pouvons pas résoudre nos propres problèmes, quelque chose ne va pas.» Souvent, cependant, les hommes finissent par apprécier la thérapie à tel point qu'ils la recommandent à tous et nous envoient leurs amis par douzaines. Pour l'homme, la thérapie peut être libératrice. Tout à coup, il se découvre une toute nouvelle dimension, celle des sentiments. Voilà qui est grisant...

Quatre moyens de pousser l'homme à essayer la thérapie

1. Dites-lui qu'il n'a à l'essayer qu'une seule fois.
2. Dites-lui de le faire «pour vous». Il se peut que l'homme pense que, même s'il est évident qu'il est sans problème, *vous* en avez. (Ne vous en faites pas. Une

fois que vous l'aurez emmené au cabinet du thérapeute, il perdra vite ses illusions.)
3. Dites-lui qu'il peut choisir lui-même le thérapeute.
4. Lancez-lui un défi: «Allons, avoue que tu as peur.» Il se peut qu'il ne puisse s'empêcher de le relever.

Combien de temps faudra-t-il?

Faire sauter l'obstacle à un couple, le faire arriver à une évaluation et/ou passer au niveau suivant d'engagement peut prendre jusqu'à trois mois. Pendant ce temps, le thérapeute devrait être en mesure d'identifier les modèles de comportement et les défenses, ainsi que d'évaluer à quel niveau d'engagement les problèmes sont apparus. (L'autre forme de thérapie de couples, qui généralement s'adresse aux couples mariés qui souhaitent améliorer leur relation, peut prendre jusqu'à un an.) Mais en trois mois, souvent en moins de temps, vous pouvez trouver ce que vous avez besoin de savoir: la relation vaut-elle vos efforts? Pour aider Eric et Laura à en décider, nous leur avons conseillé de retourner en arrière, de mettre de côté temporairement leurs projets de mariage, d'absorber les frais de faire-part comme une perte et de prendre un recul pendant trois mois pour s'évaluer en tant que couple. Si les problèmes sont trop graves, comme le craint Laura, au bout de trois mois elle en sera sûre.

Comment choisir un thérapeute

La meilleure garantie reste le bouche à oreille: informez-vous auprès d'amis qui ont suivi une thérapie de couple. Leur avis basé sur leur expérience constitue la meilleure recommandation. Si ce n'est pas possible, consultez un professionnel de la santé mentale qui vous dira chez qui aller.

Comme la thérapie de couple n'est jamais à long terme, le rapport émotionnel entre vous et le thérapeute doit s'établir rapidement. Vous et votre partenaire devriez sortir du cabinet du thérapeute convaincus qu'il vous a *tous deux* compris et qu'il vous a coincés, du moins un peu. Au bout de trois séances, tout au plus, vous êtes en droit d'attendre de votre thérapeute qu'il vous apprenne: 1) la nature des grands enjeux de votre relation; 2) la durée prévue de la thérapie; 3) les progrès possibles à accomplir durant cette période.

Si le thérapeute ne répond pas à ces questions, méfiez-vous. Vous avez *droit* à ces réponses, c'est l'objet de la thérapie de couple.

Exercices aux effets favorables sur les relations stagnantes:

- Faites-vous un petit plaisir l'un à l'autre chaque jour et notez-le. À ce moment-là, *ne dévoilez pas* à votre partenaire la nature de ce petit plaisir. Vous en discuterez plus tard.
- Faites preuve d'égoïsme une fois par jour: choisissez quelque chose que vous voulez vraiment. Encouragez votre partenaire à faire de même.
- Passez du temps séparés l'un de l'autre. Il est normal de s'éloigner de son partenaire quand on ressent le besoin de le faire.
- Le dialogue-remède: l'un de vous parle de ce qu'il ressent pendant quinze minutes; l'autre l'écoute. Puis les rôles sont inversés. Chacun *doit parler* de ses sentiments; chacun *doit écouter* aussi.
- N'oubliez pas de «jouer» avec lui. Les activités agréables auxquelles vous vous livriez au début de vos fréquentations (tennis, danse, etc.) doivent se poursuivre et devenir un élément essentiel à votre relation.
- Prenez congé de vos problèmes. Déclarez une trêve et passez une soirée avec lui, en oubliant temporairement tous les problèmes.
- Si vos rapports sexuels ne sont plus satisfaisants, mettez-y fin. Ne les reprenez qu'au moment où les difficultés de la relation seront en voie d'être réglées. Vous pouvez toutefois vous adonner à des activités d'ordre sensuel (autres que l'acte sexuel) qui sont agréables et satisfaisantes pour les deux partenaires.

Si les stratégies énumérées ci-dessus sont inefficaces, des mesures draconiennes deviennent nécessaires:

- Lancez-lui un ultimatum en fixant une limite de temps.
- Définissez une courte période (de deux à quatre mois) durant laquelle vous déciderez s'il est capable de s'engager. Vous n'avez pas besoin de la lui révéler. Si, au bout de cette période, les progrès ont été nuls ou insuffisants, laissez-le tomber.
- Séparez-vous temporairement de lui jusqu'à ce que vous soyez en mesure de discuter plus calmement.
- Pour retrouver votre amour-propre et pour vous amuser aussi, voyez d'autres hommes.
- Insistez pour que, avec vous, il suive une thérapie de couple.

8

L'envie d'être mère

Il fut un temps, relativement récent, où les femmes se mariaient jeunes et avaient des enfants (sans être nécessairement heureuses de leur sort). Des regards vagues auraient accueilli toute allusion à une horloge physiologique. Maintenant que la femme fréquente l'homme pendant des années avant de se marier, elle se retrouve dans une situation plus critique que jamais. La femme dans la trentaine qui a toujours cru qu'elle avait tout le temps du monde peut soudainement sentir qu'elle doit rencontrer l'homme qui lui est destiné, l'épouser et attendre un enfant, tout cela *aujourd'hui même*. C'est une course contre la montre; elle sent qu'elle ne peut ni perdre une minute, ni commettre d'erreur. La plus cruelle des échéances...

Voilà qui suffirait amplement, mais ce n'est malheureusement pas tout. Ajoutez aux problèmes que suscite l'horloge physiologique les difficultés d'engagement de l'homme et vous obtenez la double guigne de la femme. Celle-ci doit automatiquement présumer que la plupart des hommes vont regimber et traîner les pieds à travers tous les niveaux d'engagement — certains seront même immobiles —, sans quoi ce sera pour elle le désespoir. Nous disons ceci à toutes nos clientes: «Vous ne pouvez pas vous contenter d'attendre et de croire que tout va s'arranger, parce que rien ne s'arrangera.» Nous ajoutons que ce n'est pas de leur faute. En présentant les femmes célibataires dans la trentaine comme de pauvres créatures toutes tristes (derrière des apparences de femmes de carrière importantes), les médias leur ont souvent laissé croire qu'elles avaient tout raté pour «avoir attendu trop longtemps». Toute femme peut trouver mari si tel est son but. Toutefois, la femme d'aujourd'hui ne recherche pas désespérément le mariage, mais plutôt un *bon* mariage.

Pour ne pas vous retrouver prise dans la course contre l'horloge physiologique, vous devez bien vous comprendre et bien comprendre les hommes. Depuis le début des années 1970, la différence entre la femme et l'homme s'est de plus en plus estompée, ce qui a aidé la femme à rattraper l'homme sur le plan de la carrière. Mais la femme diffère de l'homme d'un point de vue très important: c'est elle qui porte le fardeau de la «physiologie», ainsi que celui de la désapprobation culturelle si elle finit célibataire et sans enfant.

Si vous voulez vous marier et avoir des enfants, vous devez davantage faire preuve d'esprit critique au sujet des hommes plus tôt dans la vie. Si vous désirez des enfants, ne laissez pas votre relation avec un homme qui n'en veut pas traîner pendant des années. Vous devriez être en mesure de savoir comment il voit l'avenir pendant que vous êtes au niveau 2 d'engagement, celui des fréquentations assidues. (À ce moment-là, maintenez les discussions sur un plan général. Vous ne voulez pas nécessairement qu'il vous épouse, vous voulez simplement savoir qui il est et ce qu'il veut.)

De nombreux couples dans la trentaine viennent nous voir pour des traitements parce que la femme, profondément consciente des exigences que le temps et la physiologie font peser sur elle, sent le besoin de voir la relation monter d'un niveau ou de plusieurs dans l'échelle de l'engagement. Tout à coup, le couple se trouve face à un mur: ce qui est naturel et nécessaire pour elle fait naître en lui un puissant désir de s'éclipser. Certains hommes peuvent et veulent s'adapter à l'ordre du jour de la femme, d'autres, non.

À trente-huit ans, Claire voulait un enfant. Elle en avait ressenti l'envie avant, mais jamais de façon si pressante. Elle en était venue à se demander si elle en aurait jamais un. Son ami, Tom, était plus jeune qu'elle de plusieurs années. Les enfants le laissaient indifférent. Chaque fois que Claire et lui rendaient visite à des amis parents d'enfants, elle percevait chez lui une impatience de rentrer. Quand elle lui demandait ce qu'il pensait des enfants, il lui donnait toujours en riant une réponse qui ne voulait rien dire: les enfants sont extraordinaires, ceux des autres. Claire garda pour elle ce qu'elle ressentait et devint de plus en plus déprimée. Il lui arrivait de s'éveiller au beau milieu de la nuit et de penser: «Je vais rater ma dernière occasion. Dans quelques années, je serai trop vieille pour avoir des enfants.» Le pire, c'est qu'elle aimait Tom. Elle ne voulait pas simplement avoir un enfant, elle voulait *leur* enfant à eux.

Un jour, Margo, une amie de Claire, laissa tomber cette remarque: «Peut-être que si tu étais enceinte, les choses iraient plus vite.» Ils parlèrent d'une femme de leur connaissance qui s'était mariée une fois enceinte. Claire pensa: «Et tout a bien marché pour eux.» Elle décida également d'en parler à Tom; quand il comprendrait pourquoi elle devait avoir son enfant sans tarder, il serait sûrement d'accord avec elle. (Pourquoi pas? Ils se fréquentaient depuis environ deux ans et étaient très proches l'un de l'autre.) Quand Claire fit part à Tom de son désir d'avoir un enfant, il eut un mouvement de recul et répondit: «Je ne pense pas être prêt.»

Fait étrange, comme si elle avait obtenu l'accord de Tom, le cœur de Claire se gonfla de bonheur. Il ne s'était pas fâché, pensa-t-elle, ni évanoui. Il ne l'avait pas plaquée. Allègrement, elle interpréta sa réaction comme étant: «Je ne pense pas être prêt maintenant, mais je le serai bientôt.» Enfin, elle allait être enceinte et elle l'épouserait.

Sûre d'elle, Claire rangea son diaphragme au fond de ses tiroirs, sans en parler à Tom. Elle était si heureuse qu'elle ne se rendit même pas compte qu'il était souvent renfermé, boudeur. «Il se sentira mieux quand tout sera arrangé», se dit-elle pour se rassurer. Mais quelques mois plus tard, quand elle s'empressa de l'appeler pour lui apprendre qu'elle était enceinte, la nouvelle fut accueillie par un long et lourd silence. Tom lui déclara ne pas vouloir se marier ni avoir d'enfant. Qui plus est, il se sentait dupé, trahi par la grossesse de Claire. Il n'avait jamais donné son accord.

Claire était furieuse. *Il* se sentait dupé; *il* se sentait trahi. Et *elle* alors? «Maintenant que c'est fait, es-tu d'accord ou pas? lui demanda-t-elle.

— Je ne sais pas trop.»

Claire lui demanda pourquoi il ne lui avait pas fait part de ses sentiments plus tôt. Il insista avec entêtement; il l'avait fait, mais elle ne l'avait simplement pas écouté. Claire inspira profondément: «Très bien. Je me ferai avorter.» Quand elle vit que Tom ne disait rien, elle sut que tous ses projets — y compris sa grossesse — étaient à l'eau.

Votre échéancier ne doit pas, pas plus que celui de l'homme, dominer votre relation. Les sentiments de Claire et ses rêves sont parfaitement compréhensibles. Mais elle n'aurait pas pu interpréter plus mal sa relation avec Tom. Elle prenait simplement ses désirs pour la réalité. Tom n'était aucunement prêt à s'engager, mais Claire avait interprété son «je ne pense pas être prêt» comme étant un «je vais me préparer». C'est insensé. Tom aussi avait été victime d'un manque de réalisme. Il avait pensé qu'en ignorant toute cette affaire, il y échapperait. Il avait continué d'avoir des rapports sexuels avec Claire comme s'ils n'avaient jamais eu cette conversation.

Il se peut que dans quelques années Tom devienne un Homme acceptable, prêt à s'engager envers femme et enfant. L'Homme acceptable qui a peur (la plupart sont effrayés), mais qui pourrait être prêt, dira à la femme qui désire avoir un enfant: «Je ne sais pas. Discutons-en.» C'est ce langage que tiennent ceux qui sont engagés l'un envers l'autre. En fait, aucun couple ne devrait parler d'avoir des enfants avant d'avoir atteint le niveau 4 d'engagement, la monogamie affirmée, et d'avoir commencé à planifier l'avenir ensemble. Avant d'en être arrivée là, vous pouvez tâter le terrain et observer l'attitude générale de votre homme par rapport au mariage et aux enfants, si c'est là votre but. N'allez pas plus vite que les violons. S'il vous dit qu'il n'est pas prêt, croyez-le.

L'enfant ou lui?

Gayle, quarante ans, vit avec Patrick depuis quatre ans. Durant cette période, elle a connu deux grossesses «accidentelles». Elle tente maintenant de décider si elle va se faire avorter une deuxième fois. Patrick lui a déclaré qu'il ne veut pas d'enfant. Même s'il ne l'empêcherait pas de poursuivre sa grossesse, il ne l'aiderait pas non plus. Gayle interprète ses grossesses «accidentelles» comme autant de preuves de son désir profond d'avoir un enfant. Pourtant, elle vit avec un homme qui n'a aucune envie de fonder une famille. Elle pense que, si elle mène sa grossesse à terme, Patrick va la quitter. C'est le plus cruel dilemme de sa vie: Patrick ou l'enfant?

Peut-être que, si elle décidait d'avoir l'enfant, Patrick changerait d'idée. Elle a entendu dire que ces choses-là arrivent. Mais elle ne croit pas vraiment que ce serait le cas pour Patrick. Dans la quarantaine, il gagne à peine sa vie au théâtre et parle encore de son besoin d'espace. Le regard de Patrick devient vague chaque fois qu'elle lui parle de mariage. Toutes les amies de Gayle ont conseillé à celle-ci de le quitter.

Elle a envisagé de le faire. Cependant, elle a le sentiment d'avoir énormément investi dans sa relation avec Patrick. Il y a le réseau commun d'amis, les merveilleuses vacances passées ensemble, la familiarité des habitudes, et l'amitié profonde avec la sœur aînée de Patrick. Trop de choses auxquelles renoncer. C'est pourquoi Gayle a toujours choisi de rester avec Patrick. Ce n'est pas maintenant qu'elle va jouer les trouble-fête. Elle se fait avorter une deuxième fois, consciente de ce que ç'aura probablement été sa dernière grossesse, sa dernière chance d'avoir un enfant.

Par la suite, Gayle est toujours hantée par la question de savoir si elle devrait maintenir une relation dans laquelle elle n'obtient pas ce qu'elle veut. Pas d'enfant, pas de mariage. Cette relation vaut-elle son prix?

Si l'homme étouffe dans une relation à deux, la femme ne peut s'attendre à ce qu'il accueille les bras ouverts une troisième personne dans son espace psychique déjà envahi. Même si Gayle et Patrick ont vécu ensemble depuis plusieurs années, ils n'ont jamais vraiment franchi les premières étapes de leur relation. Si vous êtes aux prises avec un tel dilemme, relisez ce que nous disons au sujet des niveaux d'engagement et déterminez honnêtement votre position, en réfléchissant à son comportement et en analysant son niveau d'engagement. Dans le cas de Gayle, il se pourrait que sa relation actuelle soit ce qu'elle puisse attendre de mieux, à ce moment précis de sa vie. Étant donné qu'elle a investi tant de temps et d'énergie, elle gardera probablement ce qu'elle a.

Faire un enfant

Si vous vivez avec un homme ou si vous avez été monogame depuis un bout de temps, sans être sûre de son niveau véritable d'engagement, rassurez-vous: l'homme montrera son vrai visage quand il s'agira de votre horloge physiologique. Prenez garde s'il agit comme si vous abusiez de sa gentillesse et vous dit: «Si j'entends parler de ton horloge physiologique une fois de plus, je vais devenir fou», ou encore, s'il marmonne avec ressentiment: «Je suis à la merci de son horloge physiologique». Si quand vous parlez d'avoir un enfant il vous fait vous sentir comme si vous étiez la victime hystérique de vos hormones, n'espérez pas compter sur lui. Et s'il feint d'ignorer que les rapports sexuels ont d'autres buts que le plaisir, ne vous attendez pas à une volte-face de sa part.

S'il ne faut pas que l'homme croie qu'on se sert de lui comme d'un étalon, à une certaine étape de la relation, il doit considérer votre envie d'avoir un enfant comme quelque chose qui vous concerne tous deux. Au niveau de la monogamie affirmée, vous avez raison de lui faire part de votre envie d'avoir un enfant. Au contraire, maintenant que vous envisagez l'avenir à deux, vous auriez tort de vous taire. Attendez-vous cependant à rencontrer des difficultés, quel que soit votre niveau d'engagement.

Robert, quarante ans, vit avec Rosemary depuis trois ans. Maintenant qu'elle a trente-neuf ans et qu'elle veut un enfant, il a finalement accepté (après des mois de discussions). Mais pour Rosemary, devenir enceinte s'est révélé difficile. Chaque mois, elle a enregistré sa température sur un tableau, pour déterminer ses jours de plus grande fertilité. Pendant deux mois, sa température ne lui a pas permis de découvrir le jour de son ovulation, ce qui l'a plongée dans la dépression.

Depuis deux mois, toutefois, sa température a monté et, ce mois-ci, elle a pu observer son cycle et trouver le jour exact où elle et Robert doivent avoir des rapports sexuels. Sa joie est délirante. C'est ce mois-ci qu'elle sera fécondée, elle le sait.

C'est le matin fatidique. «Je n'en ai pas envie», lui dit Robert en bâillant et en repoussant ses avances.

— Qu'est-ce que tu racontes? Pas *envie*?»

Rosemary s'est redressée dans le lit. Robert est fatigué. Il a trop de tracas... une réunion dans une heure...

Rosemary se recouche, envisageant le meurtre. Robert mort, elle pourrait recourir à la fécondation artificielle, une façon beaucoup plus simple et facile de devenir enceinte que d'avoir à traiter avec un homme.

Quand plus tard ce jour-là Robert et Rosemary arrivent à notre cabinet pour une séance de thérapie, Rosemary est encore rouge de colère et Robert, toujours indifférent.

«Je n'avais pas *envie* de sexe ce matin, c'est tout.

— Crois-tu que moi j'ai envie de sexe parce que mon tableau de température me dit que le moment est venu? Bien sûr que non. Ce n'est pas de sexe dont il s'agit, mais de faire un enfant. Et nous nous étions mis d'accord là-dessus.

— Je n'aime pas qu'on me dise ce que j'ai à faire. J'ai horreur de l'autorité.

— Qu'est-ce que tu crois? Que tu es encore en 1967? Le temps des hippies est bien fini, et pour toujours.»

Rosemary avait explosé de colère devant Robert. Nous leur avons dit que si Robert était vraiment engagé envers elle (et il l'était), il devait se conformer au régime dont ils avaient convenu. Mais pourquoi avait-il tout à coup regimbé? Durant toute leur relation, Robert a éprouvé les difficultés typiques des hommes. Il croit avoir droit à ses humeurs. Par exemple, s'il n'a pas envie de parler à table, il se tait et laisse Rosemary faire les frais de la conversation. Il lui est difficile, comme à beaucoup d'hommes, de subordonner ses propres besoins, désirs et pulsions à ce qui est bon pour leur relation. Il se sent menacé dans sa liberté, dans son individualité même.

«Je n'avais pas envie de rendre visite à ta mère à l'hôpital l'autre jour, lui dit Rosemary. Je déteste les hôpitaux, mais j'y suis allée quand même. Je l'ai fait pour elle, pour toi et pour nous deux. Toi aussi tu dois faire des concessions.»

Robert serra les dents et accepta le régime des rapports sexuels basés sur le tableau des températures. Dans ce cas, Rosemary avait raison d'insister pour obtenir ce qu'elle voulait. Aussi hésitant et ambivalent qu'il lui arrive d'être, la plupart du temps Robert fait preuve de bonne volonté et témoigne de son engagement. Hésiter à le pousser n'aurait servi à rien et aurait eu les mêmes résultats que dans le cas de Claire et de Tom. Mais contrairement à Claire, Rosemary était dans la situation où un bon coup de pouce allait lui rapporter à coup sûr.

Voulez-vous vraiment ses gènes à lui?

Peu de temps après que Marian eut rompu avec Seth, elle discuta avec parents et amis de la possibilité d'une fécondation artificielle. Âgée de trente-sept ans, elle se sentait prête, affectivement et financièrement, à avoir un enfant. La rupture avec Seth avait été longue et douloureuse. Seth voulait l'épouser, mais elle n'était pas sûre de lui. Il lui semblait souvent puéril et dépendant. Des deux, elle était la seule à avoir carrière et foyer (maintenant âgé de trente-huit ans, Seth avait changé plusieurs fois de carrière). Au début, Seth avait gardé ses distances avec elle. Puis, il sembla avoir de plus en plus besoin d'elle. Il se pointait souvent à son appartement, présumant qu'elle voulait le voir. Des vêtements, des disques et des livres appartenant à Seth s'accumulaient dans tous les coins de l'appartement de Marian. Elle finit par prendre conscience que, si elle le lui permettait, cet homme allait emménager dans sa vie, de façon permanente. Il deviendrait sans doute son mari et le père de ses enfants.

Cette idée donnait à Marian la chair de poule. Elle n'aimait pas Seth et ne voulait pas le voir jouer ces rôles dans sa vie. Cependant, elle voulait un enfant. Habituée à être indépendante et à se suffire à elle-même, Marian soupesa les possibilités. Elle gagnait un bon salaire et était proche de sa famille et de ses amis. Elle savait que si elle décidait d'avoir un enfant sans homme, tout son cercle de proches la soutiendraient. Elle finit par rompre avec Seth et, plusieurs mois plus tard, décida de se soumettre à la fécondation artificielle. «Le fait d'avoir un enfant ne signifie pas que j'ai renoncé à entrer un jour dans une relation avec un homme, dit-elle. Mais l'homme qui serait rebuté par l'existence d'un enfant dans ma vie ne m'intéresserait pas.»

La femme qui ne considère pas le mariage comme une nécessité voit une liberté nouvelle dans le fait que la maternité demeure quand même une possibilité pour elle. «Mon corps me disait, déclare Marian, que si je voulait un enfant, le temps pressait. Ce qui me plaisait, c'est le fait qu'il me revenait d'en décider.» La femme, toutefois, doit savoir qui elle est et ce qu'elle veut avant de prendre cette décision. Être mère est en soi une tâche difficile; être mère célibataire requiert une passion et une force tout à fait particulières. Même si vous êtes célibataire et que vous courez contre l'horloge physiologique, choisir d'avoir un enfant sans père n'est sans doute pas pour vous.

Ce n'était pas pour Miranda. «Je voulais un enfant, dit-elle, mais dans mon cœur je savais que ce n'était pas pour moi. Je suis établie. J'ai mes habitudes, mon travail, mes amis. L'arrivée d'un bébé bouleverserait ma vie. Je me ruinerais financièrement et les responsabilités m'écraseraient. J'ai vérifié auprès de mon comptable: un enfant me coûterait plus de 10 000 dollars par an. Je devrais trouver un second emploi, ce qui fait que je ne verrais jamais mon enfant de toute façon.» En outre, Miranda accordait trop de valeur à sa liberté et à sa mobilité pour se confiner dans un petit appartement avec un bébé aux mille exigences. La décision de ne pas avoir d'enfant lui a été pénible. Mais elle devait faire ce qui semblait le mieux lui convenir. Alors qu'une autre femme aurait peut-être vu toute cette question comme un défi à relever, Miranda, elle, savait qu'elle serait submergée.

Le bonheur, ce n'est pas d'être mariée ou de ne pas l'être. La femme célibataire de quarante ans n'a pas éliminé de sa vie toute possibilité de relation durable. La difficulté, c'est de renoncer aux stéréotypes et de vous redéfinir. Jusqu'à la vingtaine avancée, vous vous voyiez comme une jeune femme de carrière aux nombreux prétendants, qui se marierait un jour et aurait des enfants. Les rouages de la vie continuent de tourner, de plus en plus vite. Un beau jour, vous voyez dans votre miroir l'image d'une femme dans la trentaine. C'est vous. Quel choc. Consciemment ou non, vous aviez envisagé de partager votre vie avec un homme. Il se peut encore que vous le fassiez mais pas d'une façon traditionnelle. (Nous connaissons des hommes et des femmes qui sont engagés l'un envers l'autre mais qui ne vivent pas ensemble, par exemple; nous connaissons aussi des femmes qui entretiennent simultanément plus d'une relation constante et à long terme — les possibilités ne sont donc limitées que par votre imagination.)

Une femme nous a raconté que dans sa famille les femmes célibataires étaient considérées comme des êtres pathétiques, des «vieilles filles». Elles ne se mariaient pas parce que personne ne les demandait en mariage. Aux yeux de sa famille, elle aussi est une vieille fille. Mais est-elle une vieille bique? Ça non. Elle a connu beaucoup d'hommes et aurait pu se marier plusieurs fois si cela avait été son but. Mais le spectre de la vieille fille la hante. Depuis plusieurs mois, elle est restée dans une relation de deuxième ordre, où règne la camaraderie, mais guère de passion. Elle y reste, parce qu'elle croit ne pas pouvoir trouver mieux, ce qui n'est pas vrai. Cette relation lui servira de refuge contre l'inconnu, jusqu'à ce qu'elle se décide à partir à l'aventure.

Pour le moment, toutefois, elle sent que le mariage et les enfants ne font pas partie de son destin. Dans ce sentiment se cache le sens insidieux de l'échec, la croyance selon laquelle à la distribution des «cadeaux» on l'a oubliée. Les hommes célibataires, eux, se sentent-ils comme des ratés? Plutôt le contraire. Ce sont presque nos héros nationaux. Dans notre culture, on considère que le célibataire a l'esprit libre et a choisi de ne pas s'encombrer dans la vie, alors que la célibataire, elle, n'a pas choisi de l'être, mais a raté quelque chose.

Caroline, quarante ans, heureuse d'être célibataire et sans enfant, est la preuve vivante que cette théorie est sans fondement. En thérapie avec six autres personnes (malheureuses en ménage), Caroline ne ressent pas une envie incontrôlable de se marier. Si l'homme qui lui convient entrait dans sa vie, elle envisagerait alors le mariage. Il y a quelques années, elle connut une relation qui la laissa ébranlée et blessée. Son amant lui avait menti, l'avait trahie de mille façons et s'était dérobé à tous ses petits engagements envers elle. Par la suite, elle fut convaincue pendant un bout de temps qu'il était trop tard pour elle (elle avait trente-sept ans) et qu'elle ne trouverait jamais l'homme de sa vie (évidemment pas le Prince Charmant, elle n'avait jamais cru en ce mythe, mais l'homme avec qui elle partagerait respect et amour). Elle s'est remise de sa malheureuse expérience et connaît maintenant une relation qui la satisfait. Elle et son amant ne se voient que les week-ends: ils vont alors au théâtre ou à l'opéra, et ils passent le reste du temps au lit. La séparation durant la semaine ajoute beaucoup à leur désir sexuel. L'excitation et la passion réussissent bien à Caroline. Elle prend plaisir à penser qu'il y a quelque chose d'illicite dans les week-ends qu'ils passent au lit à la maison ou dans des auberges isolées. Elle ne désire aucunement passer à un niveau d'engagement plus élevé. Pourquoi changerait-elle sa vie maintenant, se demande-t-elle, quand elle a une vie sexuelle épanouie, un travail qu'elle aime, des amis qu'elle adore et mille autres activités?

Un jour, au cours d'une séance de thérapie de groupe, Caroline posa la question suivante: «Est-ce qu'il y a en moi quelque chose qui cloche du fait que je ne suis pas malheureuse? Ne devrais-je pas l'être?» Tous pouffèrent de rire, avant de prendre sa question au sérieux. Caroline *est* heureuse. Son seul problème, c'est ce que les autres (et la société) attendent d'elle. Sans ce fardeau (par exemple, elle s'inquiète de ce que sa mère pourrait être déçue de voir qu'elle ne se marie pas), la vie de Caroline la satisferait pleinement. «Alors pourquoi es-tu en thérapie? lui a-t-on demandé. Tu es la personne la plus saine d'entre nous.» Caroline hésita avant de répondre: «J'aime ce groupe. Chacun d'entre vous compte beaucoup dans ma vie.»

Si un jour Caroline se marie, elle préférerait que ce soit avec un divorcé qui a déjà des enfants. Elle aimerait que des enfants meublent sa vie, mais elle n'a pas envie d'avoir les siens propres. (Comme beaucoup de femme pensent autrement au sujet des enfants des autres, Caroline a vraiment un cadeau spécial à offrir à un divorcé.) Tout compte fait, pour elle il s'agit d'avoir des rapports étroits avec les autres et non pas de se marier à tout prix.

Il est tout aussi important de travailler à votre carrière qu'à votre relation. La plupart d'entre nous sont capables de faire les deux à la fois, et c'est ce qui est merveilleux: dans la vie, les femmes peuvent s'occuper de plusieurs choses à la fois. Ne soyez pas esclave du temps qui passe, mais commencez à y penser maintenant, quel que soit votre âge. La femme plus âgée a l'avantage de mieux savoir ce qu'elle veut et de promptement couper court aux relations qui ne la satisfont pas. La femme plus jeune peut s'assagir vite. «Je sais ce que je veux, dit Louise, vingt-neuf ans. Par conséquent, quand je fréquente un homme, je ne cache pas le fait que je n'aime pas perdre mon temps et que je souhaite une relation sérieuse. Wally a été surpris quand je lui ai dit cela, mais il m'a révélé que c'est ce qu'il souhaite aussi. Allons-nous finir par nous marier et par vivre heureux ensemble le reste de nos jours? Je ne le sais pas. Quoi qu'il en soit, je ne veux plus perdre de temps avec des hommes qui n'ont pas les mêmes buts que moi.»

Si vous voulez avoir des enfants, vous ne disposez pas de tout le temps du monde. Ce n'est pas une tragédie; il vous suffit d'être un peu plus consciente. Louise a raison: ce qui compte, c'est de savoir qui vous êtes et ce que vous voulez.

Premièrement, vous ne devez pas attendre d'un homme qui n'est pas encore arrivé au moins au niveau 4 d'engagement, la monogamie affirmée, qu'il envisage d'avoir un enfant. Vous ne pouvez pas le forcer à sauter des étapes sous prétexte que votre horloge physiologique continue son tic-tac. D'autre part, demeurez consciente de vos limites de temps. Il pourrait dire qu'il veut un enfant ou il pourrait dire qu'il n'en veut pas. Voici des signes qui indiquent qu'il n'est pas prêt pour la paternité:

- Il vous aide à préparer votre tableau de fertilité, mais se désintéresse du sexe les jours où vous êtes le plus fertile. (Ici, vous devez aborder avec lui le sujet de ses sentiments contradictoires.)
- Il aime les enfants de vos amis, mais regimbe chaque fois que vous dites que vous aimeriez en avoir aussi.
- Il se plaint à ses amis de ce qu'il est «à la merci de votre horloge physiologique».

- Vous vivez ensemble depuis cinq ans et vous êtes tous deux au milieu de la trentaine. Vous voulez des enfants; il ne veut même pas parler du mariage (Dans cette situation, vous devez envisager de le laisser tomber. Reportez-vous au chapitre 10.)
- Il dit aimer les enfants et en vouloir — un jour. Il est dans la vingtaine avancée, vous aurez trente ans le mois prochain. Vous soupçonnez que les enfants dont il parle ne sont que *pure abstraction.* C'est probablement un Homme acceptable, mais il est trop tôt pour lui.

9

Pour la forme seulement: Quand le mariage n'est pas synonyme d'engagement

Tous les problèmes d'engagement de l'homme se règlent-ils le jour où vous lui passez l'alliance au doigt? Pouvez-vous alors pousser un soupir de soulagement et vous croiser les bras? Non. Le mariage est un champ de mines.

Beaucoup de femmes trouvent que les maris éprouvent plus de difficultés avec l'intimité que les amants. Une fois que l'homme s'est engagé dans le mariage, sa vieille crainte de l'intimité pourrait bien ressurgir. À ce moment, il arrive à la femme de croire qu'elle aurait dû rester célibataire (bien qu'elle ne perde pas espoir). «Quand nous nous sommes mariés, je croyais que nous avions réglé tous nos problèmes, dit Jan. Mais notre première année de mariage fut un véritable enfer. Nous n'avions jamais connu de moments si difficiles.» Quand l'intimité fait partie du menu quotidien, l'homme peut faire marche arrière de plusieurs façons. «J'ai fait le grand pas, dit un client, mais si je ne peux pas sortir avec mes amis trois ou quatre fois par semaine, je me sens pris au piège.» Sa femme prétend que ça lui est égal qu'il sorte si souvent. Elle sait que, même s'il l'aime, au fond il ne lui a pas donné son cœur.

Est-ce à dire que les hommes mariés demeurent célibataires au fond d'eux-mêmes?

Beaucoup d'Hommes parfaits aujourd'hui/partis demain craignent sans le savoir de devenir, en se mariant, comme leur père, une bête de somme enchaînée par la famille et assaillie par les responsabilités. La plupart des femmes ne sont pas si exigeantes avec leur mari, mais elles exigent l'intimité — à long terme, tous les jours, et de plusieurs façons.

Scène de la vie conjugale

Au cours des semaines qui suivirent les noces, Greg commença à se comporter comme s'il détestait sa femme. Il refusait de lui prendre la main, de l'embrasser, de lui faire l'amour, même de la rappeler quand elle tentait de communiquer avec lui au bureau. Margery était ahurie. Elle avait cru que les problèmes de son mari face à l'engagement avaient été résolus le jour où il lui avait donné une bague de fiançailles à gros diamant. En réalité, Greg n'avait jamais été prêt pour le mariage; il n'avait jamais dépassé le niveau 2 d'engagement, les fréquentations assidues (alors qu'ils étaient censés être monogames, il arrivait à Greg de sortir et de ramasser des femmes dans les bars pour des aventures sans lendemain). Vu l'acharnement de Margery, Greg avait fini par être pris par la fièvre du mariage (plusieurs de ses amis à lui s'étaient mariés à peu près à la même époque). Une fois la fièvre apaisée, leur ménage poussa son dernier soupir. Un an plus tard, presque jour pour jour, Margery le quitta. «Faites attention à ce que vous demandez, dit-elle ironiquement. Il se pourrait que vous l'obteniez.»

Pousser un homme d'un niveau d'engagement au suivant, puis dans le mariage, peut se révéler un désastre. Mais si vous ne sautez pas d'étape, vous n'avez aucune raison de craindre que votre mari devienne votre pire ennemi. (D'habitude, un Homme bon à rien comme Greg ne se rend jamais au pied de l'autel ou devant le maire.) Mais beaucoup d'hommes de la catégorie médiane recourront à toutes sortes de moyens pour se protéger de l'intimité une fois mariés. (Des études révèlent que l'homme ne recherche l'«affiliation» que vers la cinquantaine, alors que la femme dans la trentaine est vivement stimulée par le désir d'être «connectée». Absence de synchronisme: l'homme marié dans la trentaine apprend lentement parce que l'intimité ne fait pas encore partie de lui.) Nous allons maintenant traiter de quelques-uns des symptômes du trac les plus courants chez l'homme marié (et nous demander que faire en leur présence).

1. Il ne participera pas aux tâches domestiques.

Même l'homme qui, avant le mariage, se faisait un point d'honneur de partager équitablement les tâches domestiques avec sa partenaire (jusqu'à en faire une question d'idéologie et à critiquer sévèrement les hommes qui s'y dérobaient) pourrait soudainement oublier la façon de laver une assiette. Si c'est le cas du vôtre, c'est qu'il se prévaut d'un des privilèges traditionnels de l'homme. Cela va plus loin que la simple paresse, c'est une question d'engagement.

Quand Jan et Peter décidèrent de se marier, leurs amis se réjouirent. Au cours de leurs cinq années de mariage, leur relation en a vu de toutes les couleurs. Mais chaque fois, ils vinrent à bout de l'adversité et réussirent à recoller les pots cassés. Peter, modèle de l'Homme parfait aujourd'hui/parti demain, avait voulu que Jean soit son égale des points de vue intellectuel et professionnel. Il se faisait très éloquent quand il s'agissait de parler d'égalité des sexes. En même temps, il avait toujours voulu qu'elle soit disponible quand il avait besoin d'elle et qu'elle fasse les frais de la relation (de la même façon qu'il attendait d'elle qu'elle ramasse les vêtements qu'il laissait tomber). Il attendait d'elle qu'elle veille jusqu'à ce qu'il rentre au foyer, mais n'avait jamais même envisagé de lui rendre la pareille. C'était toujours Jan qui préparait les repas et qui, après, lavait la vaisselle et rangeait tout. Avant le mariage, elle avait été claire à ce sujet: les tâches domestiques devraient être partagées, sinon gare. Peter avait acquiescé: on n'était plus au Moyen-Âge.

Une semaine après la cérémonie, Jan, qui travaillait soixante heures par semaine au bureau, se rendit compte qu'elle s'occupait en plus de toutes les tâches domestiques. Elle en parla à Peter. Pourquoi manquait-il à ses engagements? Elle lui déclara ne pas vouloir d'une relation où toutes les tâches domestiques lui incombaient. Peter, étonné, ravala sa salive et se dit désolé. «Je promets de m'améliorer», lui dit-il. L'«amélioration» dura deux jours.

Il en alla ainsi pendant des mois et des mois. Des discussions interminables provoquaient de terribles migraines. «Tu ne cesses de me harceler», lui dit Peter. Jan se contint mais ne lâcha pas. Finalement, exaspérée, elle prit un oreiller et une couverture et se fit un lit dans le salon. Elle ne réintégrerait pas le lit conjugal tant que Peter ne changerait pas d'attitude. Quelques jours plus tard, Peter se mit à ramasser ce qui traînait dans la maison, à cuisiner et à faire le marché. Même après que Jan fut revenue dans le lit conjugal, Peter poursuivit ses efforts.

Les premières années de mariage sont les plus difficiles. C'est l'époque durant laquelle les partenaires jettent les bases de ce qu'ils veulent être un engagement à vie. Quand Peter cessa de faire sa part des corvées dans la maison, Jan sentit qu'il ne pensait pas en fonction de leur union, mais seulement en fonction de lui-même. Elle ne pouvait se sentir proche de lui s'il ne prenait pas sa part des corvées. À ses yeux à elle, quand Peter choisissait de ne pas participer aux tâches domestiques, c'était comme s'il refusait de participer à leur relation. Comme s'il considérait que son temps à elle valait moins que le sien à lui et qu'elle (comme sa mère avant elle) devrait passer le reste de sa vie à le suivre pour tout ramasser. Le dialogue s'étant révélé inefficace, elle avait compris que des mesures draconiennes s'imposaient.

Nous recommandons vivement les mesures draconiennes. Dans une situation comme celle de Jan, dormez dans le salon ou partez à l'hôtel. Ou bien, le soir où son patron vient dîner chez vous, «oubliez» de nettoyer les toilettes ou de sortir les poubelles débordantes et malodorantes. Ou encore, s'il ne fait pas la lessive comme entendu, achetez quelques douzaines de culottes et faites la grève (il finira bien par la faire). Pourquoi ne pas vous habiller en servante toute la semaine et, le vendredi, lui présenter votre facture. Usez de votre imagination. Recourez à diverses tactiques. Ne renoncez pas avant d'avoir provoqué un *changement* chez lui. Jan convainquit Peter au moyen d'arguments particulièrement efficaces dans son cas. Il préférerait nettoyer à la brosse à dents le carrelage de la cuisine plutôt que d'être privé d'un corps chaud dans son lit.

Quand vous êtes mariée, les enjeux sont plus élevés et il y a plus de choses qui valent que l'on se batte pour elles. De même, vous vous sentirez plus libre de prendre des mesures draconiennes qu'avant le mariage. Vous en êtes arrivée à un certain niveau d'engagement. Vous n'avez pas perdu espoir et vous savez que votre relation n'en mourra pas si vous passez quelques nuits sur le sofa pour faire comprendre votre point de vue à votre mari. Il arrive que la femme ait peur que son mari croie excessive sa réaction, qu'il lui dise qu'elle est «mesquine» ou «hystérique». Ne laissez pas votre mari s'en tirer si facilement. C'est lui qui vous force à crier ou à déménager votre oreiller dans le salon. Ce ne sont pas des choses que vous feriez si vous aviez affaire à quelqu'un d'aussi raisonnable que vous.

2. Il s'enterrera dans son travail.

Il arrive que l'homme prenne ses distances par rapport à son ménage en faisant des heures supplémentaires. Dana, même si elle était un bourreau de travail, ne dépassait jamais cinquante heures de bureau par semaine. Après son mariage avec Jim, elle se rendit compte que celui-ci avait une maîtresse: son travail. Expert-conseil propriétaire de sa propre entreprise, il avait ouvert un second bureau, en banlieue, ce qui l'obligeait à passer trois jours par semaine en dehors de la ville. Il lui arrivait souvent de travailler jusqu'à minuit. Cet horaire démentiel fit passer le sexe au rang des doux souvenirs — une fois tous les deux mois. (Au cours d'une séance de thérapie de couple, Jim nous fit remarquer avec insistance que leurs rares rapports sexuels étaient excellents. Nous avons demandé pourquoi ils n'étaient pas plus fréquents. Aucun des deux ne répondit. Mais la raison était évidente: Jim n'arrivait pas à se réserver des moments d'intimité avec sa femme à cause de son horaire chargé.) En même temps, Jim et Dana avaient cessé de dialoguer et de faire des choses à deux. Avant le mariage, ils préparaient souvent ensemble des dîners à la maison. Maintenant, quand ils dînaient à deux, c'était au restaurant. Leur appartement, luxueux et bien meublé, n'était pas un vrai foyer. Il avait l'air inhabité, comme ceux que l'on voit dans les magazines de décoration.

Au cours de notre première séance de thérapie de couple, Jim n'avait pas cessé de consulter sa montre: un rendez-vous important à l'autre bout de la ville allait le forcer à sauter dans un taxi aussitôt la séance terminée. Impassibles, nous lançâmes: «Cette séance doit vous faire gaspiller de votre précieux temps.» Jim fit oui de la tête, l'air sérieux. Il aurait préféré consacrer à son travail le temps passé dans notre cabinet. Son angoisse n'aurait pu être plus intense. Bien sûr, ce qui provoquait cette angoisse, c'était d'entendre discuter de ses sentiments et de ceux de Dana. Sous des dehors d'homme d'affaires se cachait un autre homme, bien différent, qui aimait sa femme et avait besoin d'elle, mais qui ne savait pas comment le lui dire.

Dès le départ, nous avons établi plusieurs règles. Premièrement, nous n'allions pas nous plier à l'horaire de Jim en le rencontrant avec Dana à minuit, après son travail. Il devrait s'arranger pour venir à notre cabinet le jour et pour ne pas sauter une seule séance: les excuses étaient refusées d'avance. Deuxièmement, il ne travaillererait pas du vendredi soir au dimanche soir. Troisièmement, le couple ferait au moins deux des exercices décrits au chapitre 7: ils se feraient chaque jour un petit plaisir et ils se donneraient mutuellement un massage sensuel pour renouer du point de vue sexuel. Enfin, quatrièmement, Jim et Dana dîneraient désormais à la maison. Ils devaient planifier leurs repas, les cuisiner et les manger ensemble, comme un exercice d'intimité.

C'était beaucoup demander à un homme comme Jim. Nous lui avons dit que ce ne serait pas toujours facile. Mais au moins il se rendait compte que Dana ne plaisantait pas quand elle menaçait de le quitter et qu'il devait réagir s'il voulait la garder. Il lui fallait identifier la peur qui le poussait à s'éloigner d'elle en se réfugiant dans des habitudes de travail obsessionnelles.

3. Il sera allergique aux bébés.

Votre mari se mettra à travailler excessivement à un autre moment de votre vie commune: quand vous serez enceinte. Au lieu de faire face à la terreur qu'il ressent à la seule idée d'être père (l'engagement ultime), il cherchera et trouvera un deuxième emploi. Vous vous sentirez abandonnée. Au moment même où vous aurez besoin de son soutien et de sa compagnie, il vous fera faux bond. Vous devez ouvrir un dialogue avec lui à ce sujet et établir certaines des règles que nous avons proposées à Dana et à Jim. Les partenaires doivent tous deux comprendre les motifs sous-jacents qui animent l'homme. (Il ne faut pas oublier que c'est peut-être un effort pour gagner plus d'argent et être un meilleur soutien de famille.) En fait, le problème est double: premièrement, *vous* avez besoin de sa présence affective, deuxièmement, *il* se prive d'une expérience précieuse en ne vivant pas avec vous votre grossesse.

Une fois l'enfant né, les vraies difficultés pourraient bien commencer. Nombreux sont les hommes qui se sentent parfaitement le droit de dire: «Prendre soin d'un bébé, moi? Les enfants ne m'intéressent pas avant d'avoir atteint l'âge de raison.» Un de nos clients, un homme sensible, intelligent et à tous égards libéré, a passé toute une séance à discuter avec sa femme: les femmes seraient biologiquement destinées à prendre soin des enfants, pas les hommes. «Ce n'est qu'une justification pour ne pas m'aider, rétorqua sa femme, aucun gène en moi ne me prédispose à changer les couches.»

Pour l'homme, prendre soin d'un bébé est une expérience étrangère. Durant la grossesse, le corps et les émotions de la femme sont transformés pour s'adapter à un autre être. De plus, elle a appris de la société qu'elle doit donner et être disponible aux autres. Elle comprend donc que les autres puissent être exigeants envers elle. Quand elle a un enfant, elle pourrait s'apercevoir que son instinct n'est pas plus maternel que celui de son mari, mais qu'elle doit s'arranger pour qu'il le devienne rapidement.

De crainte de vous retrouver dans le rôle ingrat de la mère traditionnelle, vous devez vous lever de bonne heure et préparer un plan. Devant la résistance initiale de votre mari pour ce qui est de vous aider à prendre soin de l'enfant (même si vous avez épousé un Homme acceptable, vous vous buterez à un certain degré de résistance), ne compensez pas cette inertie en vous consacrant exclusivement au bébé. Sans vous en rendre compte, vous deviendriez l'experte en soins du bébé, la seule qui vive en parfaite harmonie avec lui, celle qui l'entend pleurer pendant que le mari lit «innocemment» le journal. Plus tard, l'enfant vous sollicitera chaque fois qu'il aura besoin de quelque chose et vous n'aurez plus une minute à vous. Dès le départ, l'homme doit assumer des tâches.

Divisez entre vous deux le temps à consacrer aux soins à l'enfant. Quand c'est le tour de votre mari, sortez de la maison ou passez dans une autre pièce et fermez bien la porte derrière vous. Prenez un bain chaud ou engagez-vous dans des activités qui vous plaisent et vous détendent. Il est important que vous le laissiez commettre ses erreurs. Un de nos clients, qui avait la garde de son bébé ce soir-là, parce qu'il voulait finir de lire un article, se servit de son pied pour faire balancer le berceau de l'enfant qui s'était réveillé et mis à pleurer. Sa femme, dans la pièce voisine, entendit le bébé brailler et accourut pour prendre l'enfant dans ses bras. Grave erreur de sa part. Vous devez discuter avec votre mari pour déterminer si vous allez prendre le bébé dans vos bras chaque fois qu'il pleure et vous mettre d'accord là-dessus. La femme qui surveille toujours son mari ou qui lui donne constamment des directives ne doit pas s'attendre à ce qu'il partage à égalité avec elle les soins au bébé. Dans le cas dont nous venons de parler, le mari prenait soin de son bébé — il avait besoin qu'on le laisse faire à sa façon.

Une de nos clientes et son mari avaient décidé de se lever tour à tour pour nourrir le bébé. Cependant, après avoir accepté, son mari continuait de ronfler même si le bébé s'arrachait les poumons à crier. Sensible au moindre soupir de l'enfant, cette femme tentait de réveiller son mari. Elle devait endurer une cacophonie de cris et de ronflements pendant les cinq ou dix minutes qui passaient avant que son mari se réveille. Quelquefois, elle était persuadée qu'il faisait semblant de dormir, pour qu'elle se lasse de le harceler et finisse par se lever elle-même. Elle en vint à la conclusion qu'elle devait faire un choix: se lever et nourrir le bébé elle-même (de guerre lasse) ou contraindre son mari à le faire. Elle décida de contraindre son mari. «Je le frappais jusqu'à lui faire des bleus. Un soir, je lui ai même versé un verre d'eau froide sur le visage.» Par la suite, du fait qu'elle avait résisté à la tentation de ne pas réveiller le chat qui dort, son mari devint plus sensible aux pleurs du bébé et fit enfin sa part.

«J'ai peur que l'arrivée d'un enfant bouleverse ma vie.» La plupart des gens tremblent à la pensée que le petit monstre ouvrira sa petite gueule affamée et ne fera qu'une bouchée de leur autonomie. Il est vrai que les parents doivent renoncer à certaines libertés qu'ils tenaient peut-être pour acquises. Mais il arrive que la femme se croie obligée de protéger l'homme contre cette réalité. Elle suppose qu'il est plus facile pour elle de renoncer à sa liberté que ce ne l'est pour son mari. Elle craint que celui-ci ne se sente coincé s'il voit son autonomie diminuée. (Et qu'il lui dise «J'ai besoin de mon espace» ou «Je me sens pris au piège», comme il avait peut-être l'habitude de le faire dans le passé.) C'est pourquoi elle conclut que si elle assume entièrement les soins au bébé — si elle fait tous les sacrifices —, il sera libre de mener la même vie qu'avant.

Ne le protégez *pas*. Beaucoup d'hommes acceptent de faire leur part. Changement radical par rapport à il y a dix ans, certains hommes partagent maintenant et les fardeaux et les joies qu'entraîne l'arrivée d'un enfant. Même des hommes qui passaient des nuits blanches dans les bars passent maintenant des nuits blanches à soigner leur enfant malade. «Bien sûr que ma vie a changé, nous a confié un de nos clients, elle a changé en mieux.» Nombreux sont les couples qui organisent leur horaire de travail de sorte que chacun travaille à domicile quelques jours par semaine pour s'occuper de l'enfant. Si vous faites preuve de souplesse, vous trouverez des solutions. Rappelez-vous ceci: vous ne savez pas de quoi un homme est capable jusqu'à ce que tous deux vous ayez décidé de ce dont il est capable.

4. La maîtresse/L'amant

La maîtresse. Brad entretient un fantasme sur ce que serait son mariage: Il est roi, un roi bon et noble. Un jour, il l'aperçoit — c'est une jeune vierge d'une beauté exquise. Comme il est le roi, il a tous les droits, y compris celui de l'épouser. Ce fantasme a deux dénouements possibles. Ou bien Brad et la jeune fille s'épousent et vivent heureux à jamais, ou bien Brad se lasse bientôt de sa femme et fait chercher d'autres jeunes vierges pour partager sa couche toutes les nuits.

Beaucoup d'hommes répugnent à renoncer à leur fantasme du smörgasbord sexuel. Ils sont convaincus que le fait pour un homme de limiter ses rapports sexuels à la même femme ne peut aboutir qu'à de longs bâillements. L'homme peut prendre une maîtresse pour perpétuer le fantasme de la Femme-Toujours-Disponible, ou pour créer de la distance entre lui et sa femme.

Jeff eut avec sa partenaire de tennis une liaison qu'il avoua un jour à sa femme, Cathy: il aimait cette femme et avait l'intention de l'épouser. Cathy en resta bouche bée. En cinq ans de mariage, Jeff ne s'était jamais plaint de rien. Il est vrai qu'ils dialoguaient peu et que Jeff avait cessé de s'intéresser au travail et aux amis de Cathy. Cette situation avait dérangé cette dernière, mais elle n'avait pas voulu en faire un drame, de peur que Jeff ne se sente pris au piège. «Quelques années plus tard, dit Cathy, il me lâchait un piano sur la tête. Il avait l'impression de ne rien me devoir. Il avait simplement déclaré qu'il avait cessé d'être heureux et qu'il n'y avait rien que je puisse faire.» Dans ce cas, la liaison de Jeff était la porte de sortie qui lui permettait de se dérober aux engagements pris envers Cathy le jour du mariage. Le vrai problème, c'est qu'il ne s'était jamais arrêté pour formuler ses difficultés à l'égard de l'engagement, ni à lui-même ni à Cathy (et Cathy ne l'avait pas forcé à le faire).

Que dire à la femme célibataire qui s'attache à un homme marié? Sachez que vous vous liez à un homme en fuite. Même si vous réussissez temporairement à interrompre sa course, il tentera de vous échapper.

Judy rencontra Brian au travail. Au cours de leurs nombreux lunches ensemble, il lui disait à quel point il était malheureux avec sa femme, un être froid, refoulé et asexué. Bientôt, Judy s'amouracha de lui. Même si elle avait toujours cru ne pas être du type à avoir une aventure avec un homme marié, elle se trouva vite prise dans un tourbillon d'ébats sexuels. Aucun endroit n'était exclu pour ces ébats: l'escalier de secours au bureau, les toilettes des hommes au bout du corridor. (Ils se réfugiaient dans une cabine, et chaque fois que quelqu'un entrait dans les toilettes, ils retenaient leur souffle. Cela faisait partie du frisson; le cœur de Judy battait si fort qu'elle aurait juré qu'on pouvait l'entendre de l'autre côté de la porte.) Dans l'appartement de Judy, ils se lançaient dans des marathons sexuels qui duraient du matin jusqu'à tard le soir, quand Brian devait finalement rentrer chez lui.

Judy suivit une thérapie parce qu'elle aimait Brian plus que jamais — et qu'elle se sentait coupable. Elle voulait savoir s'il y avait quelque chose de mal dans ce qu'elle faisait. Nous lui avons répondu que tout ce qu'il y avait de «mal», c'était que chaque fois qu'elle avait des rapports sexuels débridés avec Brian, elle l'aidait à stabiliser son mariage et faisait de lui un homme heureux. «Il semble dire moins souvent qu'il est malheureux», avoua Judy. Et pourquoi ne serait-il pas heureux? Comme partenaire sexuelle du tonnerre, il a Judy; comme femme dévouée, il l'a, *elle*.

Aux femmes célibataires qui, comme Judy, ont une aventure avec un homme marié, nous lançons le dernier avertissement — pas pour des raisons de morale, mais parce qu'elles n'ont rien à tirer de telles situations. «Dans tes rêves, que va-t-il advenir de ta relation avec Brian?» avons-nous demandé à Judy. «Il quittera sa femme», s'est-elle empressée de répondre. Nous lui avons dit que c'était peu probable. Pourquoi quitterait-il sa femme pour sa maîtresse quand il a la meilleure part des deux mondes? Et même si Brian quittait sa femme, il n'est pas dit que ce serait à l'avantage de Judy. Qui a trompé trompera. Judy n'est pas une femme plus précieuse qu'une autre pour Brian; elle n'est qu'une des incarnations de la Femme-Toujours-Disponible qui alimente ses fantasmes.

L'amant. De nos jours, tout autant que son mari, la jeune femme mariée peut avoir une aventure (25 p. 100 des hommes et des femmes âgés de moins de 25 ans se lancent dans des relations sexuelles extraconjugales). Chez les femmes plus âgées, le pourcentage a augmenté. (Une étude a révélé que 48 p. 100 des hommes mariés et 38 p. 100 des femmes mariées avaient des aventures. Comparez ces résultats à ceux de l'enquête d'Alfred Kinsey, menée au début des années 1950, et qui révélait que 50 p. 100 des hommes trompaient leur femme, alors que seulement 26 p. 100 des femmes trompaient leur mari.) Cependant, une grande différence demeure:

dans le cas de l'homme, l'aventure signale le besoin de se distancer; dans le cas de la femme, elle résulte de la quête de l'intimité qui manque à son union.

Pauline suivait les cours d'André et prenait des notes. Jamais elle n'aurait cru devenir sa maîtresse, encore moins sa femme. André était marié et, pensait-elle, beaucoup plus brillant qu'elle ne le serait jamais. Pourtant, il l'invitait au café après les cours et manifestait toujours un grand intérêt pour ses opinions, que ce soit en littérature ou en politique. Bientôt, il se mit à l'interroger sur sa vie privée et à lui parler de la sienne: André était en instance de divorce, sa solitude lui pesait. Pauline sympathisait avec lui. Les seules fois où il s'animait, c'était quand il était avec elle. En classe et avec ses collègues, André avait l'air morose. Peu de temps après, ils se mirent à sortir ensemble. Un an plus tard, ils se mariaient.

Durant la seconde année de leur union, André eut avec une étudiante une aventure qu'il avoua à sa femme. Pauline était bouleversée, mais considéra qu'il s'agissait là d'un accident de parcours. Elle avait tort: c'était quand André ne couchait pas avec quelqu'un d'autre qu'il s'agissait d'un accident de parcours (les égarements constants avaient constitué le motif de son divorce passé). Au cours de leur troisième année de mariage, Pauline eut une aventure avec Larry, membre de la faculté et collègue d'André. Ce n'était pas seulement l'infidélité d'André qui la poussait, c'était aussi l'absence douloureuse d'intimité dans son ménage. Chaque fois qu'elle voulait dialoguer, elle devait amorcer la discussion. C'était toujours elle qui devait huiler les engrenages.

Un jour, leur histoire prit une drôle de tournure: André déclara qu'il voulait une séance de sexe à trois: lui, Pauline et Larry. Pauline refusa d'abord mais, devant l'insistance d'André, elle se laissa convaincre (il l'intimidait encore un peu). Un ménage à trois prenait forme.

Pauline était persuadée qu'André était au courant de sa liaison avec Larry et attendait de les voir trahir leur secret en manifestant une quelconque familiarité sexuelle l'un envers l'autre. Mais l'idée de ce ménage à trois la séduisait et l'excitait. C'est pourquoi elle continuait d'y participer. Tous trois savaient désormais que le mariage de Pauline et d'André s'en allait à la dérive et que ce n'était plus qu'une question de temps avant qu'il sombre.

Dans le cas d'André et de Pauline, le problème a pour origine le besoin d'André de se distancer toujours davantage. Une série d'aventures suivit. Paradoxalement, les liaisons sont souvent des tentatives pour résoudre une difficulté conjugale. Il peut s'agir d'embarquer une troisième personne dans une situation difficile ou de refuser de faire face aux désappointements et aux frustrations du mariage. Pauline n'avait jamais vraiment voulu régler ses problèmes avec André. Elle était beaucoup plus encline au divorce qu'elle ne l'aurait cru. Sa liaison avec Larry la mit dans l'engrenage qui y mène.

Un autre type de liaison est celle qui vous laisse mariée, mais mal mariée. Mariée depuis quatre ans à Reggie, Mary entretient une liaison avec Tom depuis deux ans. Depuis au moins trois ans, son amour pour Reggie a connu mille morts et mille résurrections. Il veut rester avec elle, mais il s'attend à ce que ce soit elle qui déploie tous les efforts en vue de préserver leur union: elle gagne plus d'argent que lui; elle a meublé leur appartement (et le nettoie); elle s'occupe de leur vie sociale. S'il est de mauvaise humeur, elle doit être aux petits soins pour lui. Si elle est de mauvaise humeur, tant pis pour elle. Mary regrette souvent sa vie de célibataire, quand elle était indépendante et pouvait faire ce qu'elle voulait. Pourtant, elle souhaite rester avec Reggie: sécurité, habitudes, joie de se revoir quand ils ont été loin l'un de l'autre pendant longtemps (leur travail les amène souvent à se trouver sur les côtes opposées du pays).

Ce qui est fou, c'est que, depuis que Mary voit Tom, elle est beaucoup plus heureuse en ménage avec Reggie. Tom et elle peuvent parler pendant des heures; il sait l'écouter et elle l'apprécie. Par ailleurs, elle ne se fait aucune illusion: Tom n'est pas la solution à ses problèmes. Sans emploi, il est généralement sans le sou (il dépense tout en cocaïne). Mais il lui fournit intimité et réconfort; il la comprend. «J'ai toujours rêvé de rencontrer un homme qui me comprenne, dit-elle. Je ne crois pas qu'il existe, mais l'idée me hante.»

L'équilibre de la vie de Mary est bien fragile. Sa liaison lui donne le sentiment d'être autonome — elle a une vie en dehors du mariage — et compense le manque d'intimité de son union avec Reggie. Elle sent que son ménage ne tiendrait pas le coup sans cette soupape secrète.

Nous avons conseillé à Mary de concentrer son attention sur ses problèmes conjugaux et d'examiner s'ils pouvaient être résolus. Sa liaison détournait toute son énergie. Elle devait se décider: ou bien elle restait mariée ou bien elle quittait Reggie. Assise entre deux chaises, elle essayait d'alimenter les deux relations.

Les statistiques récentes sur la femme et les relations extraconjugales sont loin de nous ravir. Bien sûr que, si l'homme peut se permettre des infidélités, la femme le peut aussi. Mais la réalité est plus simple et plus triste que cela. Si ces aventures annoncent chez l'homme un recul par rapport à l'intimité, chez la femme elles sont le symptôme de la dépression et de l'insatisfaction dans le mariage. L'institution du mariage est-elle en train de rendre le dernier soupir?

Une de nos clientes nous a raconté une petite soirée qu'elle avait donnée le week-end précédent. Elle et son mari avaient préparé le repas, puis il s'était mis à jouer avec leur fils de deux ans. Tous les invités étaient émerveillés par le comportement de cet homme: un si bon mari, un si bon père. «J'ai eu alors une réaction de schizophrène, nous dit-elle. D'une part j'étais enchantée qu'il m'aide et, d'autre part, je savais que c'était un spectacle pour la galerie. Après le départ des invités, c'est moi qui ai tout nettoyé et pris soin de mon fils, comme d'habitude. Et personne n'était là pour me féliciter, pour dire à quel point j'étais une bonne mère.» L'air fatiguée et déprimée, elle ajouta: «Si je me plains de lui, j'ai l'air de manquer de gratitude. Comment oserais-je me plaindre d'un homme qui m'aide tant? De toute façon, plus je me plains, moins il en fait. Si je ne me plains pas, c'est comme si j'acceptais le statu quo. Quoi que je fasse, je suis perdante.»

Une autre de nos clientes travaille toute la journée, puis rentre à la maison pour préparer les repas et prendre soin de son fils de quatre ans. Elle s'affaire jusqu'à dix heures, pour ensuite s'effondrer dans un fauteuil. Elle déteste les querelles, c'est pourquoi elle évite de demander à son mari d'en faire plus dans la maison. En même temps, elle sent que lui et elle sont en train de devenir des étrangers l'un pour l'autre. «C'est le mieux que je puisse espérer, dit-elle. Je suppose qu'il fait de son mieux et que je ne devrais pas le harceler.» Elle refoule sa colère et se sent toujours déprimée. Son échappatoire secrète: le cinéma. Elle y va, seule, chaque fois qu'elle le peut. Elle voit des films à l'eau de rose qui lui permettent de pleurer tout son saoul. Elle a le béguin pour certaines vedettes: des hommes sensibles comme William Hurt et Harrison Ford, qui paraissent toujours chaleureux et attentifs aux besoins des femmes. «C'est gênant, dit-elle. Je suis une adulte, une professionnelle. Pourtant, mes fantasmes sont ceux d'une adolescente.»

Gênant? peut-être. Étonnant? Pas du tout. Cette femme évite d'agir avec son mari de la façon qu'elle sait nécessaire. Sa frustration et sa rage couvent en elle; elle pleure, seule dans les cinémas, où elle fuit la réalité. Certaines femmes se réfugient dans l'alcool et dans les drogues; d'autres décident de s'installer dans la maladie; d'autres encore se lancent dans un magasinage effréné ou s'empiffrent à longueur de journée. Il ne vous est pas possible de changer les sentiments de l'homme. Mais il vous incombe de laisser s'épanouir les vôtres. Vous devez lui faire part de vos besoins pour qu'il puisse vous rencontrer à mi-chemin.

Dans notre cabinet, nous avons vu beaucoup de femmes qui imposaient pour la première fois des exigences à leur mari. Au cours d'une séance de thérapie de groupe, Maya nous a raconté une histoire dont le dénouement ne pouvait être plus heureux. Timide et effacée, Maya aime travailler auprès des enfants. À l'école où elle enseigne, elle et ses élèves avaient décidé de monter une pièce qui serait présentée à toute l'école et aux parents. Avec les enfants, elle travailla pendant des mois. Le soir de la première approchait. Maya se sentait à la fois fière et nerveuse. Plus que tout, elle voulait que son mari, Larry, soit présent au lever du rideau.

Le hic, c'est qu'elle n'avait jamais rien exigé de Larry. Cette fois-là, elle voulait que ce soit différent. «C'est très important pour moi que tu assistes à notre pièce», lui dit-elle. Comme elle l'avait prévu, Larry se mit à râler. «Tu demandes trop de mon temps. Je suis trop fatigué pour aller voir une douzaine d'enfants se faire souffler leurs répliques.» Mais Maya ne lâcha pas. «Je fais beaucoup pour toi, lui dit-elle. Je t'accompagne à tes dîners d'affaires et je reçois tes collègues à dîner. J'aimerais que tu me fasses le plaisir de venir à la pièce.» À contrecœur, Larry accepta.

Larry assista à la pièce et s'amusa beaucoup. Les enfants étaient charmants et pleins d'entrain. La touche sensible et humoristique de Maya transparaissait merveilleusement dans la production. À la fin de la soirée, l'auditoire se leva pour l'applaudir. Larry était gonflé de fierté. Plus tard, il lui dit: «J'ignorais cet aspect de ta vie. C'est merveilleux.» Maya nous raconta qu'elle et son mari étaient devenus plus proches l'un de l'autre que jamais.

Notre groupe aussi applaudit Maya, parce qu'elle avait voulu davantage de son mariage et l'avait obtenu. Mais un client, Steven, souleva un autre point: «Prenez garde de trop demander à un homme; ce serait une grave erreur.» Tout le monde le regarda en silence. Puis tout le monde se mit à parler en même temps. «Tu as renoncé à la lutte dans ton mariage», lui dit une participante. «Toi et ta femme, vous ne vous demandez rien? demanda une autre. Vous n'êtes mariés que pour la forme.»

Un client lança: «Vois comme ta vie est vide. Tu as renoncé à la lutte.»

Les expressions d'émotion se succédèrent rapidement sur le visage de Steven. Une larme coula. «C'est vrai, avoua-t-il. Je me sens esseulé la plupart du temps.»

Ce soir-là, nous partageâmes tous le délire de Maya et la tristesse de Steven. Nous avons tous vu les choix à faire.

Dans un mariage comme dans toute autre relation, vous avez droit à vos exigences. Si vous n'exigez rien l'un de l'autre, votre mariage n'est qu'une mascarade. Maya avait compris que partager sa vie avec Larry avait de profondes résonances pour eux deux. Le soir de la pièce, pour la première fois, Maya et son mari devinrent un vrai couple.

Beaucoup d'hommes mariés ne sont pas encore engagés envers leur femme. L'homme marié reste vraiment un célibataire:

- S'il rentre à la maison plus tôt que vous mais refuse quand même de cuisiner (ou de mettre en route) le dîner.
- S'il attend de vous que vous travailliez toute la journée, puis que vous rentriez pour nettoyer la maison, ramasser ses chaussettes et préparer le dîner.
- S'il attend de vous que vous soyez le seul vrai parent de vos enfants; il fournit le soutien financier, mais pas le soutien affectif.
- S'il a des aventures que vous découvrez, mais dont il refuse de discuter avec vous.
- S'il travaille au point que vous ne vous voyez presque jamais: il prend ses engagements professionnels au détriment de votre vie avec lui.
- S'il refuse d'envisager avec vous d'avoir des enfants.

10

La rupture

Votre relation ne correspond pas à ce que vous voulez ou encore elle ne mène nulle part. Vous avez tout essayé, rien n'a marché: vous savez que c'en est fini. Vous vous sentez vidée, déprimée; vous ne pouvez même pas envisager le jour où vous serez de nouveau bien dans votre peau. Ce qui est triste, c'est qu'il y aura d'autres fois où vous devrez vous résoudre à de pénibles adieux, jusqu'à ce que vous trouviez l'homme qui pourra parcourir tout le reste du chemin avec vous. Dire adieu est un tel déchirement que beaucoup de femmes sur le point de renoncer à leur relation se retrouvent dans notre cabinet. «Est-ce que je ne me trompe pas?» demandent-elles, se raccrochant à un lambeau d'espoir. Et quand elles se rendent compte qu'il n'y a plus rien à faire, elles disent: «Comment renoncer à cette relation quand renoncer fait si mal?» Pourtant, la poursuivre fait encore plus mal qu'y renoncer. Laisser tomber votre homme vous semble la fin du monde *maintenant*, mais c'est justement ce type de douleur qui finira par vous purifier et vous guérir.

Pourquoi est-il si douloureux de rompre? Parce que, quand vient le temps de nouer une relation, beaucoup d'hommes intelligents, intéressants et séduisants se révèlent incapables de s'engager. Parce que vous n'arrivez pas à comprendre qu'un homme si extraordinaire à tous égards soit si peu doué pour l'engagement. «Comment rompre avec lui?» vous demandez-vous. Une petite voix vous souffle que c'est impossible. Vous vous posez ensuite cette question: «Qui d'autre y a-t-il?» à laquelle vous vous répondez: «Personne.» Il vous semble que rompre avec lui vous tue. Pourtant vous savez que dans votre relation avec lui, vous êtes déjà à demi morte.

L'homme en mal de rupture

Il ne veut pas que vous le croyiez méchant, ou bien il s'accommode du statu quo. Cela signifie que vous serez probablement celle à qui incombera la tâche ingrate de mettre fin à la relation non satisfaisante (même si, en fait, c'est lui qui vous force la main). Certains adieux sont brefs, d'autres s'éternisent. Plus la relation a été longue, plus les adieux sont pénibles. Il existe maintes formes de ruptures, toutes surprennent et toutes font mal. Au cours du présent chapitre, nous parlerons de divers types de ruptures, que vous connaissez sans doute. Nous croyons que chacune de ces ruptures s'annonce par des signes ou des symptômes, qu'aucune n'est aussi imprévisible qu'elle ne le semble. Soulignons immédiatement qu'il est parfaitement inutile de vous blâmer pour ne pas avoir perçu les signes d'une rupture imminente. Tant d'hommes n'arrivent pas à vivre une relation, que la rupture fait partie de la vie de la femme. Vous pouvez apprendre à reconnaître les signes d'une rupture imminente, pourvu que vous ne perdiez pas votre temps à vous blâmer.

Comportement de l'homme en mal de rupture

Soudainement, vos conversations téléphoniques deviennent difficiles. Il semble distant ou il manque de naturel. «Il agit étrangement, pensez-vous. Je me demande ce qui se passe.» Voici quelques comportements types que vous observerez chez l'homme qui s'en va en douce:

1. Il ne vous téléphone plus régulièrement.
2. Soudainement, c'est sa secrétaire qui vous rappelle parce qu'«il est dans l'impossibilité de le faire».
3. À la maison, il laisse son répondeur en fonction. Vous sentez avec angoisse qu'il filtre ses appels.
4. Il ne prend pas rendez-vous avec vous avec la même fréquence (avec le même enthousiasme) qu'avant. Toute allusion à vos samedis soir habituels le met dans l'embarras.
5. Il écourte vos rencontres ou semble les organiser selon sa seule commodité.
6. Il annule ses rendez-vous avec vous pour une des raisons du genre: «J'ai le rhume», «Un ami est de passage en ville» ou «Je dois travailler».
7. Quand vous avez prévu de passer l'après-midi ensemble, un de ses amis se joint à vous.
8. Il vous rembarre sans raison apparente, sans plus tard s'excuser ou vous expliquer qu'il a des problèmes au bureau.
9. Il critique votre coiffure, vos amis, vos vêtements.
10. Il ne veut plus passer de temps avec votre famille et vos amis.
11. a) Il ne veut jamais de rapports sexuels avec vous.
    b) Il veut toujours des rapports sexuels avec vous.
    c) Il vous accuse d'être trop exigeante du point de vue sexuel.
    d) Il vous accuse de manquer d'imagination du point de vue sexuel.

(*Tout* changement d'habitudes sexuelles qui ne constitue pas une amélioration est une déterioration.)

12. Il refuse de s'engager quand vous faites des projets ensemble ou d'envisager l'avenir. Si vous parlez de l'été prochain, son regard devient vague, il change de sujet, ou il prétend ne pas vous avoir entendue.

Ce que dit l'homme en mal de rupture

Ce type d'homme est si rusé que nous devons vous donner la traduction du message qui se cache derrière ses paroles:

1. «J'ai besoin de mon espace.» Traduction: «Je veux sortir de cette relation.»
2. «Je ne crois pas que tu me sois destinée.» Traduction: «Je pense qu'il existe d'autres femmes qui me conviendraient mieux.»
3. «Je ne suis pas prêt à m'engager dans une relation.» Traduction: «Je crains d'être allé trop loin.»
4. «Je t'aime bien, mais je ne suis pas amoureux de toi.» Traduction: «Si tu étais celle qui m'est destinée, je me sentirais moins pris au piège.»
5. «Je me sens pris au piège.» Traduction: «Je ne peux aller jusqu'au bout.»
6. «Restons amis.» Traduction: «Je ne veux plus de cette relation, mais j'espère que l'on pourra encore coucher ensemble quand j'en aurai envie.»

Ce que vous pouvez faire

Ces «traductions» s'appliquent généralement à l'Homme parfait aujourd'hui/parti demain. La femme sait intuitivement que quelque chose cloche. Supposons qu'il parle constamment de son «espace», ou que rien en elle ne semble pouvoir l'attirer sexuellement, ou qu'il annule ses rendez-vous avec elle comme si de rien n'était. Elle pourrait se croire obligée de travailler plus fort à la réussite de la relation: elle fera plus d'efforts, demandera de passer plus de week-ends avec lui, ainsi de suite. C'est ce qu'elle pourrait faire de pire: l'homme va faire un bond en arrière comme s'il avait vu un monstre. Rappelez-vous votre grand-mère qui vous disait de ne pas courir après les hommes. Ouvrez les yeux au vôtre sur son propre comportement. Dites-lui: «Je sens que quelque chose est changé entre nous.»

Si votre partenaire est un Homme parfait aujourd'hui, vous aurez probablement une bonne conversation, ou plusieurs, avant de pouvoir déterminer s'il est en train de vous dire adieu ou bien si votre relation a besoin d'un petit réglage.

Les longs adieux

Il attend le «bon moment» selon lui de faire connaître la mauvaise nouvelle à sa partenaire qui ne se doute de rien (en fait, il attend qu'elle fasse un geste). L'homme se rongera les sangs parce qu'il ne veut pas vous faire mal — il croit être (et veut que vous le croyiez aussi) un homme sincère, torturé et angoissé, qui essaie de rompre sans trop vous faire souffrir.

N'oubliez pas, nous le répétons, que cet homme, avec qui vous entretenez une relation depuis quelques mois sinon un an, pourraît être extraordinaire à tous autres égards. Il vous a prouvé qu'il peut, du moins en partie, s'engager. Cependant, il se rend compte soudainement qu'il a dépassé le point de non-retour.

Quand Gary et Lisa se fiancèrent, ils décidèrent qu'elle vendrait son appartement à Atlanta et qu'elle déménagerait à Washington pour vivre avec lui, avant le mariage. En même temps, elle demanderait une mutation à ses patrons. Gary lui acheta une bague et tous deux annoncèrent la bonne nouvelle à leurs familles respectives. Puis Gary partit faire de la voile pendant deux semaines. De retour de vacances, il téléphona à Lisa, qui habitait encore Atlanta: «Je me sens un peu pris au piège», lui dit-il.

Lisa lui demanda s'il avait oublié leur projet de mariage. Après un long silence, Gary se racla la gorge et répondit: «Nous ferions mieux de le reporter.»

Voilà que Lisa avait vendu son appartement et qu'elle allait se retrouver sans domicile et sans emploi dans une ville située à des centaines de kilomètres de la maison de Gary. Une semaine plus tard, Gary l'appela et l'invita à aller passer une semaine dans une station thermale de Floride. «Après tout ce que tu as vécu, lui dit-il, plein de sympathie, tu le mérites bien.»

Lisa nous dit: «Il parlait comme si ce que j'avais vécu n'avait rien à voir avec lui. Il pensait que nous pourrions sauter dans le bain-tourbillon, après avoir brisé nos fiançailles et ruiné ma vie, comme si de rien n'était. Je lui ai dit d'oublier la Floride et d'oublier du coup notre relation.»

L'expérience de Lisa n'est pas rare. Malheureusement, il arrive que l'homme franchisse des niveaux d'engagement pour lesquels il n'est pas prêt. Vlan. la situation le frappe tout à coup entre les deux yeux. Les projets de mariage sont à l'eau, et votre vie aussi (temporairement). Puis il vous fera une offre cordiale: pourquoi ne pas partir en vacances ensemble? Il souhaite que vous restiez amis; il ne veut pas vous perdre complètement et il ne veut pas que vous le trouviez monstrueux.

N'acceptez jamais de rester «amie» avec un ancien amant, immédiatement après la rupture. C'est une de ses tactiques les plus simples, mais elle est des plus dangereuses. Nous vous recommandons d'attendre au moins six mois — ou jusqu'après avoir rencontré un autre homme — avant de donner votre amitié à un ancien amant.

Quand Steve commença à sentir que sa relation avec Melissa lui pesait (ils étaient monogames, au niveau 3, depuis six mois), il lui déclara avoir besoin de plus d'espace. Melissa interpréta correctement sa demande comme une demande de libération. D'abord abattue, elle se reprit aussitôt et lui répondit: «Cela me blesse beaucoup, mais je vois que tu n'es pas prêt à te faire confiance à toi-même et à t'engager dans cette relation. Je suppose que nous devons cesser de nous voir.» Steve était d'accord.

Au cours des quelques semaines qui suivirent, Steve téléphona à Melissa pour lui demander qu'ils restent amis. Ils reprirent les conversations téléphoniques intimes dont ils avaient pris l'habitude durant leur relation. Toutefois, au lieu de projeter de se rencontrer, ils raccrochaient après de vagues: «Je te rappelle». Il arrivait souvent à Melissa de donner des conseils à Steve qu'elle écoutait d'une oreille sympathique. Elle finit par se rendre compte que cette «amitié» ne servait qu'à amortir le choc de la rupture pour Steve. S'il se sentait seul, il pouvait toujours l'appeler au téléphone. Il n'éprouvait aucun sentiment de culpabilité: puisque Melissa ne lui en voulait pas, il ne se considérait pas comme un sale type pour avoir rompu avec elle.

Nous avons demandé à Melissa pourquoi elle continuait de répondre aux appels téléphoniques de Steve. Elle nous a répondu qu'ils pouvaient l'aider à franchir la période de transition suivant la rupture.

«Est-ce que cela ne t'aide pas plutôt à laisser Steve se tirer d'un mauvais pas? lui avons-nous demandé. Laisse-le faire face aux conséquences de son comportement. Ces appels compromettent ta guérison — chaque fois que tu as de ses nouvelles, ta blessure se rouvre.»

Steve rappela Melissa. Elle lui demanda de ne plus lui téléphoner.

Par la suite, Melissa tomba dans la dépression. Vous serez désagréablement surprise de constater que votre décision, indubitablement positive, vous fera peut-être plonger dans un état de dépression.

Un antidote possible: ne réprimez pas votre colère. On vous a trahie, on vous a menée dans une impasse, on vous a monté un bateau. Ne lui trouvez pas d'excuse et, surtout, résistez à la tentation de jouer au thérapeute avec lui. Vous ne feriez que soulager le sentiment de culpabilité qu'il éprouve pour vous avoir larguée.

Demandez-vous si le motif qui animerait votre amitié pour lui se trouve dans la liste suivante:

1. «Il changera d'idée.» Vous croyez que sa décision est irrationnelle et que vous pouvez l'en dissuader. Vous pensez que, grâce à vous, il se rendra compte qu'il a eu tort. Sachez que tout votre pouvoir de persuasion ne vous le ramènera pas, si son cœur n'y était pas au départ.
2. «Je le guérirai.» En concentrant votre attention sur ce que lui ressent, vous tentez de masquer vos espoirs brisés, votre colère, votre cafard. Ce n'est pas à vous qu'il incombe de redonner la santé à cet homme. C'est votre propre douleur que vous devez soigner.
3. «Je sauverai notre relation.» Voilà que vous vous apprêtez à pratiquer la respiration artificielle sur une relation morte de longue date. La dialogue ne servirait à rien non plus. Ce qui est mort ne peut revenir à la vie.

Vous connaissez sans doute des couples dont la relation repose sur la «thérapie» que dispense la femme. Nous ne défendrons jamais une relation dans laquelle la femme prodigue des soins à un homme qui se réfugie dans le rôle de l'enfant impuissant. Pourquoi gaspiller votre vie?

Mettez-vous plutôt en colère. Adonnez-vous à des rêves de revanche. Accordez-vous le plaisir de raconter à vos amis à quel point votre homme était un pauvre type.

De nombreuses femmes souhaitent une épreuve de force à la fin d'une relation. *Il* a un problème. Il se prive d'une bonne chose et vous voulez le lui faire savoir. Allez-y, si ça vous chante, mais n'exagérez pas. Préparez ce que vous allez dire, répétez devant un miroir ou devant vos amis. Il s'agit de votre «scène», de votre soliloque de rage. Dites-lui bien que ce n'est pas un dialogue et qu'il ne vous entraînera pas dans une discussion. Dites ce que vous avez à dire et... adieu.

Et si vous vous trompiez? Avant de faire une croix sur une relation, posez quelques questions à votre amant. Quand Frank déclara à Betty qu'il n'était pas prêt pour une relation, elle lui posa les questions suivantes: «Depuis combien de temps t'en es-tu rendu compte?», «Quel a été le point tournant?» et «Que devrait-il exactement se passer pour que tu sois prêt?» Les réponses de Frank furent vagues et la laissèrent perplexe. À la fin de la soirée, il lui dit: «Appelle-moi, si tu as besoin de parler.» Betty le trouva fort condescendant. Il la giflait, puis l'invitait à lui téléphoner, comme si elle avait besoin de sa pitié. Néanmoins, Frank avait été si vague que Betty décida de lui téléphoner quelques jours plus tard. «Allons-nous nous revoir ou non?» lui demanda-t-elle à brûle-pourpoint. Il n'en était pas sûr. Il fallait qu'elle le rappelle le mercredi suivant. «Pas question, lui lança-t-elle. Pourquoi devrais-je attendre à mercredi pour que tu me plaques? C'est moi qui te plaque, et maintenant.»

Betty avait pris la bonne décision. L'aptitude d'un homme à vous donner des réponses claires est cruciale. S'il est clair, vous découvrirez peut-être que tout ce dont votre relation a besoin, c'est d'un petit réglage. Veronica, qui trouvait étrange la conduite de Doug, ignora d'abord son comportement (cela lui passerait), puis lui demanda ce qui n'allait pas. Eh bien, répondit Doug, maintenant que tu me le demandes, quelque chose me préoccupe. L'été approche et, tu le sais, j'adore jouer au golf toute la journée du samedi, à mon club. Je me demande comment tu accepteras cela.» Le samedi, Doug ne pourrait pas voir Veronica avant 20 h et il n'avait pas su comment le lui dire. L'homme pense souvent que la raison d'être d'une femme, c'est de lui gruger ses loisirs. Il ne lui vient pas à l'idée qu'une relation, avec la liberté personnelle qui y subsiste, est matière à négociation.

Veronica demanda à Doug s'il pouvait l'inviter au club de temps à autre pour qu'ils lunchent ensemble ou aillent nager. Il lui répondit: «Ne crois-tu pas que j'ai une vie à moi? La plupart des samedis, de toute façon, je serai trop occupé pour te voir avant la soirée.»

Dans ce cas-ci, la question directe de la femme menait à un réglage nécessaire de la relation, pas à la rupture. Si l'homme est capable de poursuivre sa relation avec vous, une question de votre part devrait conduire à un dialogue. Il devrait avoir la curiosité de s'interroger sur ce qui le préoccupe et l'ouverture d'esprit nécessaire pour négocier.

Les brefs adieux

Dans le cas de l'Homme bon à rien, il ne vous faut généralement pas longtemps avant de vous apercevoir que vous avez un choix à faire: adieu Jules ou adieu ma santé mentale. Si vous choisissez de préserver votre santé mentale, vous ressentirez quand même un choc. Rompre avec un Homme bon à rien *devrait* être simple; après tout, c'est à peine une relation que vous avez avec lui. Mais vos sentiments pour lui, vos rêves, vos attentes ne se briseront pas sans vous faire mal.

Rachel rencontra Alan au cours d'une réception. Avant même qu'il n'ouvre la bouche, elle avait le sentiment qu'il avait beaucoup souffert. Elle avait vu juste: il lui révéla qu'il était divorcé depuis un an. Il paraissait évident qu'il ne s'en était pas encore remis. Comme Alan habitait Washington et Rachel, Philadelphie, il ne leur serait pas facile de se revoir. Mais Alan déclara qu'il lui rendrait bientôt visite, tel weekend, au cours du mois suivant. Rachel, qui venait de sortir d'une relation qui avait duré trois ans, s'en montra ravie. Elle pansait ses blessures tout en envisageant ce qu'elle souhaitait faire par la suite. Elle avait envie d'une liaison, rien de bien sérieux, de bons rapports sexuels et d'un compagnon intéressant, une ou deux fois par semaine. Alan pourrait bien devenir cet amant.

Rachel attendit son appel. Comme il ne venait pas, elle cessa de penser à lui le jour. Elle venait d'être promue au rang de directrice dans une agence de décoration intérieure; elle avait à peine le temps de souffler, encore moins de penser à

Alan. Mais ses nuits étaient longues et tranquilles. Elle restait étendue dans son lit à se demander pourquoi il n'appelait pas. Peut-être qu'elle ne lui avait pas assez plu; peut-être y avait-il une autre femme dans sa vie. Un beau soir, Alan appela Rachel. Il lui dit qu'il aimerait la voir le week-end suivant — il devait se rendre à Philadelphie pour affaires. Rachel, débordante de joie, accepta de le rencontrer.

Deux jours avant l'arrivée prévue d'Alan, il l'appela et lui dit qu'il était malade. Le week-end était annulé. Rachel fit en sorte que sa voix ne trahisse pas son désappointement. Elle ne s'avoua même pas à elle-même qu'elle était déçue. Après tout, ce n'était pas la fin du monde.

En fait, Alan rendit visite à Rachel le week-end suivant... et le suivant. Il s'entendirent à merveille, surtout au lit. Elle n'avait plus été excitée de cette façon depuis des années. Elle était habituée à des amants égoïstes; Alan était si attentif à son plaisir à elle qu'elle avait le sentiment d'être sa maîtresse depuis des années. Quand elle n'était pas avec lui, Rachel vivait ses journées dans une béatitude érotique, rêvant à leur prochaine rencontre.

Alan annula trois week-ends de suite: maladie, empêchement, dépression. Alan lui avait dit que sa vie était un gâchis. Il était incapable d'y remettre de l'ordre. «Viens me voir, lui dit-elle à maintes reprises. Pourquoi rester chez toi à être déprimé?» Il lui répondait avec insistance qu'il ne pouvait pas. Elle était perplexe. Elle savait qu'il était bien avec elle: en sa présence, il s'animait et riait beaucoup. Pourquoi donc refusait-il la chance d'être heureux?

Peut-être cela allait-il lui passer. Elle attendrait et verrait bien. Au cours des semaines suivantes, Alan et elle se parlèrent au téléphone tous les deux jours. Il se sentait mieux, certes, mais pas assez pour voyager. Ils discutaient souvent de sa dépression; Alan disait toujours se sentir mieux après lui avoir parlé. Rachel reprenait espoir, mais n'osait pas aborder le sujet de ses visites chez elle. S'il voulait la voir, il ferait bien le premier pas. Elle était persuadée que ce serait le cas, puisqu'ils aimaient tant être ensemble. Il serait fou de rester loin d'elle.

Alan finit par lui dire qu'il voulait lui rendre visite. Il en avait hâte; être avec elle lui donnait tant d'énergie... Pendant deux semaines, Rachel rêva. «À trente-huit ans, dit-elle à ses amis, pour la première fois de ma vie, tout ce que je veux faire, c'est l'amour.» Elle se rendit dans une luxueuse lingerie où elle acheta soie et dentelle noires — tout un changement par rapport aux sous-vêtements de coton qui, disait-elle en riant, lui montaient presque aux aisselles. Elle s'imaginait vêtue d'un négligé de soie ancienne, conduisant Alan dans l'alcôve discrètement éclairée. Près du lit, un immense bouquet de pivoines embaumerait toute la chambre. Il ferait glisser la bretelle de soie, et le parfum de son corps les envelopperait... Ils feraient l'amour jusqu'au petit matin.

Deux semaines durant, l'impatience de Rachel montait. Ils s'appelaient et faisaient des projets, ou bien ils se contentaient de bavarder. La veille du week-end rêvé, en matinée, sachant que Rachel était partie au travail, Alan l'appela et laissa un message sur son répondeur. Il ne pouvait la voir. Il s'en excusait. C'était impossible. «Appelle-moi si tu en as envie», ajouta-t-il.

Oscillant entre le désespoir et la rage, Rachel ne l'appela pas. Au fond de son cœur, elle savait que c'était fini entre eux. Elle pourrait bien faire vivre cette relation pendant un certain temps encore et le voir de temps à autre. Mais il l'avait déçue trop souvent; pour elle, l'espoir n'était pas une raison suffisante de poursuivre cette chimère. Rachel en vint à comprendre que, si pour elle cette aventure n'avait rien à voir avec un engagement quelconque, pour Alan c'était le cas. Il avait même peur d'appeler Rachel pour lui *dire* que cette relation l'effrayait.

Il est extrêmement difficile de comprendre une telle attitude chez l'homme. Il faudra sans doute quelques mois à la femme pour se rendre compte de cette triste réalité. Si tout au début vous ne percevez pas cette attitude, ne vous en faites pas. Pour l'avenir, vous pouvez apprendre à déchiffrer des signes révélateurs.

La relation qui n'en finit plus

Et si vous étiez prise dans une relation qui ne mène nulle part? Ce type de relation diffère des autres en ce que l'homme ne vous forcera pas à prendre position. Il se dira en lui-même qu'il est parfaitement heureux et qu'il n'y a aucune raison de rompre. Quand vous finirez par en finir avec lui, il semblera tout à fait indifférent. Rappelez-vous toutefois qu'on a appris aux hommes à nier ce qu'ils ressentent. Son apparente indifférence ne signifie pas que la relation ne comptait pas pour lui, mais simplement que ses émotions sont engourdies.

En tant que membre d'un couple, Jeff était heureux, Nancy pas. Pour elle, une relation devait avoir une destination. «Une relation, c'est comme un train, disait-elle. Vous embarquez parce qu'elle vous conduira quelque part. Mais dans le cas de Jeff, il s'agit de rester dans le train jusqu'à ce qu'il ait envie d'en descendre.» Il fallut deux ans à Nancy pour se rendre compte qu'elle et Jeff voyageaient sur des voies différentes.

Nancy et Jeff s'étaient fréquentés exclusivement durant leurs années d'université. Par la suite, ayant admis qu'ils avaient glissé presque trop facilement dans leur relation, ils avaient décidé de voir d'autres gens, c'est-à-dire de passer du niveau 3 d'engagement au niveau 1. Pendant quelques mois, ils eurent d'autres partenaires. Par la suite, d'un commun accord, ils revinrent à la monogamie; il n'y avait rien de mieux à trouver ailleurs.

Nancy avait présumé que, à la fin de leurs études, ils trouveraient un appartement, que Jeff poursuivrait des études supérieures en administration, et qu'elle trouverait un emploi dans un journal. À son grand étonnement, Jeff refusa: la perspective d'études supérieures le rendait inquiet, il ne voulait pas de complications inutiles. Il aurait donc son propre appartement. Nancy fut vite gagnée à l'idée — elle comprenait —, mais secrètement elle était blessée et demeurait perplexe. Ne voulait-il donc pas vivre avec elle aussi ardemment qu'elle voulait vivre avec lui?

À l'école supérieure d'administration, Jeff participait à toutes sortes d'activités sociales et professionnelles. Même si Nancy était occupée par son propre travail et ses propres amis, elle devait toujours se plier à l'horaire de Jeff. «Je savais que, pour lui, son travail était plus important que moi, dit-elle. Il passait toute la journée en classe ou à la bibliothèque, puis il rencontrait des amis le soir. Si je disais quoi que ce soit, il agissait comme si j'avais été une pieuvre. Si je ne disais rien, je me sentais comme un paillasson.» Quand Nancy parla d'une vie commune avec Jeff quand il serait en deuxième année, celui-ci bafouilla un instant, puis déclara: «Je ne le pourrai pas. Qu'arriverait-il si je voulais sortir avec mes amis après la bibliothèque? Je devrais t'appeler?»

Nancy se dit que quelque chose clochait dans tout cela. Peut-être devait-elle voir d'autres hommes. Peut-être que sa relation avec Jeff mourrait de sa belle mort. Elle était malheureuse. Elle ne voulait pas rompre, elle aimait encore Jeff. Il lui faudrait être patiente et veiller à ce que Jeff passe plus de temps avec elle. Elle refusa des rendez-vous avec d'autres hommes pour se concentrer tout entière à Jeff. Un autre conflit éclata: Jeff lui dit que cela ne l'arrangeait pas d'aller la voir le vendredi soir; il voulait plutôt qu'elle vienne chez lui. Nancy suggéra un compromis: l'alternance. Non, Jeff ne voulait pas alterner les vendredis. Elle habitait trop loin de chez lui. Nancy hésitait. Elle avait toujours accepté de s'incliner, mais quelque chose lui disait qu'elle devait mettre le holà. Non, ils se rendraient visite chacun son tour le vendredi soir.

Jeff accepta à contrecœur. Nancy reprenait espoir; il finirait par changer si elle continuait de travailler à la relation. Quelques jours plus tard, cependant, elle reprit ses sens. Elle savait qu'elle devait faire ses plans pour l'année suivante. Allait-elle vivre sa vie à l'attendre patiemment? Elle allait parler à Jeff d'une vie commune possible. «Adopte une attitude positive, se dit-elle à elle-même. Il verra bien les choses à ta façon.»

Ce ne fut pas le cas. «Vivre ensemble ne pourrait aboutir qu'au mariage», dit Jeff, que cette seule idée faisait presque tourner de l'œil.

Nancy était abasourdie. «Je n'ai jamais parlé de mariage, rétorqua-t-elle. Oublie le mariage, je veux simplement vivre avec toi.»

Comment pouvait-il franchir cette étape à ce moment particulier? Il avait des prêts à rembourser, des obligations à remplir. Il était trop jeune pour s'attacher. Il devait envoyer de l'argent à ses parents. C'était terrible pour lui. Ne se rendait-elle donc pas compte de ses énormes responsabilités? Une autre question le torturait: Comment pouvait-il être sûr qu'elle était celle qui lui était destinée?

«Qu'est-ce que tu veux dire?

— La femme qui me convient parfaitement.

— Je croyais que nous avions déjà réglé cette histoire-là.»

Ils se dévisagèrent un moment sans parler. Finalement, Nancy inspira profondément et déclara qu'elle voulait qu'ensemble ils fassent des projets de vie commune pour l'année suivante. Jeff ramassa sur la table le journal de la veille (il essaierait de lire pour mettre fin à la conversation) et, le visage caché derrière les pages, répondit: «Je ne le peux pas.»

Nancy se leva et quitta l'appartement de Jeff sans mot dire. Elle rentra chez elle, décrocha le téléphone et s'en alla vomir dans les toilettes.

Ce soir-là elle se dit en elle-même que sa relation était bel et bien finie. Elle ne le reverrait jamais; elle ne lui adresserait plus jamais la parole.

Le lendemain, Jeff lui téléphona: «Il faut que nous parlions.» Nancy reprit espoir. Elle alla rencontrer Jeff, s'imaginant qu'il s'excuserait, qu'il lui répéterait qu'il l'aimait et qu'il lui promettrait de vivre avec elle l'année suivante. La réalité: il ne pourrait vivre avec elle avant deux ans, peut-être trois. Nancy, prise du sentiment presque étourdissant de n'avoir rien à perdre, dit à Jeff qu'il était clair qu'il refusait de s'engager envers elle. «Tu as raison, répondit-il sans broncher, je suis incapable de m'engager.» À ce moment, ce qui comptait le plus pour Nancy, c'était de sauvegarder sa dignité.

Elle ne lui donnerait pas la satisfaction de la voir le supplier, s'accrocher. C'était la fin, mais elle ne se conduirait pas de façon ridicule. Les yeux parfaitement secs, elle le salua et rentra chez elle.

Une semaine plus tard, Jeff lui téléphona pour l'inviter à luncher.

Nancy, ravalant sa salive, lui dit: «Je ne veux pas que tu m'appelles.

— Je ne comprends pas, dit Jeff, presque en colère. Tu réagis comme une enfant.»

Les choses en restèrent là jusqu'à ce qu'ils se rencontrent par hasard sur le quai du métro. (Nancy est maintenant convaincue que cette rencontre n'était pas l'effet du hasard. Jeff ne prenait jamais le métro dans cette direction-là, à cette heure-là.) Pendant les dix minutes qui s'écoulèrent avant qu'elle ne descende, Nancy écouta Jeff parler comme s'ils étaient de vieilles connaissances d'université. Ce trajet de métro fut le plus long de la vie de Nancy, et les deux années de relation avec Jeff, les plus longs adieux qu'elle connût jamais.

Nombreux sont les hommes qui, comme Jeff, ni ne rompent ni ne s'engagent. Ces hommes changent les règles du jeu selon leurs besoins et font que la femme se sente comme un rat perdu dans un labyrinthe. Quand Bonnie demande à Jim quand ils se marieront, il répond: «Ne sois pas si impatiente. Tiens bon.» Elle «tient bon» depuis déjà quatre ans; elle se sent comme le lierre qui court sur les murs de l'église. Steve et Jim profitent de tous les avantages de l'intimité, à leurs propres conditions. Si la femme veut une relation à ses conditions à elle, c'est à elle d'agir. Souvent son geste provoquera la rupture finale.

Nous constatons, dieu merci, que beaucoup plus de femmes qu'avant mettent fin à des relations peu satisfaisantes plus tôt qu'avant. Rompez maintenant et épargnez-vous un pénible divorce plus tard. Voilà qui est logique.

De nombreuses femmes entrent dans leurs relations les yeux grand ouverts. Si l'homme refuse de fixer un rendez-vous pour le week-end suivant, il est moins probable que la femme restera à la maison à faire le ménage en attendant qu'il l'appelle. S'il loue un chalet de ski sans l'inviter et qu'il y passe de nombreux week-ends, il est probable qu'elle passera le temps de ses absences à voir d'autres hommes et à comparer froidement la valeur respective de ses relations.

Nous ne conseillerons jamais à une femme de rester avec un homme pour la simple raison qu'elle a peur d'être seule. Vous devez savoir que le trac de son ami était une bénédiction pour elle: il ne lui convenait pas de toutes façons. Sans se l'avouer, il lui était arrivé de s'ennuyer avec lui. Il ne lisait rien d'autre que le *TV-Hebdo* et ne partageait pas son amour du ballet et du théâtre. «Il ne s'est jamais donné la peine d'essayer autre chose, dit-elle. Il aurait sans doute fini par être un poids pour moi, et c'est moi qui l'aurais quitté.»

Ellen, elle, a découvert qu'une relation de deuxième ordre ne vaut guère mieux que pas de relation du tout. Sa famille, traditionnelle et profondément religieuse, avait toujours cru qu'Ellen se marierait et aurait des enfants. Quand elle atteignit l'âge de trente-quatre ans toujours célibataire et sans enfant, ses parents se mirent à désespérer. S'ils avaient appris qu'elle fréquentait un homme marié, ils l'auraient probablement reniée. Mais, aux yeux d'Ellen, cette aventure était idéale. Elle n'attendait aucun engagement de la part de Ian, autre que les coups de fils et les rendez-vous amoureux occasionnels. La femme de Ian eut vent de cette aventure, ramassa les effets de Ian et mit celui-ci à la porte. Voilà que Ian frappait à la porte d'Ellen, bagages en main. Il voulait emménager avec elle.

«Ah non! pensa-t-elle. Ce n'est pas ce que moi je veux.» Pendant qu'elle ruminait cette pensée, Ian s'installait, accrochant ses complets dans les armoires d'Ellen qui se triturait les mains. Elle ne voulait pas le blesser en l'envoyant coucher à l'hôtel. Elle ne voulait pas non plus qu'il s'impose à elle. Ellen nourrissait de grands projets dont elle n'avait pas fait part à Ian: elle quitterait son emploi, s'achèterait une fourgonnette avec ses économies et partirait à l'aventure à l'autre bout du pays — seule et libre. Elle voulait peindre, écrire et explorer: elle avait des amis qui habitaient la réserve Navajo, au Nouveau-Mexique. Ellen voulait passer quelque temps avec eux. Par la suite, elle reviendrait à la ville, à son appartement et retournerait travailler.

Elle s'imaginait maintenant qu'elle rentrait et trouvait Ian bien installé chez elle. Au cours des quelques semaines qui suivirent l'arrivée de Ian, il devint clair qu'il se considérait pratiquement comme un mari. Ellen s'avoua qu'il était agréable et réconfortant de l'avoir auprès d'elle. Elle *pourrait* l'épouser; il avait entrepris une procédure de divorce et il l'aimait. Certains des amis d'Ellen étaient convaincus qu'elle épouserait Ian et l'estimaient chanceuse: les hommes comme lui sont rares, autant attraper celui-ci. Quant aux parents d'Ellen, ils furent d'abord ahuris d'entendre une voix d'homme au téléphone, mais se mirent vite à faire allusion au mariage. Ian, lui, avait mis les projets de voyage d'Ellen au rang des rêves adolescents et, chaque fois qu'elle disait douter de leur avenir ensemble, il lui disait qu'elle avait des difficultés face à l'engagement. Peut-être était-ce le cas... peut-être devait-elle renoncer à ses projets et laisser l'inévitable se produire...

Il ne fut pas facile à Ellen de supporter la colère de Ian et la désapprobation de sa famille, mais il y avait en elle un certain esprit d'indépendance et une touche d'entêtement qui l'aidèrent à tenir bon. Elle acheta la fourgonnette et arrêta une date pour son départ. Elle dit à Ian qu'elle n'était prête ni à vivre avec lui ni à l'épouser, et qu'elle ne savait pas si elle le serait jamais. Il pourrait habiter chez elle pendant qu'il se chercherait un appartement, mais ce n'était que temporaire. À son retour de voyage, ils examineraient leurs sentiments l'un envers l'autre.

Nous avons souvent vu des hommes — experts en protection de leur propre espace — emménager chez une femme sans jamais même considérer son espace à elle. Ian avait simplement présumé qu'Ellen voudrait l'épouser, et il l'accusa d'être incapable d'engagement quand elle refusa. Se peut-il que les femmes souffrent du syndrome de la corde au cou aussi? Certaines femmes évitent l'engagement ou mettent fin à des relations parce qu'elles en ont connu de malheureuses dans le passé. Mais ce n'est pas le cas d'Ellen. Le moment n'était pas venu pour elle de se marier. L'homme ne lui convenait pas non plus. Une relation de deuxième ordre (qui aboutit inévitablement à une union de deuxième ordre), fondée sur le sacrifice d'elle-même, l'aurait détruite.

Pour le cas où vous essaieriez de déterminer si une relation vaut la peine qu'on la poursuive, voici quelques questions et les réponses typiques de nos trois types d'hommes. Elles vous seront fort utiles.

Question 1: Je sens que quelque chose a changé entre nous. Sens-tu la même chose?

L'HOMME ACCEPTABLE	*Traduction*	*Conseil*
Oui, discutons-en. Depuis que nous nous fréquentons, je me sens coupé de mes amis.	Je veux que nous trouvions une solution qui me permette de passer du temps avec toi, mais avec mes amis aussi.	Établissez ensemble un horaire précis pour arriver à cette fin.
HOMME PARFAIT AUJOURD'HUI/ PARTI DEMAIN	*Traduction*	*Conseil*
Nous nous voyons trop. Je pense qu'il nous faut espacer nos rencontres.	Je panique.	Essayez de négocier une relation d'un niveau d'engagement inférieur dans laquelle il se sentira en sécurité.
HOMME BON À RIEN	*Traduction*	*Conseil*
Encore une fois, tu fais une montagne de rien.	Je ne veux pas t'écouter. Tu me causes trop de difficultés.	Ne vous blâmez pas. Trouvez quelqu'un d'autre, si c'est une vraie relation que vous cherchez.

Question 2: Est-ce que ça fait longtemps que tu éprouves ce sentiment?

L'HOMME ACCEPTABLE	*Traduction*	*Conseil*
Depuis que nous avons projeté des vacances ensemble.	Je n'ai jamais passé deux semaines seul avec une femme que j'aime et ça m'effraie.	Demandez-vous ensemble si ces vacances ne sont pas prématurées. Soyez prête à annuler vos projets et à passer plutôt un week-end ensemble.

L'HOMME PARFAIT AUJOURD'HUI/ PARTI DEMAIN	*Traduction*	*Conseil*
Je ne sais pas vraiment. Depuis le début, je pense.	L'intimité m'étouffe.	Rassurez-le: vous aimez être seule aussi et vous ne voulez rien précipiter.

L'HOMME BON À RIEN	*Traduction*	*Conseil*
Quel sentiment?	Je ne sais pas de quoi tu parles.	Il est évident que vous devez quitter cet homme, si vous ne l'avez pas déjà fait.

Question 3: J'aurais aimé que tu m'en parles plus tôt. Qu'est-ce qui t'en empêchait?

L'HOMME ACCEPTABLE	*Traduction*	*Conseil*
J'y ai pensé souvent, mais j'attendais le moment opportun.	Je voulais t'en parler, mais j'avais peur.	Rassurez-le: vous voulez parler de ce qu'il ressent.

L'HOMME PARFAIT AUJOURD'HUI/ PARTI DEMAIN	*Traduction*	*Conseil*
Je ne sais pas. Est-ce si grave?	Si je prétends que cette histoire n'existe pas, elle n'existera pas et ma partenaire l'oubliera.	Dites-lui que cela devient encore plus grave quand on n'en discute pas.

L'HOMME BON À RIEN	*Traduction*	*Conseil*
(Hausse les épaules et détourne le regard.)	Laisse-moi tranquille.	Vous ne devriez même pas discuter avec l'Homme bon à rien. Il ne vous prend pas assez au sérieux.

Question 4: Qu'aimerais-tu voir changer entre nous?

L'HOMME ACCEPTABLE	*Traduction*	*Conseil*
J'aimerais qu'on dialogue davantage. Je me sens vraiment mieux quand tout est clair.	Il m'est difficile de parler, mais je considère que c'est important.	Montrez-vous encourageante même quand il vous dit des choses difficiles à entendre.

L'HOMME PARFAIT AUJOURD'HUI/ PARTI DEMAIN	*Traduction*	*Conseil*
J'ai besoin de plus de temps pour moi-même. Et si on ne se voyait que les week-ends?	Je ne suis pas prêt pour une relation intense.	Écoutez ce qu'il dit. Ne vous mentez pas à vous-même: vous n'êtes pas arrivés à un niveau d'engagement supérieur à celui des fréquentations assidues. Voyez si une relation moins suivie s'impose.

L'HOMME BON À RIEN	*Traduction*	*Conseil*
Essayons d'être relax.	N'attends rien de moi.	Fuyez cet homme. Il est incapable d'entretenir une relation.

NOTE

Le chapitre suivant, comme l'indique son titre, ne s'adresse qu'aux hommes. (Vous aussi voudrez sans doute le lire. Mais nous l'avons conçu pour que vous puissiez détacher ces pages du livre et les remettre à votre homme.) Demandez à votre partenaire de lire le chapitre suivant et dites-lui que vous voulez en parler avec lui après. Ce ne sera pas long, dix minutes peut-être. Il n'aura sans doute jamais rien lu de tel. Il faut donc vous préparer à de fortes réactions.

11

Réservé aux hommes

Votre amie ou votre femme vient de vous remettre ce livre, ouvert à cette page. Vous rechignez. Vous détestez les auteurs qui prétendent vous donner des conseils. Vous en avez soupé du mot «relation», et vous ne voulez pas qu'on vous sermonne sur le «partage» ou sur le «dialogue». Selon vous, c'est peut-être une conspiration en vue de vous forcer à renoncer à votre liberté, à votre indépendance — à votre *vie*. De toutes façons, vous essayez de régler vos problèmes avec les femmes. Au fond, vous n'êtes pas un mauvais type. Alors, quoi? Pourquoi devriez-vous lire ce chapitre, de ce livre en particulier?

Peut-être parce quelque chose continue de clocher dans vos relations avec les femmes. Vous excellez dans tous les domaines, pourtant, avec les femmes ça ne va pas. Vous avez peut-être l'impression que la vôtre est toujours dérangée par quelque chose. Plutôt que de parler inlassablement de votre «relation», pourquoi ne pas vous amuser un peu? Ou peut-être venez-vous de rompre avec une femme parce qu'elle vous harcelait et que vous n'aviez pas assez d'espace, et maintenant vous errez dans votre appartement, malheureux. Par

exemple, un de nos clients, Nick, a rompu avec son amie Monica parce qu'elle le harcelait constamment. Depuis la rupture, elle lui manque. Tous ses amis se marient et lui reste seul.

Cet homme, c'est votre ami, votre frère ou vous-même. Vous serez donc heureux d'apprendre que nous avons quelques suggestions qui pourraient vous être utiles. Notre recherche a révélé que, de nos jours, les relations hommes-femmes sont déréglées et que les hommes doivent travailler plus fort qu'avant pour en huiler le mécanisme. Les femmes exigent davantage des relations; les hommes craignent de donner davantage, de se rapprocher des femmes. Celles-ci veulent savoir *aujourd'hui* ce qu'il adviendra demain de leurs relations. Il y a de bonnes et de mauvaises nouvelles. Les bonnes nouvelles, c'est que, si vous avez bien choisi la femme de votre vie, elle est dynamique, stimulante, sexy, et elle fait valoir ses idées. Les mauvaises nouvelles, c'est que *vous* devez changer.

Faites ce petit test:

A. Sentez-vous (ou pensez-vous) que la femme de votre vie
   1. est trop exigeante?
   2. met son nez dans vos affaires?
   3. envahit votre «espace»?
   4. ne vous laisse jamais passer de temps avec vos amis ou avoir vos propres activités?

B. Pensez-vous qu'entretenir une relation signifie renoncer à votre liberté et à votre autonomie?

Si vous avez répondu par l'affirmative à la plupart de ces questions, nous pensons que vous comprenez mal la femme de votre vie.

Vous avez été élevé dans la croyance que les femmes sont des «envahisseuses» et que vous devez vous défendre contre elles. Nous irions jusqu'à dire que, à une autre époque, vous auriez sans doute eu raison. Mais la femme d'aujourd'hui ne veut pas vous voler votre indépendance, votre temps, votre espace, votre liberté, votre argent ou votre âme. *Elle veut sa propre indépendance, son temps, son espace...* les mêmes choses que *vous*. L'excès d'intimité lui répugne sans doute tout autant qu'à vous. Ce qu'il s'agit de trouver dans toute relation, c'est l'équilibre entre l'indépendance et l'intimité. Il se peut que vous conveniez de ce principe mais, en fait, le seul mot «intimité» vous donne des sueurs froides. Le problème c'est que vous, comme les autres hommes, êtes atteint du syndrome de la corde au cou.

Quand nous avons dit à nos collègues que notre livre comportait un chapitre écrit à l'intention des hommes seulement, elles nous ont répondu: «Vous feriez mieux de ne pas trop attendre d'eux. Les hommes ne liront jamais un texte qui leur dit qu'ils doivent changer.» Pourquoi ne pas faire mentir ces mauvaises langues? Continuez de lire.

Trois hommes

Nous allons décrire trois situations types qui signalent un problème dans une relation. Vous vous sentirez concerné par au moins l'une de celles-ci. Allons-nous ensuite tenter de vous prouver que tout est de votre faute et vous condamner au fouet? Non, pas vraiment. Mais attention: nous vous parlons de prendre vos responsabilités.

«Elle n'est pas celle qui m'est destinée.»

Vous avez des relations en série avec des femmes extraordinaires. Ces relations s'étiolent une après l'autre, aussitôt qu'il vous semble clair que telle ou telle femme n'est pas parfaite. Vous avez tendance à chercher la petite bête chez la femme, et vous finissez souvent par détester les qualités mêmes qui vous avaient attiré vers elle. Comme les femmes ne sont pas parfaites, vous passez d'une relation à une autre avec désinvolture. Si vous ne vous rendez pas compte de ce que vous faites, vous allez finir par épuiser la population de femmes disponibles, *et que ferez-vous après*?

La femme parfaite n'existe pas, vous en prendrez conscience quand vous penserez rationnellement. Vous savez aussi que la vie est pleine de problèmes qui demandent à être réglés. Vous réglez ceux qui concernent le travail, mais vous n'êtes pas prêt à en faire autant avec ceux qui touchent aux femmes. En fait, aussitôt que vous voyez une difficulté poindre à l'horizon, vous vous sauvez à toutes jambes. Au début de la relation, tout est passion. Mais aussitôt que vous apprenez à la connaître et qu'elle commence à imposer ses exigences, le charme est rompu.

Toute relation amoureuse passe naturellement par trois étapes: l'idéalisation est la première (elle est la femme de vos rêves); la désillusion est la deuxième (elle est bien réelle); l'attachement est la troisième (elle est humaine, mais vous l'aimez quand même). C'est de cette façon que tous nous tombons amoureux, cessons de l'être et le redevenons. Plus vous aurez idéalisé votre amoureuse, plus vous tomberez de haut. Ne vous étonnez donc pas de vous retrouver sur des montagnes russes affectives. Rappelez-vous ceci: si vous n'idéalisiez pas telle femme, vous ne tomberiez jamais amoureux d'elle. Qui voudrait rater cette expérience fabuleuse et grisante qu'est l'état amoureux, grâce auquel le monde se transforme pour devenir beau, voire merveilleux? Une partie de cette beauté ne dure pas. Elle ne fait pas partie de la vie quotidienne. Profitez-en tant qu'elle existe, puis passez à autre chose.

Votre problème, justement, c'est que vous ne passez pas à autre chose. Vous renoncez à la relation au moment même où il vous faudrait passer à l'étape suivante. La troisième étape de la relation — l'attachement — est cruciale. C'est alors que la relation s'approfondit; vous ne traitez plus avec la femme telle que vous voulez qu'elle soit mais telle qu'elle est vraiment. Si vous arrivez à cette étape, il se pourrait bien que vos sentiments romantiques initiaux renaissent. Nombreux sont ceux qui sont surpris du fait que la connaissance intime de l'autre enrichit la romance.

Ne vous enfuyez pas. Persévérez.

Vous pensez: «Et si cette relation n'était pas vraiment ce qu'il me faut? Si elle n'était pas la femme qui m'est destinée? Inquiétudes bien légitimes. Mais si c'était le cas, vous le sauriez. Vous devez persévérer assez longtemps pour en être sûr. Peut-être n'est-elle pas la femme qui vous convient, mais pourquoi vous exposer prématurément au désappointement?

Il existe deux variantes des relations en série. La première, c'est la relation interurbaine. Par exemple, si vous habitez aux deux extrémités opposées du pays, vous pourriez vous livrer à une idéalisation effrénée, interrompue seulement les rares fois où vous vous rencontrez en chair et en os. La deuxième variante, c'est la relation en crise constante, qui protège de l'intimité. Dans celle-ci, vous ne croyez pas pouvoir être enthousiasmés de façon permanente et authentique l'un par l'autre. Alors vous rompez et reprenez la relation sans cesse. Dans les deux variantes, vous croyez ne pas pouvoir être excité par une femme que vous connaissez et qui vous connaît. Encore une fois, le seul moyen de le savoir est de tenter l'expérience avec une vraie personne.

Nous avons récemment relevé un phénomène curieux qui vous est peut-être familier: un homme, qui a derrière lui toute une série de relations, sans crier gare, épouse une femme qu'il connaît à peine.

Un ancien client prit un jour rendez-vous avec nous: il voulait nous annoncer qu'il épouserait en juin une femme rencontrée en décembre, qu'il y aurait de grandes noces en bonne et due forme et qu'il était l'homme le plus heureux du monde. Nous nous attendions au pire; personne ne vient en thérapie pour faire l'éloge de son divin état de bonheur. Une fois dans notre cabinet, il se montra taciturne. «Y a-t-il un problème, Rich?» avons-nous demandé. Il nous regarda l'air étonné: «Pourquoi? Non.» Nous lui avons dit que nous étions enchantées de savoir qu'il était heureux, mais que nous croyions que quelque chose clochait, sans quoi il ne serait pas venu nous voir; il nous aurait fait part du mariage par la poste.

Rich se fâcha: «Pourquoi vous montrez-vous si cyniques. *Rien* ne cloche.»

Au mois de juillet suivant, Rich et sa femme, à un cheveu du divorce, étaient assis dans notre cabinet. *Tout* clochait.

Avaient-ils prévu des problèmes avant le mariage? Oui. En fait, ils en étaient arrivés à la conclusion que, vu les innombrables problèmes, ils feraient mieux de se marier promptement, sans quoi ils ne le feraient jamais. Nous contînmes une vive réaction. Se marier *au lieu* de faire face à ses problèmes ou à la désillusion normale, c'est la roulette russe. Ne croyez pas possible de pouvoir entretenir une relation superficielle, de vous marier et de rester marié. En moins de deux, vos relations en série deviendront des mariages en série... et ça, ça fait mal.

Nous disons à nos clients d'aborder une relation comme ils abordent leur travail: il faut savoir qu'il y aura des problèmes, mais il faut aussi être persuadé de pouvoir les résoudre. Vous savez, de par votre expérience de travail, qu'en faisant face à une situation, vous en avez la maîtrise et pouvez mettre en œuvre votre intelligence et votre imagination pour résoudre les difficultés. Vous n'êtes pas désespéré face aux autres problèmes qui marquent les autres aspects de votre vie. Pourquoi le seriez-vous dans vos relations?

À propos de travail, justement, essayez de voir l'association affective de cette façon: en affaires, les deux partenaires conviennent de partager leurs connaissances et leurs ressources, de profiter de leurs différences, et de tirer parti du fait qu'ils constituent une équipe. Dans une relation, deux personnes fort différentes l'une de l'autre conviennent de tirer parti de leurs différences pour le bien de leur relation. Dans les deux cas, la route est difficile, mais les récompenses valent largement les efforts fournis.

«Je ne peux pas faire le saut.»

Vous avez vingt-sept ans et vivez avec Janis depuis un an. Elle évoque votre avenir ensemble, mais vous ne pouvez l'envisager. Vous pensez avoir donné sa chance à votre relation, mais vous doutez fort que Janis soit celle qui vous est destinée. Vous sentez également que vous n'êtes pas prêt à vous engager envers une femme et de vous installer une fois pour toutes. En fait, vous en avez assez que les femmes vous considèrent comme de la «chair à mariage».

Bien. Ne vous forcez pas à faire ce que vous ne voulez pas. La femme ressent plus tôt que l'homme le besoin de s'établir. C'est pourquoi elle vous pousse plus loin que vous ne le voulez. Rappelez-vous que l'horloge physiologique est un fait de la vie de la femme, dont elle doit tenir compte. Nous comprenons que cela puisse vous choquer, mais nous serions fort étonnées que les femmes ne vous considèrent que comme de la «chair à mariage». Votre réaction — refuser de vous engager envers cette femme à ce moment-ci — est parfaitement normale et justifiable pour l'homme arrivé au milieu ou à la fin de la vingtaine.

Apportons maintenant une modification importante à ce scénario. Disons que vous êtes âgé de trente-quatre ans et que Joyce fait partie de votre vie depuis trois ans. Elle parle de votre avenir commun pour la première fois et elle a souvent évoqué la terrible horloge et le «lien sacré» du mariage. Vous refusez d'embarquer dans cette discussion et elle se fâche. Maintenant, elle vous dit que si vous refusez de suivre une thérapie de couple avec elle, elle va donner à l'Armée du Salut tous les vêtements que vous avez laissés chez elle et commencer à voir d'autres hommes. Vous ne voulez pas qu'elle fasse cela, c'est sûr. Mais, vous hésitez à «signer sur la ligne pointillée». Vous avez tous deux trop de «problèmes». Que faire?

Examinez ces «problèmes». Il faut peut-être faire plus d'efforts dans certains domaines. Peut-être souffrez-vous du trac à la seule pensée de l'intimité. Allez donc avec elle chez le thérapeute pour trouver la source des difficultés. Soyez prêt

à vous faire dire que vous croyez qu'il y va de votre intérêt de *ne pas résoudre* certains des problèmes que vous découvrirez. D'autre part, Joyce vous tient à cœur et vous ne voulez pas la perdre.

Comment sera cette thérapie? Difficile, certes, mais quel beau défi! Peut-être soulèverez-vous tous les problèmes que vous et elle éprouvez et qui, à votre avis, rendent impossible toute conversation à propos d'un avenir avec elle. Quand vous parlerez de ces problèmes, Joyce sera étonnée. «Pourquoi ne pas m'en avoir parlé plus tôt?» demandera-t-elle. «Parce que je n'avais jamais envisagé que notre relation pourrait être permanente, répondrez-vous. Alors, pourquoi aurais-je fait l'effort de t'en parler. Qui plus est, maintenant notre relation est truffée de difficultés, alors qu'avant nous nous amusions tout le temps.»

Pour Joyce, c'est un cercle vicieux. Tant et aussi longtemps qu'elle ne parle pas de l'avenir, tout va bien entre vous deux. Aussitôt qu'elle vous demande à quoi elle doit s'attendre de votre part, vous dressez un barrage sur son chemin: des problèmes dont elle ignorait l'existence. Mais, en fait, il se pourrait bien que vous cherchiez la petite bête chez Joyce dans le but de vous protéger. À vos yeux, plus Joyce parle de l'avenir, plus «imparfaite» elle devient. Il est probable que la plupart des problèmes que vous soulevez sont mineurs et, surtout, faciles à régler. Nous ne prétendons pas que cette femme est sans défauts, mais bien que, si vous vous aimez vraiment, il vous sera possible de faire face aux problèmes, même sérieux, sans renoncer.

Ce n'est pas que vous vouliez larguer cette relation au plus vite. Vous souhaitez simplement maintenir le statu quo. Dans le feu de la discussion, elle vous accuse de laisser stagner la relation. Vous le niez de toutes vos forces. Vous voulez vivre dans l'instant, lui dites-vous. Et vous croyez ce que vous dites. D'autre part, vous soupçonnez qu'elle voit clair dans votre jeu.

Disons-le franchement, penser à l'avenir vous fait peur. Vous avez peut-être remarqué que, au début de la relation, les rapports sexuels étaient excellents, mais que maintenant ils sont devenus ennuyeux. Vous vous en fichez; après tout, vous êtes tous deux bien occupés. Allons, allons. Vous ne croyez pas ce que vous dites; c'est une justification a posteriori que vous cherchez. Vous craignez, si vous vous attendez à davantage de vos rapports sexuels, de vous coincer dans votre relation. Vous vous privez donc de bons rapports sexuels pour ne pas devoir donner plus de vous-même à Joyce. Ne pensez-vous pas qu'un homme jeune et vigoureux comme vous devrait avoir des rapports sexuels satisfaisants? Vous le pourrez, une fois que vous aurez vaincu votre peur de l'intimité.

C'est cette peur qui est à la base de tout. À vingt-six ou vingt-sept ans, vous restez à la surface des relations, vous n'êtes pas prêt pour les profondeurs. À trente-quatre ans, toutefois, si vous entretenez une relation intime avec une femme que vous aimez, il n'est pas prématuré de parler d'avenir. Faites-le donc, avant qu'elle ne décide de sortir de votre vie.

«Pourquoi ne me laisse-t-elle pas en paix?»

Vous entretenez une relation avec Linda (ou êtes marié avec elle). Tout irait bien, si seulement elle vous fichait la paix. Elle ne cesse de vous harceler: si ce n'est pas des corvées domestiques négligées qu'elle se plaint, c'est du manque de temps passé avec elle, ou du peu d'activités que vous partagez. Selon elle, vous êtes avare de caresses quand vient le temps de la préparer aux rapports sexuels. Quant à vous, vous trouvez que le harcèlement et les récriminations constantes sont loin d'être des aphrodisiaques.

Nous sommes d'accord avec vous. Nous non plus n'aimerions pas avoir toujours quelqu'un sur le dos. Vous avez toujours l'impression qu'elle veut plus que ce que vous êtes disposé à donner. Vous souhaiteriez pouvoir lui écrire sur le mur un message en majuscule: LAISSE-MOI TRANQUILLE.

Si seulement elle pouvait être heureuse, vous le seriez aussi. «C'est quoi le problème? demandez-vous sans cesse. Tout semble bien aller.» Au fond, ce que vous voulez, c'est qu'elle n'exige rien de vous.

Voilà un problème sérieux. Que faire? Premièrement, comprenez que c'est vous qui l'avez mise dans ce malheureux état. Elle vous harcèle parce qu'elle ne peut pas arriver à vous toucher. Vous voulez que tout soit conforme à vos désirs. Vous voulez qu'on prenne soin de vous, mais vous refusez de vous donner la moindre peine et de fournir des efforts pour nourrir votre relation. Fondamentalement, vous êtes quelqu'un qui hésite à donner. (Vous n'êtes pas seul dans ce cas. C'est le problème que les hommes éprouvent le plus souvent dans leur relations avec les femmes.)

Vous êtes harcelé, parce que vous aimeriez rester détaché, alors qu'elle veut s'engager. Considérez que c'est un compliment de sa part de vouloir davantage de vous et non moins. Vous devrez changer à certains points de vue. Chaque semaine vous devez réserver un peu de temps pour discuter franchement avec elle de ce que vous ressentez ou de ce à quoi vous croyez être vulnérable. Au début, peut-être trouverez-vous que vous ne lui donnez pas de votre plein gré et que vous ne bénéficiez pas de l'expérience, mais après un bout de temps, vous vous sentirez si enrichi, si conscient de vous-même que vous vous demanderez pourquoi vous avez fait tant d'histoires.

Nous vous recommandons de prendre souvent l'initiative de créer des moments d'intimité entre vous. Prévoyez un dîner dans un restaurant confortable. Planifiez des sorties agréables ou, un soir de semaine, partez tous les deux sous l'impulsion du moment voir une pièce ou un film. Par exemple, un homme et une femme pressés, énervés et hostiles l'un envers l'autre connurent un moment d'intimité, pendant qu'il cherchait un nouveau sofa, dans le sous-sol d'un magasin de meubles à rabais. La Muzak faisant entendre une version pénible d'une chanson de Sinatra, l'homme prit sa femme par la taille et fit avec elle un tour de valse entre les rangées de meubles. Tout le monde a cru qu'ils étaient fous, et alors? Dans ce sous-sol horrible, ce jour horrible, ils se sentirent plus proches et plus amoureux qu'ils ne l'avaient été depuis des mois.

Chaque fois que ce sera vous qui prendrez l'initiative de l'intimité, vous la craindrez moins. De plus, efforcez-vous toujours de soulever les questions qui vous perturbent. Pourquoi devrait-elle être la seule dans votre relation à remuer la boue? Opter pour l'intimité ne vous sera pas naturel. Mais vous pouvez voir les choses sous cet angle: peut-être que, de façon perverse, vous *aimez* qu'elle tente constamment de défoncer votre porte. Vous vous sentez poursuivi et un peu supérieur: vous détenez quelque chose qu'elle convoite.

De nos jours, la femme sait ce qu'elle veut et sait aussi quand elle ne l'obtient pas. Et si elle ne l'obtient pas, elle ira le chercher ailleurs. Elle renoncera à l'homme qui ne peut donner et s'en trouvera un autre. Comment éviter cette situation? C'est simple: faites des compromis, rencontrez-la à mi-chemin.

L'homme rebelle

Vous êtes le type d'homme qui est toujours en fuite, qui n'a pas de relation et qui est une véritable malédiction pour les femmes. Nous avons d'abord pensé qu'il ne valait pas la peine que nous nous adressions à vous dans ces pages, parce que vous ne nous écouteriez pas.

Cette attitude de notre part ne nous semblait pas idéale. Nombreux sont les hommes de votre type. Vous pouvez être pas mal séduisant, et nous sommes prêtes à défendre votre droit de rester délicieusement non engagé et de n'offrir aucun espoir à la femme. Cependant, nous vous disons ceci: soyez franc avec elle. La grande différence entre vous autres hommes, c'est que certains lui mentent et d'autres pas. Si vous dites à la femme, dès le départ, qu'une relation solide ne vous intéresse pas, vous êtes honnête. Si elle tente quand même de vous changer, elle est folle à lier. Si, toutefois, vous

vous jouez de ces sentiments et prétendez être ce que vous n'êtes pas, votre conduite est vraiment odieuse.

Non seulement votre conduite est odieuse, mais elle est inutile. Un homme de notre connaissance, réputé pour ses conquêtes féminines, nous dit un jour: «Pourquoi mentir? J'ai de nombreuses aventures avec les femmes précisément parce que je ne leur cache pas qui je suis et ce que je veux. C'est beaucoup plus simple ainsi; il n'y a pas de complications inutiles.»

Cependant, si vous êtes du genre qui *veut* une relation, attendez-vous à des complications. Elles sont normales. Nous incitons la femme à ne pas assumer plus de la moitié de la responsabilité dans une relation. De même, nous disons aux hommes qu'ils doivent en assumer *au moins* la moitié. «Vous voulez dire que je devrais assumer une responsabilité *plus* grande qu'elle?» demandez-vous, éberlué. Eh bien... vous devrez sans doute lui donner jusqu'à avoir mal, du moins pendant un certain temps, pendant que vous essayez de trouver l'harmonie avec elle. Jusqu'à maintenant, les femmes ont trop donné et vous, pas assez. Votre objectif, c'est d'en arriver à vous faire des concessions mutuelles, exercice d'équilibre délicat qui est le secret de toute relation réussie.

Votre profil d'engagement
Êtes-vous prêt à vous engager?

Voici un test qui vous aidera à identifier les aspects épineux de vos relations avec les femmes. Comparez votre pointage avec le nôtre. Ce profil vous indiquera jusqu'à quel point vous êtes prêt à vous engager dans une relation.

Donnez une des cotes suivantes à chacun des énoncés du questionnaire:

Jamais	*Rarement*	*Occasionnel-lement*	*Souvent*	*Généra-lement*	*Toujours*
0	1	2	3	4	5

Je crois...

1. qu'elle veut que je fasse tout selon ses désirs.
2. qu'elle essaie de me pousser à vivre avec elle.
3. qu'elle veut toujours parler de «Notre Relation».
4. qu'elle a une attitude sévère envers moi.
5. qu'elle est exigeante.
6. que je dois toujours faire des concessions.
7. que c'est sa famille qui est «son» problème.

Je pense qu'il est parfaitement raisonnable...

8. d'attendre à la dernière minute pour prendre nos rendez-vous.
9. de ne pas devoir lui rendre compte de mon temps quand elle n'est pas là.
10. de garder ouvertes toutes les possibilités.
11. de la laisser organiser seule notre vie sociale.
12. de garder séparés de sa vie mes amis et mes collègues.
13. de ne pas m'attendre à ce que ma vie change sous prétexte que je suis engagé dans une relation.
14. d'être excédé quand elle me demande de l'aider dans sa carrière.

15. d'exagérer ce que je ressens pour ne pas la blesser.
16. d'attendre quelques jours avant d'appeler une femme avec qui j'ai eu des rapports sexuels pour la première fois.
17. de passer une partie du week-end seul.
18. d'avoir des rapports sexuels avec une femme, puis de lui demander de partir.
19. de mentir à une femme en lui disant que je lui téléphonerai, alors que je n'en ai aucune intention, de crainte de la blesser.
20. de lui demander de payer sa part de l'addition à notre première sortie.
21. de ne pas la raccompagner chez elle sous prétexte que j'ai un horaire chargé le lendemain.
22. de lui trouver un petit trou dans mon horaire à la fin de la soirée, quand je suis très occupé, car cela vaut mieux que rien.
23. d'ignorer son comportement quand elle se montre agressive; après tout, qui aime les disputes?

Pendant que nous faisons l'amour, quand elle me fait part de ce qui l'excite...

24. je pense qu'elle est trop entreprenante.
25. je trouve excitant de l'écouter.
26. je suis étonné: je croyais que nous avions déjà réglé toutes ces affaires-là.
27. je me demande pourquoi elle insiste pour que je fasse ceci ou cela alors qu'elle sait que je n'aime pas ça.
28. l'atmosphère est gâchée.
29. je me sens mal à l'aise.
30. je me demande pourquoi elle n'a pas attendu que nous ayons fini avant de parler de cela.
31. je trouve qu'elle me dit trop souvent quoi faire.

Quand je veux faire l'amour et elle pas...

32. je me masturbe.
33. je boude jusqu'à ce qu'elle change d'idée.

34. je pense que c'est un grave problème.
35. j'essaie de la séduire et de l'exciter.
36. je pense qu'elle devrait comprendre que j'ai besoin de sexe pour me détendre.
37. je pense à d'autres femmes.
38. je me dis que la prochaine fois qu'elle voudra faire l'amour et que je n'en aurai pas envie, je lui rappellerai cette fois-ci.
39. je pense que sa pulsion sexuelle n'est pas assez forte.

Quand elle veut faire l'amour et moi pas...

40. je fais les gestes, mais mon coeur n'y est pas.
41. j'aimerais qu'elle me laisse tranquille jusqu'à ce que le projet pour lequel je travaille au bureau soit terminé.
42. je sens qu'elle exerce trop de pression sur moi.
43. j'en ai assez de ses exigences.
44. je me sens obligé de satisfaire ses besoins.
45. je ne me blottis pas près d'elle car je ne veux pas l'exciter.
46. je ne veux même pas qu'elle me touche.

Je sens qu'elle exagère...

47. quand elle veut que je passe l'Action de grâces chez ses parents.
48. quand elle s'attend à ce que je l'aide dans la cuisine.
49. quand elle s'attend à ce que je devine ce qu'elle veut.
50. quand je dois l'appeler pour lui dire que je vais rentrer en retard.
51. en général.
52. quand elle organise mon week-end.

Je souhaiterais...

53. que nous ne nous disputions jamais.
54. qu'elle me laisse tranquille.
55. qu'elle soit moins rigide.
56. qu'elle me donne plus de temps pour me décider au sujet de notre relation.

57. ne lui avoir jamais dit «je t'aime».
58. pouvoir retourner en arrière, à l'époque où nous venions de nous rencontrer.
59. qu'elle soit plus féminine.
60. pouvoir être sûr qu'elle est bien celle qui m'est destinée.

Je deviens fou quand...

61. elle prend des décisions qui touchent ma vie.
62. elle parle de son «horloge physiologique».
63. elle veut que j'exprime davantage mes sentiments.
64. je n'ai pas assez de temps à moi.
65. elle refuse que ce soit toujours elle qui doive venir chez moi.
66. ses amies féministes nous rendent visite.

Votre profil d'engagement

Moins de 75: C'est trop beau pour être vrai; vous n'êtes pas du tout honnête avec vous-même.. Vous avez tendance à nier vos sentiments jusqu'à ce qu'il soit trop tard.

75-150: Vous êtes sans doute déjà engagé dans une relation. Vous êtes assez honnête pour reconnaître que certaines choses vous dérangent, mais l'engagement n'est pas un problème pour vous. L'intimité ne vous fait pas peur.

150-200: Vous ne laisserez pas l'obstacle de l'engagement vous démonter. Vous entretenez de bonnes relations, mais demeurez sensible à la perte de votre liberté quand vous vous rapprochez d'une femme. Même si vous devez travailler activement à garder ouvertes les voies de communication, l'intimité ne vous effraie pas.

200-250: Vous éprouvez des sentiments contradictoires à l'égard de l'intimité avec une femme. Vous voulez vous engager, mais vous devez fournir beaucoup d'efforts pour entretenir votre relation. Reconnaissez vos habitudes dans les relations. Essayez de vous surprendre en train de lancer des signaux contradictoires à la femme.

250-300: L'intimité constitue un véritable problème pour vous. Vous avez tendance à prendre panique très tôt dans la relation. Il est probable que vous ferez du mal à la femme que vous aimez, parce que vous considérez les relations comme une grave menace à votre liberté et à votre indépendance.

300 et plus: Vous souffrez d'un trac terrible. Vous n'essayez même pas d'avoir des rapports avec quelqu'un, encore moins de vous engager. Soyez honnête. Dites-lui qu'une relation ne vous intéresse pas.

12

N'est-ce pas cela l'amour?

Don est amoureux de Julia et engagé envers elle mais, comme le dit Julia: «Quelquefois, on ne le dirait pas.» Il n'est pas aussi attentif à elle qu'elle l'est à lui. Par exemple, il ne l'avertit jamais qu'il sera en retard et il a tendance à se sentir contraint quand il passe beaucoup de temps avec elle. «Pourquoi dois-je toujours te rendre compte de mes faits et gestes?» lui demande-t-il avec irritation.

«Si tu aimes vraiment quelqu'un, répond Julia, tu le fais naturellement. N'est-ce pas cela l'amour?»

Réponse à la question de Julia: oui, idéalement; non, dans la réalité. Nous avons dit à Julia qu'elle ne devrait pas aujourd'hui attendre de Don, ou de tout autre homme, qu'il lui soit automatiquement attentif, et sensible à ses besoins. En termes clairs, disons que les hommes ne sont pas encore arrivés à ce stade. Entre-temps, *vous* devez prendre l'initiative et lui imposer vos exigences, de sorte qu'il apprenne comment être intime avec vous. Par la suite, si un nombre suffisant de femmes agissent ainsi, le syndrome de la corde au cou sera chose révolue.

Nous avons écrit le présent ouvrage parce que les relations hommes-femmes sont en mutation rapide. De nos jours, la *seule* raison qui pourrait pousser un homme et une femme l'un vers l'autre, c'est le désir d'intimité affective. La dépendance financière de la femme et l'indépendance affective de l'homme n'ont plus cours. *Pour la première fois, l'homme et la femme doivent se rencontrer à mi-chemin.*

Comme l'intimité est la clé de voûte des relations, on a beaucoup parlé de la question du trac de l'homme. Notre tâche maintenant, dans les années 1980 et 1990 est de vaincre les problèmes de l'homme face à cette intimité. Les femmes d'aujourd'hui ont des attentes nouvelles: elles veulent davantage des hommes et *exigent* davantage d'eux. Jadis, on ne comprenait pas bien la question des «exigences» et on les voyait d'un mauvais œil. De nos jours, les exigences ne sont perçues que comme étant l'expression des plus profondes attentes réciproques du couple. Imposer ses exigences, pour une femme comme Julia, c'est la première étape vers un nouveau type de relation.

«Qu'exigez-vous l'un de l'autre?»

L'homme et la femme nous lancèrent un regard vide, puis se regardèrent l'un l'autre. La question les mettait mal à l'aise. Ils ne savaient que répondre.

Exercice 8. Nous avons gardé celui-ci pour la fin, parce qu'il est devenu, de plusieurs façons, l'exercice d'intimité le plus important pour les couples d'aujourd'hui. Si vous ne pouvez exiger quoi que ce soit de votre partenaire, c'est qu'il ne s'agit pas d'une vraie relation. Voilà une nouvelle choc pour beaucoup de couples.

Les relations à long terme dont nous discutons dans notre cabinet entrent généralement dans l'une ou l'autre des catégories suivantes. Dans la première, l'homme recule, et la femme remplit dans la relation le vide affectif laissé par l'homme. Dans la deuxième, l'homme et la femme ont tous deux renoncé à l'intimité. Dans la troisième, l'homme et la femme travaillent tous deux à maintenir l'intimité. Cette dernière catégorie est la seule qui permette aux partenaires de s'imposer mutuellement leurs exigences.

On a toujours décrit l'intimité comme étant une situation dans laquelle les partenaires exposent leurs besoins, leurs faiblesses, leur sensibilité. L'étape suivante consiste à imposer ses exigences, ce qui est plus difficile. La plupart des gens ne veulent même pas en entendre parler. Dans la première catégorie de relations à long terme, le rôle de la femme a été pour l'homme celui d'une épaule sur laquelle poser sa tête; l'homme a toujours présumé que ses besoins seraient satisfaits efficacement et sans histoires. Il se peut que, pour la femme, l'exercice 8 soit le plus difficile de tous. La femme qui est habituée à satisfaire les exigences de l'homme doit apprendre à se sentir le droit de lui dire: «Voici ce que *moi* je demande de toi.» De son côté, l'homme doit respecter les besoins de la femme et les prendre au sérieux.

Depuis peu, Anna a commencé à imposer ses exigences à Phil. Tous deux travaillent à temps partiel à la maison. Jusqu'à récemment, Anna se retrouvait généralement accaparée par les besoins affectifs et professionnels de Phil plutôt que par les siens propres. Quand il souffrait d'un blocage dans sa créativité (il est dessinateur commercial), il allait et venait dans le bureau d'Anna en se plaignant de la difficulté de son travail à lui. Pour mettre en oeuvre l'exercice 8, Anna a établi ce qu'elle appelle ses «heures de travail» — de 7 h à 14 h — durant lesquelles elle refuse d'être dérangée. «J'ai besoin de mon espace», disait-elle à Phil en se moquant, avec les mots mêmes qu'il lui avait servis chaque fois que son besoin d'intimité à elle l'avait mis mal à l'aise. Anna a encore besoin de se sentir proche de Phil mais, étudiante de troisième cycle occupée à rédiger sa thèse, elle a aussi besoin de longues heures de réflexion et de recherche. Elle s'est finalement rendu compte que si elle passait trop de temps embourbée dans le travail et les problèmes de Phil, il lui faudrait encore cinq ans pour obtenir son doctorat (quatre années s'étaient déjà écoulées depuis qu'elle avait commencé).

L'exigence d'Anna a ébranlé sa relation avec Phil jusque dans ses fondations. Maintenant qu'elle a exigé qu'il respecte son temps et son espace à elle, il doit lui imposer des exigences *précises,* alors qu'avant il attendait simplement d'elle qu'elle satisfasse *tous* ses besoins, *tout* le temps. (Et elle l'avait fait automatiquement.) Il exige maintenant d'Anna qu'elle passe du temps à l'écouter et à parler avec lui (c'est ce qu'Anna avait l'habitude de lui demander). Les femmes accordent de plus en plus d'attention à leurs propres besoins. C'est pourquoi les hommes sont obligés de bien circonscrire leurs exigences. Le soin de maintenir l'unité du couple revient aux *deux* partenaires, ainsi que celui de trouver l'équilibre entre l'espace personnel et l'intimité. «Il nous faut renégocier notre relation, dit Anna à Phil, au cours d'une séance de thérapie. Je t'aime et je veux poursuivre cette relation, mais les choses devront changer.»

La réaction initiale de Phil fut de bouder. La seule idée qu'une partie d'Anna lui échappe l'épouvante. La réaction initiale d'Anna fut de se sentir coupable. C'est à ce moment que nous sommes intervenues. «Ne sombre pas dans un sentiment de culpabilité, avons-nous déclaré. Phil préférait certaines de tes anciennes habitudes et voudrait bien que tu les reprennes. Résiste.» À Phil, nous avons dit: «Il te faudra une certaine période d'adaptation. Mais nous te garantissons que la récompense en vaudra la peine.»

Une exigence par jour

Pour beaucoup de femmes, imposer ses exigences engendre de l'angoisse. Même pour une femme comme Anna, compétente et autonome dans sa vie professionnelle, c'est difficile. Le mot «exigence» est rébarbatif. Être une femme exigeante, cela revient presque à entrer dans la clique des «chipies» dont nous avons parlé dans un chapitre précédent. Les difficultés de l'homme pour ce qui est d'exiger sont d'un autre ordre: la plupart des hommes sentent *trop* qu'ils ont le droit de les imposer. «Évidemment qu'elle doit me donner ce que je veux et ce dont j'ai besoin.» Cependant, l'homme à qui on demande de formuler *explicitement* ses exigences pourrait bien se mettre à bafouiller. Il est gêné d'admettre qu'il a des besoins. Aussi longtemps que la femme les satisfait automatiquement, il n'a pas à reconnaître à quel point il dépend d'elle.

Comme imposer une exigence par jour est difficile et pour lui et pour elle, nous leur demandons de penser à trois choses qu'ils aimeraient recevoir de leur partenaire. Quelques suggestions: Aimeriez-vous que votre partenaire veille jusqu'à ce que vous rentriez du bureau si vous travaillez tard? Aimeriez-vous dîner avec votre partenaire deux fois par semaine ou passer le week-end ensemble au lieu de travailler? Aimeriez-vous qu'il ou qu'elle prépare le dîner à l'occasion? Ces exigences sont surtout utiles pour la deuxième catégorie de relations à long terme: les partenaires qui semblent avoir renoncé à l'intimité finissent par ressentir solitude et cafard.

Le stress de la vie

Il y a quelque temps, un article de magazine traitant du nouveau couple moderne abordait ce qui est en fait un cauchemar moderne: chacun des partenaires, entièrement consumé par sa carrière, ne voit l'autre qu'à dix heures du soir, après le travail, ou le rencontre accidentellement en allant aux toilettes. Ils vivent comme s'ils n'étaient que des colocataires. Ils ont peu de contact entre eux. Ce n'est pas ce que l'on peut appeler une relation.

On dirait qu'un homme atteint du trac a jeté les bases de sa relation idéale: aucune intimité, et totale autonomie. Maintenant que la femme a cessé d'être la reine du foyer, il n'y reste plus personne pour garder le feu allumé. On ne peut pas être deux à jouer le rôle du mari. Le modèle de relation de l'homme d'affaires semble faire de l'intimité une relique du passé. Cependant, à long terme, les relations de ce type ne tiendront pas le coup. Qu'arriverait-il si l'un des partenaires, en perdant soudainement son emploi ou en tombant malade, n'était plus totalement autonome? Et si l'un deux s'éveillait au beau milieu de la nuit, dans la quiétude suivant la frénésie de la journée, et se sentait tout à coup vide et seul? Cela pourrait arriver un jour et, à ce moment-là, au moins l'un des partenaires se rendra compte qu'il a besoin de l'autre.

Même si vous n'en êtes pas arrivée au type de relation où les partenaires sont absolument autonomes, vous pourriez constater que lui et vous n'avez pas passé une heure ensemble depuis des semaines, ni même pris la peine de dialoguer. Dans ce cas, tous deux devrez travailler plus fort pour en arriver à une plus grande intimité. Plus vos vies sont indépendantes l'une de l'autre et chargées d'activités professionnelles, plus il est important que chaque partenaire impose à l'autre une exigence par jour. Sans doute les hommes superindépendants — autant que les femmes — craignent-ils de le faire: l'intimité et la réciprocité découlent de l'imposition d'exigences. Vous vous rendez compte tout à coup que vos vies sont interreliées, que chacun a besoin de l'autre et compte sur lui. La femme autonome qui a gagné durement son indépendance craindra peut-être de se voir aspirer dans un rôle plus traditionnel. Elle ne reconnaît pas avoir envie d'intimité, parce que pour elle l'intimité peut mener à la *dépendance*. Elle sait également par expérience que, si elle commence à vouloir renforcer le côté affectif affaibli de sa relation, cela deviendra vite *sa tâche* à elle.

Au couple dans lequel les partenaires sont autonomes, nous conseillons ceci: si les deux travaillent tard, que le premier rentré prépare le dîner (et non que chacun s'achète un sandwich au délicatessen du coin). Si la femme ne veut pas cuisiner (et c'est le cas de beaucoup qui refusent de se transformer en filles de cuisine), elle peut demander à son partenaire de le faire en grande partie, alors qu'elle assumera la plus grande responsabilité soit du marché, soit du ménage.

Nous conseillons également à chacun des partenaires de préciser à l'autre son heure d'arrivée à la maison. S'il vous attend à 19 h 30 et que vous savez que vous ne rentrerez qu'à 21 h 30, avertissez-le. Dans le cas d'Alexa et de Peter, le temps valait de l'or. C'est pourquoi, comme partie de leur thérapie, nous leur avons suggéré de dîner ensemble quelques fois par semaine. Quand Peter allait être en retard, il ne téléphonait pas à la maison, parce qu'il n'aimait pas rendre compte de son temps à Alexa. Nous avons exigé qu'il le fasse. Téléphoner à la maison, c'est simple et direct. Nous avons dit à Peter qu'il devrait être flatté de savoir que quelqu'un l'attend: «Alexa n'essaie pas de te coincer, elle aime simplement passer du temps avec toi.»

Deux de nos clients qui, même s'ils sont un couple, mènent une vie indépendante, se trouvent au bord du précipice: il flirte avec d'autres femmes, sans toutefois aller jusqu'aux aventures. Mais ce n'est pas toujours le cas. Ce qu'il n'a pas encore formulé, ni à lui-même ni à sa partenaire, c'est son besoin d'intimité. Elle aussi pourrait bien ressentir le même besoin, mais aucun des deux ne l'exige de l'autre. *Surtout* si vous êtes tous deux autonomes, vous devez proclamer sans détour l'absolue fidélité sexuelle. Vous devez pouvoir compter sur votre partenaire et vice-versa. Sinon, votre relation est condamnée.

La nouvelle relation

Nous ne sommes pas impartiales, nous l'avouons. Nous croyons qu'une relation de la troisième catégorie, celle dans laquelle les partenaires travaillent à l'intimité, est la *seule* qui vaille la peine d'être poursuivie. Si, par exemple, Anna ne renonce pas à ses propres besoins et continue d'exiger que Phil respecte son temps et son espace, il y aura alors dans ce foyer *deux* personnes créatrices et productives plutôt qu'une seule. Chacun étant conscient des besoins de l'autre, Anna et Phil deviennent autre chose que deux êtres que le hasard fait cohabiter: ils sont entourés d'une coquille qui leur fournit soutien, assistance, sécurité, confort et amour.

Voici une prédiction. Du fait que les hommes et les femmes de la présente génération changent, ils ouvrent la voie à de grands changements pour la génération future. Alice, une adolescente de nos connaissances, nous a confié avoir un nouvel ami. «Est-il un bon partenaire?» lui avons-nous demandé. Elle a su immédiatement ce que nous voulions dire et a répondu oui sans hésiter. «Il est attentif aux petites choses, a-t-elle poursuivi. Par exemple, il m'attend après mes cours. Il n'attend jamais à la dernière minute pour prendre rendez-vous avec moi, et mes appels ne le dérangent pas. Je n'ai pas besoin d'attendre que *lui* m'appelle. Nous sommes de vrais amis.»

Alice ne se demande pas: «M'aime-t-il?», mais plutôt: «Est-ce que je l'aime?», comme nous l'avons conseillé au chapitre premier. Alice évalue les hommes avec objectivité. Elle ne se préoccupe pas de savoir si le garçon est populaire ou s'il est capitaine de l'équipe de football. Ce qui compte pour elle, c'est qu'il se comporte avec elle comme elle le souhaite.

Jadis, les femmes espéraient se faire aimer des hommes et se blâmaient si ce n'était pas le cas. Elles tâtonnaient, essayant de comprendre comment juger les hommes et évaluer les relations. Dans le présent ouvrage, nous avons souligné l'importance d'acquérir des outils d'analyse tels que la connaissance des trois types d'hommes et des cinq niveaux d'engagement. Il est difficile de changer vos relations: il vous faut d'abord reconnaître votre peur et votre colère, puis vous devez vous faire entendre, défendre vos droits. Enfin, vous devez apprendre comment imposer des exigences. Il vous traitera peut-être de chipie, dira que vous êtes toujours sur son dos. Vous croirez peut-être le perdre, ou vous penserez qu'il ne changera jamais. Mais une fois consciente de la nature de vos besoins, vous avez une bonne chance d'obtenir qu'ils soient satisfaits. À ce point de la relation, ni vous ni lui ne pouvez retourner en arrière ou accepter le statu quo. Comme récompense pour vous, une relation d'égale à égal pourrait résulter du fait que vous connaissez vos besoins et que vous les lui faites connaître. Sa récompense à lui, pour avoir vaincu son trac, sera de connaître l'intimité.

Même Superman a changé. Le *New York Times* rapportait récemment que l'homme d'acier, dans les années 1990, allait être considérablement plus doux. Ses créateurs projettent de le rendre «plus vulnérable» et «plus ouvert sur le plan affectif». En outre, sa relation avec Lois Lane sera «plus complexe». Jon, un de nos clients, en parlant de ce nouveau visage de Superman, se mit à rire, puis déclara sérieusement: «Jusqu'ici les hommes n'avaient pas de raison de changer. Sûrement aucune raison dans les années 1950 et pas plus durant la révolution sexuelle. Cependant, aujourd'hui, les gens aspirent à des relations permanentes. Ils veulent avoir une vie meilleure — les hommes comme les femmes. Le problème, c'est que les hommes ne savent pas comment. Mais au moins, la *motivation* est là.»

La motivation est là, comme le dit Jon, parce qu'il est impossible de retourner à la relation de style 1950 et que la révolution sexuelle fait aujourd'hui figure de dinosaure. Entretemps, les femmes ne se marient plus pour des raisons d'argent; elles exigent davantage des hommes: plus d'intimité, plus d'intensité et l'égalité. Dans les pages précédentes, nous avons parlé de Steve, qui ressentait en lui un vide terrible et qui voulait le remplir. «Mais je souffre du syndrome classique de la corde au cou», avait-il dit, mi-figue, mi-raisin. Quelques séances plus tard, il en parlait en recourant à une analogie fort intéressante. Ce serait comme la sensation physique qu'éprouve l'alpiniste quand il arrive près de l'objet de son désir: la cime. Il commence tout à coup à avoir froid aux mains et aux pieds et son cœur bat la chamade. Ce qui se passe simultanément, c'est le *désir* de l'alpiniste de se fondre dans l'objet de son désir, et sa *crainte* de le faire. Dans la relation avec la femme d'aujourd'hui, l'homme se compare à l'alpiniste. La femme qui incarne la possibilité d'une relation intime est l'objet de son désir. En même temps, elle est perçue comme étant un danger: si l'homme réussit à être intime avec elle, elle pourrait bien l'engouffrer. Ou il pourrait perdre le sens de son moi, ce qui est l'équivalent d'une chute au fond d'une gorge obscure.

Si toutefois l'homme atteint la cime, il trouve l'expérience exaltante et satisfaisante, tout en continuant de la craindre. Mais cette crainte n'est pas paralysante et le jeu en vaut bien la chandelle. «Rien ne peut remplacer une bonne relation, dit Jon. Au cours d'une semaine, il y a une limite au nombre de soirées auxquelles vous pouvez assister, de clubs que vous pouvez fréquenter, de femmes que vous pouvez accompagner et d'heures où vous pouvez travailler. Un jour, vous vous regardez dans le miroir et vous vous demandez ce que vous êtes en train de faire de votre vie. Pas grand-chose, vous répondez-vous, si vous êtes honnête. Mais maintenant que je rentre à la maison et que je vois ma femme et ma fille, je suis transporté de joie. Je suis devenu *humain*. La lutte a été difficile et il m'arrive de penser qu'elle aurait dû l'être moins. Certes, ma relation avec Katherine n'est pas toujours de tout repos, mais elle vaut tous les efforts du monde.»

L'état perpétuel de bonheur à la maison est un mythe. L'intimité continuera de faire battre à tout rompre le cœur de l'homme et à lui donner le trac, mais les possibilités pour les partenaires sont plus stimulantes que jamais. Les femmes ne doivent pas se contenter de moins; les hommes non plus.

Bibliographie

Nous avons sélectionné les livres suivants à l'intention de la lectrice qui aimerait être au courant des nouvelles théories sur les problèmes de l'homme face à l'intimité, connaître les différences entre l'homme et la femme, pour ce qui est de leur développement et de leur capacité d'intimité, ou trouver un contexte culturel au comportement de l'un ou de l'autre.

CAPLAN, Paula, *The Myth of Women's Masochism,* E.P. Dutton, New York, 1985.

CHODOROW, Nancy, *The Reproduction of Mothering: Psychoanalysis and the Society of Gender,* University of California Press, Berkeley, 1978.

DINNERSTEIN, Dorothy, *The Mermaid and the Minotaur: Sexual Arrangements and Human Malaise,* Harper & Row, New York, 1976.

EHRENRICH, Barbara, *The Hearts of Men: American Dreams and the Flight from Commitment,* Anchor Press, New York, 1983.

GILLIGAN, Carol, *A Different Voice: Psychological Theory and Women's Development,* Harvard University Press, Cambridge, Mass., 1982.

LERNER, Harriet Goldhor, *The Dance of Anger: A Women's Guide to Changing the Patterns of Intimate Relationships*, Harper & Row, New York, 1985.

LEVINE, Linda et Lonnie BARBACH, *The Intimate Male: Candid Discussions About Women, Sex and Relationships,* New American Library, New York, 1983.

PERSON, Ethel S., «The Omni-Available Woman and Lesbian Sex: Two Fantasy Themes and Their Relationship to the Male Developmental Experience», dans *The Psychology of Men: New Psychoanalytic Perspectives,* éd. par Gerald I. Fogel, Frederick M. Lane et Robert S. Liebert, Basic Books, New York, 1986.

RUBIN, Lillian B., *Intimate Strangers: Men and Women Together,* Harper & Row, New York, 1983.

Table des matières

Ouvrages parus chez les éditeurs du groupe Sogides

* Pour l'Amérique du Nord seulement

AFFAIRES

* **Acheter une franchise,** Levasseur, Pierre
* **Bourse, La,** Brown, Mark
* **Comprendre le marketing,** Levasseur, Pierre
* **Devenir exportateur,** Levasseur, Pierre

Étiquette des affaires, L', Jankovic, Elena

* **Faire son testament soi-même,** Poirier, Me Gérald et Lescault-Nadeau, Martine

Finances, Les, Hutzler, Laurie H.
Gérer ses ressources humaines, Levasseur, Pierre
Gestionnaire, Le, Colwell, Marian
Informatique, L', Cone, E. Paul

* **Lancer son entreprise,** Levasseur, Pierre

Leadership, Le, Cribbin, James
Meeting, Le, Holland, Gary
Mémo, Le, Reinold, Cheryl

* **Ouvrir et gérer un commerce de détail,** Roberge, C.-D. et Charbonneau, A.

Patron, Le, Reinold, Cheryl

* **Stratégies de placements,** Nadeau, Nicole

ANIMAUX

Art du dressage, L', Chartier, Gilles
Cheval, Le, Leblanc, Michel
Chien dans votre vie, Le, Margolis, M. et Swan, C.
Éducation du chien de 0 à 6 mois, L', DeBuyser, Dr Colette et Dehasse, Dr Joël

* **Encyclopédie des oiseaux,** Godfrey, W. Earl

Guide de l'oiseau de compagnie, Le, Dr R. Dean Axelson
Guide des oiseaux, Le, T.1, Stokes, W. Donald
Guide des oiseaux, Le, T.2, Stokes, W. Donald et Stokes, Q. Lilian

* **Mon chat, le soigner, le guérir,** D'Orangeville, Christian

Observations sur les mammifères, Provencher, Paul

* **Papillons du Québec, Les,** Veilleux, Christian et Prévost, Bernard

Petite ferme, T.1, Les animaux, Trait, Jean-Claude
Vous et vos oiseaux de compagnie, Huard-Viau, Jacqueline
Vous et vos poissons d'aquarium, Ganiel, Sonia
Vous et votre beagle, Eylat, Martin
Vous et votre berger allemand, Eylat, Martin

ANIMAUX

Vous et votre boxer, Herriot, Sylvain
Vous et votre braque allemand, Eylat, Martin
Vous et votre caniche, Shira, Sav
Vous et votre chat de gouttière, Mamzer, Annie
Vous et votre chat tigré, Eylat, Odette
Vous et votre chihuahua, Eylat, Martin
Vous et votre chow-chow, Pierre Boistel
Vous et votre cocker américain, Eylat, Martin
Vous et votre collie, Éthier, Léon
Vous et votre dalmatien, Eylat, Martin
Vous et votre danois, Eylat, Martin
Vous et votre doberman, Denis, Paula
Vous et votre fox-terrier, Eylat, Martin
Vous et votre golden retriever, Denis, Paula
Vous et votre husky, Eylat, Martin
Vous et votre labrador, Van Der Heyden, Pierre
Vous et votre lévrier afghan, Eylat, Martin
Vous et votre lhassa apso, Van Der Heyden, Pierre
Vous et votre persan, Gadi, Sol
Vous et votre petit rongeur, Eylat, Martin
Vous et votre schnauzer, Eylat, Martin
Vous et votre serpent, Deland, Guy
Vous et votre setter anglais, Eylat, Martin
Vous et votre shih-tzu, Eylat, Martin
Vous et votre siamois, Eylat, Odette
Vous et votre teckel, Boistel, Pierre
Vous et votre terre-neuve, Pacreau, Marie-Edmée
Vous et votre yorkshire, Larochelle, Sandra

ARTISANAT/BRICOLAGE

Art du pliage du papier, L', Harbin, Robert
* **Artisanat québécois, T.1,** Simard, Cyril
* **Artisanat québécois, T.2,** Simard, Cyril
* **Artisanat québécois, T.3,** Simard, Cyril
* **Artisanat québécois, T.4,** Simard, Cyril et Bouchard, Jean-Louis
* **Construire des cabanes d'oiseaux,** Dion, André
* **Encyclopédie de la maison québécoise,** Lessard, Michel et Villandré, Gilles
* **Encyclopédie des antiquités,** Lessard, Michel et Marquis, Huguette
* **J'apprends à dessiner,** Nassh, Joanna

Taxidermie moderne, La, Labrie, Jean
* **Tissage, Le,** Grisé-Allard, Jeanne et Galarneau, Germaine

Vitrail, Le, Bettinger, Claude

BIOGRAPHIES

* **Brian Orser - Maître du triple axel,** Orser, Brian et Milton, Steve
* **Dans la fosse aux lions,** Chrétien, Jean
* **Dans la tempête,** Lachance, Micheline
* **Duplessis, T.1 - L'ascension,** Black, Conrad
* **Duplessis, T.2 - Le pouvoir,** Black, Conrad
* **Ed Broadbent - La conquête obstinée du pouvoir,** Steed, Judy
* **Establishment canadien, L',** Newman, Peter C.
* **Larry Robinson,** Robinson, Larry et Goyens, Chrystian
* **Michel Robichaud - Monsieur Mode,** Charest, Nicole
* **Monopole, Le,** Francis, Diane
* **Nouveaux riches, Les,** Newman, Peter C.
* **Paul Desmarais - Un homme et son empire,** Greber, Dave
* **Plamondon - Un cœur de rockeur,** Godbout, Jacques
* **Prince de l'Église, Le,** Lachance, Micheline
* **Québec Inc.,** Fraser, M.
* **Rick Hansen - Vivre sans frontières,** Hansen, Rick et Taylor, Jim
* **Saga des Molson, La,** Woods, Shirley
* **Sous les arches de McDonald's,** Love, John F.
* **Trétiak, entre Moscou et Montréal,** Trétiak, Vladislav

BIOGRAPHIES

* **Une femme au sommet - Son excellence Jeanne Sauvé,** Woods, Shirley E.

CARRIÈRE/VIE PROFESSIONNELLE

* **Choix de carrières, T.1,** Milot, Guy
* **Choix de carrières, T.2,** Milot, Guy
* **Choix de carrières, T.3,** Milot, Guy

Comment rédiger son curriculum vitae, Brazeau, Julie
Guide du succès, Le, Hopkins, Tom
* **Je cherche un emploi,** Brazeau, Julie

Parlez pour qu'on vous écoute, Brien, Michèle
Relations publiques, Les, Doin, Richard et Lamarre, Daniel
Techniques de vente par téléphone, Porterfield, J.-D.
* **Test d'aptitude pour choisir sa carrière,** Barry, Linda et Gale

Une carrière sur mesure, Lemyre-Desautels, Denise
Vente, La, Hopkins, Tom

CUISINE

* **À table avec Sœur Angèle,** Sœur Angèle
* **Art d'apprêter les restes, L',** Lapointe, Suzanne

Barbecue, Le, Dard, Patrice
* **Biscuits, brioches et beignes,** Saint-Pierre, A.
* **Boîte à lunch, La,** Lambert-Lagacé, Louise

Brunches et petits déjeuners en fête, Bergeron, Yolande
100 recettes de pain faciles à réaliser, Saint-Pierre, Angéline
* **Confitures, Les,** Godard, Misette

Congélation de A à Z, La, Hood, Joan
Congélation des aliments, La, Lapointe, Suzanne
Conserves, Les, Sœur Berthe
Crème glacée et sorbets, Lebuis, Yves et Pauzé, Gilbert
Crêpes, Les, Letellier, Julien
Cuisine au wok, Solomon, Charmaine
Cuisine aux micro-ondes 1 et 2 portions, Marchand, Marie-Paul
* **Cuisine chinoise traditionnelle, La,** Chen, Jean
* **Cuisine créative Campbell, La,** Cie Campbell

Cuisine facile aux micro-ondes, Saint-Amour, Pauline
* **Cuisine joyeuse de Sœur Angèle, La,** Sœur Angèle

Cuisine micro-ondes, La, Benoît, Jehane
* **Cuisine santé pour les aînés,** Hunter, Denyse

Cuisiner avec le four à convection, Benoît, Jehane
* **Cuisiner avec les champignons sauvages du Québec,** Leclerc, Claire L.

Faire son pain soi-même, Murray Gill, Janice
* **Faire son vin soi-même,** Beaucage, André

Fine cuisine aux micro-ondes, La, Dard, Patrice
Fondues et flambées de maman Lapointe, Lapointe, Suzanne
Fondues, Les, Dard, Patrice
Je me débrouille en cuisine, Richard, Diane
Livre du café, Le, Letellier, Julien
Menus pour recevoir, Letellier, Julien
Muffins, Les, Clubb, Angela
Nouvelle cuisine micro-ondes I, La, Marchand, Marie-Paul et Grenier, Nicole
Nouvelles cuisine micro-ondes II, La, Marchand, Marie-Paul et Grenier, Nicole
Omelettes, Les, Letellier, Julien
Pâtes, Les, Letellier, Julien
* **Pâtisserie, La,** Bellot, Maurice-Marie
* **Recettes au blender,** Huot, Juliette
* **Recettes de gibier,** Lapointe, Suzanne
* **Robot culinaire, Le,** Martin, Pol

DIÉTÉTIQUE

Combler ses besoins en calcium, Hunter, Denyse
* **Compte-calories, Le,** Brault-Dubuc, M. et Caron Lahaie, L.
* **Cuisine du monde entier avec Weight Watchers,** Weight Watchers
Cuisine sage, Une, Lambert-Lagacé, Louise
Défi alimentaire de la femme, Le, Lambert-Lagacé, Louise
* **Diète Rotation, La,** Katahn, Dr Martin
* **Diététique dans la vie quotidienne,** Lambert-Lagacé, Louise
Livre des vitamines, Le, Mervyn, Leonard
Menu de santé, Lambert-Lagacé, Louise
Oubliez vos allergies, et... bon appétit, Association de l'information sur les allergies
* **Petite et grande cuisine végétarienne,** Bédard, Manon
* **Plan d'attaque Weight Watchers, Le,** Nidetch, Jean
* **Plan d'attaque Plus Weight Watchers, Le,** Nidetch, Jean
* **Régimes pour maigrir,** Beaudoin, Marie-Josée
Sage bouffe de 2 à 6 ans, La, Lambert-Lagacé, Louise
* **Weight Watchers - Cuisine rapide et savoureuse,** Weight Watchers
* **Weight Watchers - Agenda 85 - Français,** Weight Watchers
* **Weight Watchers - Agenda 85 - Anglais,** Weight Watchers
* **Weight Watchers - Programme - Succès Rapide,** Weight Watchers

ENFANCE

* **Aider son enfant en maternelle,** Pedneault-Pontbriand, Louise
Années clés de mon enfant, Les, Caplan, Frank et Thérèsa
Art de l'allaitement maternel, L', Ligue internationale La Leche
Avoir un enfant après 35 ans, Robert, Isabelle
Bientôt maman, Whalley, J., Simkin, P. et Keppler, A.
Comment nourrir son enfant, Lambert-Lagacé, Louise
Deuxième année de mon enfant, La, Caplan, Frank et Thérèsa
Développement psychomoteur du bébé, Calvet, Didier
Douze premiers mois de mon enfant, Les, Caplan, Frank
* **En attendant notre enfant,** Pratte-Marchessault, Yvette
* **Enfant unique, L',** Peck, Ellen
Évoluer avec ses enfants, Gagné, Pierre-Paul
Exercices aquatiques pour les futures mamans, Dussault, J. et Demers, C.
* **Femme enceinte, La,** Bradley, Robert A.
* **Futur père,** Pratte-Marchessault, Yvette
Jouons avec les lettres, Doyon-Richard, Louise
Langage de votre enfant, Le, Langevin, Claude
Mal des mots, Le, Thériault, Denise
Manuel Johnson et Johnson des premiers soins, Le, Rosenberg, Dr Stephen N.
Massage des bébés, Le, Auckette, Amédia D.
Mon enfant naîtra-t-il en bonne santé? Scher, Jonathan et Dix, Carol
* **Pour bébé, le sein ou le biberon?** Pratte-Marchessault, Yvette
* **Pour vous future maman,** Sekely, Trude
Préparez votre enfant à l'école, Doyon-Richard, Louise
Psychologie de l'enfant de 0 à 10 ans, Cholette-Pérusse, Françoise
Respirations et positions d'accouchement, Dussault, Joanne
Soins de la première année de bébé, Les, Kelly, Paula
Tout se joue avant la maternelle, Ibuka, Masaru

ÉSOTÉRISME

Avenir dans les feuilles de thé, L, Fenton, Sasha
Graphologie, La, Santoy, Claude
Interprétez vos rêves, Stanké, Louis
Lignes de la main, Stanké, Louis
Lire dans les lignes de la main, Morin, Michel
Vos rêves sont des miroirs, Cayla, Henri
Votre avenir par les cartes, Stanké, Louis

HISTOIRE

* **Arrivants, Les,** Collectif
* **Civilisation chinoise, La,** Guay, Michel
* **Or des cavaliers thraces, L',** Palais de la civilisation
* **Samuel de Champlain,** Armstrong, Joe C.W.

JARDINAGE

* **Chasse-insectes pour jardins, Le,** Michaud, O.
* **Comment cultiver un jardin potager,** Trait, J.-C.
* **Encyclopédie du jardinier,** Perron, W. H.
* **Guide complet du jardinage,** Wilson, Charles
J'aime les azalées, Deschênes, Josée
J'aime les cactées, Lamarche, Claude
J'aime les rosiers, Pronovost, René
J'aime les tomates, Berti, Victor
J'aime les violettes africaines, Davidson, Robert
Jardin d'herbes, Le, Prenis, John
* **Je me débrouille en aménagement extérieur,** Bouillon, Daniel et Boisvert, Claude
* **Petite ferme, T.2- Jardin potager,** Trait, Jean-Claude
* **Plantes d'intérieur, Les,** Pouliot, Paul
* **Techniques de jardinage, Les,** Pouliot, Paul
Terrariums, Les, Kayatta, Ken

JEUX/DIVERTISSEMENTS

* **Améliorons notre bridge,** Durand, Charles
* **Bridge, Le,** Beaulieu, Viviane
* **Clés du scrabble, Les,** Sigal, Pierre A.
Dictionnaire des mots croisés, noms communs, Lasnier, Paul
Dictionnaire des mots croisés, noms propres, Piquette, Robert
Dictionnaire raisonné des mots croisés, Charron, Jacqueline
* **Jouons ensemble,** Provost, Pierre
Livre des patiences, Le, Bezanovska, M. et Kitchevats, P.
Monopoly, Orbanes, Philip
* **Ouverture aux échecs,** Coudari, Camille
* **Scrabble, Le,** Gallez, Daniel
Techniques du billard, Morin, Pierre

LINGUISTIQUE

Anglais par la méthode choc, L', Morgan, Jean-Louis
J'apprends l'anglais, Sillicani, Gino et Grisé-Allard, Jeanne
* **Secrétaire bilingue, La,** Lebel, Wilfrid

LIVRES PRATIQUES

* **Acheter ou vendre sa maison,** Brisebois, Lucille
* **Assemblées délibérantes, Les,** Girard, Francine
Chasse-insectes dans la maison, Le, Michaud, O.
Chasse-taches, Le, Cassimatis, Jack
* **Comment réduire votre impôt,** Leduc-Dallaire, Johanne
* **Guide de la haute-fidélité, Le,** Prin, Michel
Je me débrouille en aménagement intérieur, Bouillon, Daniel et Boisvert, Claude
Livre de l'étiquette, Le, du Coffre, Marguerite
* **Loi et vos droits, La,** Marchand, Me Paul-Émile
* **Maîtriser son doigté sur un clavier,** Lemire, Jean-Paul
* **Mécanique de mon auto, La,** Time-Life
* **Mon automobile,** Collège Marie-Victorin et Gouv. du Québec
Notre mariage (étiquette et planification), du Coffre, Marguerite
* **Petits appareils électriques,** Collaboration
Petit guide des grands vins, Le, Orhon, Jacques
* **Piscines, barbecues et patio,** Collaboration
* **Roulez sans vous faire rouler, T.3,** Edmonston, Philippe
Séjour dans les auberges du Québec, Cazelais, Normand et Coulon, Jacques
Se protéger contre le vol, Kabundi, Marcel et Normandeau, André
* **Tout ce que vous devez savoir sur le condominium,** Dubois, Robert
Univers de l'astronomie, L', Tocquet, Robert
Week-end à New York, Tavernier-Cartier, Lise

MUSIQUE

Chant sans professeur, Le, Hewitt, Graham
Guitare, La, Collins, Peter
Guitare sans professeur, La, Evans, Roger
Piano sans professeur, Le, Evans, Roger
Solfège sans professeur, Le, Evans, Roger

NOTRE TRADITION

* **Encyclopédie du Québec, T.2,** Landry, Louis
Généalogie, La, Faribeault-Beauregard, M. et Beauregard Malak, E.
* **Maison traditionnelle au Québec, La,** Lessard, Michel
* **Moulins à eau de la vallée du Saint-Laurent, Les,** Villeneuve, Adam
* **Sculpture ancienne au Québec, La,** Porter, John R. et Bélisle, Jean
* **Temps des fêtes au Québec, Le,** Montpetit, Raymond

PHOTOGRAPHIE

Apprenez la photographie avec Antoine Désilets, Désilets, Antoine
8/Super 8/16, Lafrance, André
Fabuleuse lumière canadienne, Hines, Sherman
* **Initiation à la photographie,** London, Barbara
* **Initiation à la photographie-Canon,** London, Barbara
* **Initiation à la photographie-Minolta,** London, Barbara
* **Initiation à la photographie-Nikon,** London, Barbara

PHOTOGRAPHIE

* **Initiation à la photographie-Olympus,** London, Barbara
* **Initiation à la photographie-Pentax,** London, Barbara

Photo à la portée de tous, La, Désilets, Antoine

PSYCHOLOGIE

Aider mon patron à m'aider, Houde, Eugène
* **Amour de l'exigence à la préférence, L',** Auger, Lucien

Apprivoiser l'ennemi intérieur, Bach, Dr G. et Torbet, L.
Art d'aider, L', Carkhuff, Robert R.
Auto-développement, L', Garneau, Jean
* **Bonheur au travail, Le,** Houde, Eugène

Bonheur possible, Le, Blondin, Robert
Ces hommes qui méprisent les femmes... et les femmes qui les aiment, Forward, Dr S. et Torres, J.
Changer ensemble, les étapes du couple, Campbell, Suzan M.
Chimie de l'amour, La, Liebowitz, Michael
Comment animer un groupe, Office Catéchèse
Comment déborder d'énergie, Simard, Jean-Paul
Communication dans le couple, La, Granger, Luc
Communication et épanouissement personnel, Auger, Lucien
Contact, Zunin, L. et N.
Découvrir un sens à sa vie avec la logo-thérapie, Frankl, Dr V.
* **Dynamique des groupes,** Aubry, J.-M. et Saint-Arnaud, Y.

Élever des enfants sans perdre la boule, Auger, Lucien
Enfants de l'autre, Les, Paris, Erna
Être soi-même, Corkille Briggs, D.
Facteur chance, Le, Gunther, Max
Infidélité, L', Leigh, Wendy
Intuition, L', Goldberg, Philip
* **J'aime,** Saint-Arnaud, Yves

Journal intime intensif, Le, Progoff, Ira
Mensonge amoureux, Le, Blondin, Robert
Parce que je crois aux enfants, Ruffo, Andrée
Parle-moi... j'ai des choses à te dire, Salomé, Jacques
Perdant / Gagnant - Réussissez vos échecs, Hyatt, Carole et Gottlieb, Linda
* **Personne humaine, La ,** Saint-Arnaud, Yves
* **Plaisirs du stress, Les,** Hanson, Dr Peter, G.

Pourquoi l'autre et pas moi? - Le droit à la jalousie, Auger, Dr Louise
Prévenir et surmonter la déprime, Auger, Lucien
* **Prévoir les belles années de la retraite,** D. Gordon, Michael
* **Psychologie de l'amour romantique,** Branden, Dr N.

Puissance de l'intention, La, Leider, R.-J.
S'affirmer et communiquer, Beaudry, Madeleine et Boisvert, J.R.
S'aider soi-même, Auger, Lucien
S'aider soi-même d'avantage, Auger, Lucien
* **S'aimer pour la vie,** Wanderer, Dr Zev

Savoir organiser, savoir décider, Lefebvre, Gérald
Savoir relaxer pour combattre le stress, Jacobson, Dr Edmund
Se changer, Mahoney, Michael
Se comprendre soi-même par les tests, Collectif
Se connaître soi-même, Artaud, Gérard
Se créer par la Gestalt, Zinker, Joseph
* **Se guérir de la sottise,** Auger, Lucien

Si seulement je pouvais changer! Lynes, P.
Tendresse, La, Wolfl, N.
Vaincre ses peurs, Auger, Lucien
Vivre avec sa tête ou avec son cœur, Auger, Lucien

ROMANS/ESSAIS/DOCUMENTS

* **Baie d'Hudson, La,** Newman, Peter, C.
* **Conquérants des grands espaces, Les,** Newman, Peter, C.
* **Des Canadiens dans l'espace,** Dotto, Lydia
* **Dieu ne joue pas aux dés,** Laborit, Henri
* **Frères divorcés, Les,** Godin, Pierre
* **Insolences du Frère Untel, Les,** Desbiens, Jean-Paul
* **J'parle tout seul,** Coderre, Émile
Option Québec, Lévesque, René
* **Oui,** Lévesque, René
* **Provigo,** Provost, René et Chartrand, Maurice
Sur les ailes du temps (Air Canada), Smith, Philip
* **Telle est ma position,** Mulroney, Brian
* **Trois semaines dans le hall du Sénat,** Hébert, Jacques
* **Un second souffle,** Hébert, Diane

SANTÉ/BEAUTÉ

* **Ablation de la vésicule biliaire, L',** Paquet, Jean-Claude
* **Ablation des calculs urinaires, L',** Paquet, Jean-Claude
* **Ablation du sein, L',** Paquet, Jean-claude
* **Allergies, Les,** Delorme, Dr Pierre
Bien vivre sa ménopause, Gendron, Dr Lionel
Charme et sex-appeal au masculin, Lemelin, Mireille
Chasse-rides, Leprince, C.
* **Chirurgie vasculaire, La,** Paquet, Jean-Claude
Comment devenir et rester mince, Mirkin, Dr Gabe
De belles jambes à tout âge, Lanctôt, D^r G.
* **Dialyse et la greffe du rein, La,** Paquet, Jean-Claude
Être belle pour la vie, Bronwen, Meredith
Glaucomes et les cataractes, Les, Paquet, Jean-Claude
* **Grandir en 100 exercices,** Berthelet, Pierre
* **Hernies discales, Les,** Paquet, Jean-Claude
Hystérectomie, L', Alix, Suzanne
Maigrir: La fin de l'obsession, Orbach, Susie
* **Malformations cardiaques congénitales, Les,** Paquet, Jean-Claude
Maux de tête et migraines, Meloche, Dr J. , Dorion, J.
Perdre son ventre en 30 jours H-F, Burstein, Nancy et Roy, Matthews
* **Pontage coronarien, Le,** Paquet, Jean-Claude
* **Prothèses d'articulation,** Paquet, Jean-Claude
* **Redressements de la colonne,** Paquet, Jean-Claude
* **Remplacements valvulaires, Les,** Paquet, Jean-Claude
Ronfleurs, réveillez-vous, Piché, Dr J. et Delage, J.
Syndrome prémenstruel, Le, Shreeve, Dr Caroline
Travailler devant un écran, Feeley, Dr Helen
30 jours pour avoir de beaux cheveux, Davis, Julie
30 jours pour avoir de beaux ongles, Bozic, Patricia
30 jours pour avoir de beaux seins, Larkin, Régina
30 jours pour avoir de belles fesses, Cox, D. et Davis, Julie
30 jours pour avoir un beau teint, Zizmon, Dr Jonathan
30 jours pour cesser de fumer, Holland, Gary et Weiss, Herman
30 jours pour mieux s'organiser, Holland, Gary
30 jours pour redevenir un couple amoureux, Nida, Patricia et Cooney, Kevin
30 jours pour un plus grand épanouissement sexuel, Schneider, A.
Vos dents, Kandelman, Dr Daniel
Vos yeux, Chartrand, Marie et Lepage-Durand, Micheline

SEXUALITÉ

Contacts sexuels sans risques, I.A.S.H.S.
* **Guide illustré du plaisir sexuel,** Corey, Dr Robert et Helg, E.
Ma sexualité de 0 à 6 ans, Robert, Jocelyne
Ma sexualité de 6 à 9 ans, Robert, Jocelyne
Ma sexualité de 9 à 12 ans, Robert, Jocelyne
Mille et une bonnes raisons pour le convaincre d'enfiler un condom et pourquoi c'est important pour vous..., Bretman, Patti, Knutson, Kim et Reed, Paul
* **Nous on en parle,** Lamarche, M. et Danheux, P.
Pour jeunes seulement, photoroman d'éducation à la sexualité, Robert, Jocelyne
Sexe au féminin, Le, Kerr, Carmen
Sexualité du jeune adolescent, La, Gendron, Lionel
Shiatsu et sensualité, Rioux, Yuki
* **100 trucs de billard,** Morin, Pierre

SPORTS

Apprenez à patiner, Marcotte, Gaston
Arc et la chasse, L', Guardo, Greg
Armes de chasse, Les, Petit-Martinon, Charles
Badminton, Le, Corbeil, Jean
* **Canadiens de 1910 à nos jours, Les,** Turowetz, Allan et Goyens, C.
Carte et boussole, Kjellstrom, Bjorn
Comment se sortir du trou au golf, Brien, Luc
Comment vivre dans la nature, Rivière, Bill
Corrigez vos défauts au golf, Bergeron, Yves
* **Curling, Le,** Lukowich, E.
De la hanche aux doigts de pieds, Schneider, Myles J. et Sussman, Mark D.
Devenir gardien de but au hockey, Allaire, François
Golf au féminin, Le, Bergeron, Yves
Grand livre des sports, Le, Groupe Diagram
Guide complet de la pêche à la mouche, Le, Blais, J.-Y.
Guide complet du judo, Le, Arpin, Louis
Guide complet du self-defense, Le, Arpin, Louis
Guide de l'alpinisme, Le, Cappon, Massimo
Guide de la survie de l'armée américaine, Le, Collectif
Guide des jeux scouts, Association des scouts
Guide du trappeur, Le, Provencher, Paul
Initiation à la planche à voile, Wulff, D. et Morch, K.
J'apprends à nager, Lacoursière, Réjean
Je me débrouille à la chasse, Richard, Gilles et Vincent, Serge
Je me débrouille à la pêche, Vincent, Serge
Je me débrouille à vélo, Labrecque, Michel et Boivin, Robert
Je me débrouille dans une embarcation, Choquette, Robert
Jogging, Le, Chevalier, Richard
* **Jouez gagnant au golf,** Brien, Luc
* **Larry Robinson, le jeu défensif,** Robinson, Larry
Manuel de pilotage, Transport Canada
Marathon pour tous, Le, Anctil, Pierre
Maxi-performance, Garfield, Charles A. et Bennett, Hal Zina
Mon coup de patin, Wild, John
Musculation pour tous, La, Laferrière, Serge
* **Partons en camping,** Satterfield, Archie et Bauer, Eddie
Partons sac au dos, Satterfield, Archie et Bauer, Eddie
Passes au hockey, Chapleau, Claude
Pêche à la mouche, La, Marleau, Serge
Pêche à la mouche, Vincent, Serge
Planche à voile, La, Maillefer, Gérard
Programme XBX, Aviation Royale du Canada
Racquetball, Corbeil, Jean
Racquetball plus, Corbeil, Jean
Rivières et lacs canotables, Fédération québécoise du canot-camping
S'améliorer au tennis, Chevalier Richard
Saumon, Le, Dubé, J.-P.

SPORTS

Secrets du baseball, Les,
Raymond, Claude
Ski de randonnée, Le, Corbeil, Jean
Taxidermie, La, Labrie, Jean
Taxidermie moderne, La, Labrie, Jean
Techniques du billard, Morin, Pierre
Techniques du golf, Brien, Luc
Techniques du hockey en URSS,
Dyotte, Guy
Techniques du ski alpin, Campbell, S.,
Lundberg, M.
Techniques du tennis, Ellwanger
Tennis, Le, Roch, Denis
* **Viens jouer**, Villeneuve, Michel José
Vivre en forêt, Provencher, Paul
Volley-ball, Le, Fédération de volley-ball

ANIMAUX

* **Poissons de nos eaux,** Melançon, Claude

ACTUALISATION

Agressivité créatrice, L' - La nécessité de s'affirmer, Bach, Dr G.-R., Goldberg, Dr H.
Aimer, c'est choisir d'être heureux, Kaufman, B.-N.
Arrête! tu m'exaspères - Protéger son territoire, Bach, Dr G., Deutsch, R.
Ennemis intimes, Bach, Dr G., Wyden, P.
Enseignants efficaces - Enseigner et être soi-même, Gordon, Dr T.
États d'esprit, Glasser, W.
Focusing - Au centre de soi, Gendlin, Dr E.T.
Jouer le tout pour le tout, le jeu de la vie, Frederick, C.
Manifester son affection -De la solitude à l'amour, Bach, Dr G., Torbet, L.
Miracle de l'amour, Kaufman, B.-N.
Nouvelles relations entre hommes et femmes, Goldberg, Dr H.
* **Parents efficaces,** Gordon, Dr T.
Se vider dans la vie et au travail - Burnout, Pines, A. , Aronson, E.
Secrets de la communication, Les, Bandler, R., Grinder, J.

DIVERS

* **Coopératives d'habitation, Les,** Leduc, Murielle
* **Hiérarchie ethnique dans la grande entreprise,** Rainville, Jean
* **Initiation au coopératisme,** Bédard, Claude
* **Lune de trop, Une,** Gagnon, Alphonse

ÉSOTÉRISME

Astrologie pratique, L', Reinicke, Wolfgang
Grand livre de la cartomancie, Le, Von Lentner, G.
Grand livre des horoscopes chinois, Le, Lau, Theodora
* **Horoscope chinois,** Del Sol, Paula
Lu dans les cartes, Jones, Marthy
Synastrie, La, Thornton, Penny
Traité d'astrologie, Hirsig, H.

GUIDES PRATIQUES/JEUX/LOISIRS

* **1,500 prénoms et significations,** Grisé-Allard, J.
* **Backgammon,** Lesage, D.

NOTRE TRADITION

* **Lettre à un Français qui veut émigrer au Québec**, Dubuc, Carl

PSYCHOLOGIE/VIE AFFECTIVE ET PROFESSIONNELLE

Adieu, Halpern, Dr Howard
Adieu Tarzan, Franks, Helen
Aimer son prochain comme soi-même, Murphy, Dr Joseph
* **Anti-stress, L',** Eylat, Odette
Apprendre à vivre et à aimer, Buscaglia, L.
Art d'engager la conversation et de se faire des amis, L', Gabor, Don
Art de convaincre, L', Heinz, Ryborz
* **Art d'être égoïste, L',** Kirschner, Joseph
Autre femme, L', Sévigny, Hélène
Bains flottants, Les, Hutchison, Michael
Ces hommes qui ne communiquent pas, Naifeh S. et White, S.G.
Ces vérités vont changer votre vie, Murphy, Dr Joseph
Comment aimer vivre seul, Shanon, Lynn
Comment dominer et influencer les autres, Gabriel, H.W.
Comment faire l'amour à la même personne pour le reste de votre vie!, O'Connor, D.
Comment faire l'amour à une femme, Morgenstern, M.
Comment faire l'amour à un homme, Penney, A.
Comment faire l'amour ensemble, Penney, A.
Contacts en or avec votre clientèle, Sapin Gold, Carol
Contrôle de soi par la relaxation, Le, Marcotte, Claude
Dire oui à l'amour, Buscaglia, Léo
* **Famille moderne et son avenir, La,** Richards, Lyn
Femme de demain, Keeton, K.
Gestalt, La, Polster, Erving
Homme au dessert, Un, Friedman, Sonya
Homme nouveau, L', Bodymind, Dychtwald Ken
Influence de la couleur, L', Wood, Betty
Jeux de nuit, Bruchez, C.
Maigrir sans obsession, Orbach, Susie
Maîtriser son destin, Kirschner, Joseph
Massage en profondeur, Le, Painter, J., Bélair, M.
Mémoire, La, Loftus, Élizabeth
* **Mémoire à tout âge, La,** Dereskey, Ladislaus
Miracle de votre esprit, Le, Murphy, Dr Joseph
Négocier entre vaincre et convaincre, Warschaw, Dr Tessa
On n'a rien pour rien, Vincent, Raymond
Oracle de votre subconscient, L', Murphy, Dr Joseph

PSYCHOLOGIE/VIE AFFECTIVE ET PROFESSIONNELLE

Passion du succès, La, Vincent, R.
Pensée constructive et bon sens, La, Vincent, Raymond
* **Personnalité, La,** Buscaglia, Léo
Petit répertoire des excuses, Le, Charbonneau, C., Caron, N.
Pourquoi remettre à plus tard?, Burka, Jane B., Yuen, L.M.
Pouvoir de votre cerveau, Le, Brown, Barbara
Puissance de votre subconscient, La, Murphy, Dr Joseph
Réfléchissez et devenez riche, Hill, Napoleon
S'aimer ou le défi des relations humaines, Buscaglia, Léo
Sexualité expliquée aux adolescents, La, Boudreau, Y.
Succès par la pensée constructive, Le, Hill, Napoleon et Stone, W.-C.
Transformez vos faiblesses en force, Bloomfield, Dr Harold
Triomphez de vous-même et des autres, Murphy, Dr Joseph
Univers de mon subconscient, L', Vincent, Raymond
Vaincre la dépression par la volonté et l'action, Marcotte, Claude
Vieillir en beauté, Oberleder, Muriel
Vivre avec les imperfections de l'autre, Janda, Dr Louis H.
Vivre c'est vendre, Chaput, Jean-Marc

ROMANS/ESSAIS

* **Affrontement, L',** Lamoureux, Henri
* **C't'a ton tour Laura Cadieux,** Tremblay, Michel
* **Cœur de la baleine bleue, Le,** Poulin, Jacques
* **Coffret petit jour,** Martucci, Abbé Jean
* **Contes pour buveurs attardés,** Tremblay, Michel
* **De Z à A,** Losique, Serge
* **Femmes et politique,** Cohen, Yolande
* **Il est par là le soleil,** Carrier, Roch
* **Jean-Paul ou les hasards de la vie,** Bellier, Marcel
* **Neige et le feu, La,** Baillargeon, Pierre
* **Objectif camouflé,** Porter, Anna
* **Oslovik fait la bombe,** Oslovik
* **Train de Maxwell, Le,** Hyde, Christopher
* **Vatican -Le trésor de St-Pierre,** Malachi, Martin

SANTÉ

Tao de longue vie, Le, Soo, Chee
Vaincre l'insomnie, Filion, Michel et Boisvert, Jean-Marie

SPORT

* **Guide des rivières du Québec,** Fédération cano-kayac
* **Ski nordique de randonnée,** Brady, Michael

TÉMOIGNAGES

Merci pour mon cancer, De Villemarie, Michelle

COLLECTIFS DE NOUVELLES

* **Aimer,** Beaulieu, V.-L., Berthiaume, A., Carpentier, A., Daviau, D.-M., Major, A., Provencher, M., Proulx, M., Robert, S. et Vonarburg, E.
* **Crever l'écran,** Baillargeon, P., Éthier-Blais, J., Blouin, C.-R., Jacob, S., Jean, M., Laberge, M., Lanctôt, M., Lefebvre, J.-P., Petrowski, N. et Poupart, J.-M.
* **Dix contes et nouvelles fantastiques,** April, J.-P., Barcelo, F., Bélil, M., Belleau, A., Brossard, J., Brulotte, G., Carpentier, A., Major, A., Soucy, J.-Y. et Thériault, M.-J.
* **Dix nouvelles de science-fiction québécoise,** April, J.-P., Barbe, J., Provencher, M., Côté, D., Dion, J., Pettigrew, J., Pelletier, F., Rochon, E., Sernine, D., Sévigny, M. et Vonarburg, E.
* **Dix nouvelles humoristiques,** Audet, N., Barcelo, F., Beaulieu, V.-L., Belleau, A., Carpentier, A., Ferron, M., Harvey, P., Pellerin, G., Poupart, J.-M. et Villemaire, Y.
* **Fuites et poursuites,** Archambault, G., Beauchemin, Y., Bouyoucas, P., Brouillet,C., Carpentier, A., Hébert, F., Jasmin, C., Major, A., Monette, M. et Poupart, J.-M.
* **L'aventure, la mésaventure,** Andrès, B., Beaumier, J.-P., Bergeron, B., Brulotte, G., Gagnon, D., Karch, P., LaRue, M., Monette, M. et Rochon, E.

DIVERS

* **Beauté tragique,** Robertson, Heat
* **Canada — Les débuts héroïques,** Creighton, Donald
* **Défi québécois, Le,** Monnet, François-Marie
* **Difficiles lettres d'amour,** Garneau, Jacques
* **Esprit libre, L',** Powell, Robert
* **Grand branle-bas, Le,** Hébert, Jacques et Strong, Maurice F.
* **Histoire des femmes au Québec, L',** Collectif, CLIO
* **Mémoires de J. E. Bernier, Les,** Therrien, Paul

DIVERS

* **Mythe de Nelligan, Le,** Larose, Jean
* **Nouveau Canada à notre mesure,** Matte, René
* **Papineau,** De Lamirande, Claire
* **Personne ne voudrait savoir,** Schirm, François
* **Philosophe chat, Le,** Savoie, Roger
* **Pour une économie du bon sens,** Bailey, Arthur
* **Québec sans le Canada, Le,** Harbron, John D.
* **Qui a tué Blanche Garneau?,** Bertrand, Réal
* **Réformiste, Le,** Godbout, Jacques
* **Relations du travail,** Centre des dirigeants d'entreprise
* **Sauver le monde,** Sanger, Clyde
* **Silences à voix haute,** Harel, Jean-Pierre

LIVRES DE POCHES 10 /10

* **37 1/2 AA,** Leblanc, Louise
* **Aaron,** Thériault, Yves
* **Agaguk,** Thériault, Yves
* **Blocs erratiques,** Aquin, Hubert
* **Bousille et les justes,** Gélinas, Gratien
* **Chère voisine,** Brouillet, Chrystine
* **Cul-de-sac,** Thériault, Yves
* **Demi-civilisés, Les,** Harvey, Jean-Charles
* **Dernier havre, Le,** Thériault, Yves
* **Double suspect, Le,** Monette, Madeleine
* **Faire sa mort comme faire l'amour,** Turgeon, Pierre
* **Fille laide, La,** Thériault, Yves
* **Fuites et poursuites,** Collectif
* **Première personne, La,** Turgeon, Pierre
* **Scouine, La,** Laberge, Albert
* **Simple soldat, Un,** Dubé, Marcel
* **Souffle de l'Harmattan, Le,** Trudel, Sylvain
* **Tayaout,** Thériault, Yves

LIVRES JEUNESSE

* **Marcus, fils de la louve,** Guay, Michel et Bernier, Jean

MÉMOIRES D'HOMME

* **À diable-vent,** Gauthier Chassé, Hélène
* **Barbes-bleues, Les,** Bergeron, Bertrand
* **C'était la plus jolie des filles,** Deschênes, Donald
* **Bête à sept têtes et autres contes de la Mauricie, La,** Legaré, Clément
* **Contes de bûcherons,** Dupont, Jean-Claude
* **Corbeau du Mont-de-la-Jeunesse, Le,** Desjardins, Philémon et Lamontagne, Gilles
* **Guide raisonné des jurons,** Pichette, Jean
* **Menteries drôles et merveilleuses,** Laforte, Conrad
* **Oiseau de la vérité, L',** Aucoin, Gérard
* **Pierre La Fève et autres contes de la Mauricie,** Legaré, Clément

ROMANS/THÉÂTRE

* **1, place du Québec, Paris VIe,** Saint-Georges, Gérard
* **7° de solitude ouest,** Blondin, Robert
* **37 1/2 AA,** Leblanc, Louise
* **Ah! l'amour l'amour,** Audet, Noël
* **Amantes,** Brossard, Nicole
* **Amour venin, L',** Schallingher, Sophie
* **Aube de Suse, L',** Forest, Jean
* **Aventure de Blanche Morti, L',** Beaudin-Beaupré, Aline
* **Baby-boomers,** Vigneault, Réjean
* **Belle épouvante, La,** Lalonde, Robert
* **Black Magic,** Fontaine, Rachel
* **Cœur sur les lèvres, Le,** Beaudin-Beaupré, Aline
* **Confessions d'un enfant d'un demi-siècle,** Lamarche, Claude
* **Coup de foudre,** Brouillet, Chrystine
* **Couvade, La,** Baillie, Robert
* **Danseuses et autres nouvelles, Les,** Atwood, Margaret
* **Double suspect, Le,** Monette, Madeleine
* **Entre temps,** Marteau, Robert
* **Et puis tout est silence,** Jasmin, Claude
* **Été sans retour, L',** Gevry, Gérard
* **Filles de beauté, Des,** Baillie, Robert
* **Fleur aux dents, La,** Archambault, Gilles
* **French Kiss,** Brossard, Nicole
* **Fridolinades, T. 1, (1945-1946),** Gélinas, Gratien
* **Fridolinades, T. 2, (1943-1944),** Gélinas, Gratien
* **Fridolinades, T. 3, (1941-1942),** Gélinas, Gratien
* **Fridolinades, T. 4, (1938-39-40),** Gélinas, Gratien
* **Grand rêve de Madame Wagner, Le,** Lavigne, Nicole
* **Héritiers, Les,** Doyon, Louise
* **Hier, les enfants dansaient,** Gélinas, Gratien
* **Holyoke,** Hébert, François
* **IXE-13,** Saurel, Pierre
* **Jérémie ou le Bal des pupilles,** Gendron, Marc
* **Livre, Un,** Brossard, Nicole
* **Loft Story,** Sansfaçon, Jean-Robert
* **Maîtresse d'école, La,** Dessureault, Guy
* **Marquée au corps,** Atwood, Margaret
* **Mensonge de Maillard, Le,** Lavoie, Gaétan
* **Mémoire de femme, De,** Andersen, Marguerite
* **Mère des herbes, La,** Marchessault, Jovette
* **Mrs Craddock,** Maugham, W. Somerset
* **Nouvelle Alliance, La,** Fortier, Jacques
* **Nuit en solo,** Pollak, Véra
* **Ours, L',** Engel, Marian
* **Passeport pour la liberté,** Beaudet, Raymond
* **Petites violences,** Monette, Madeleine
* **Père de Lisa, Le,** Fréchette, José
* **Plaisirs de la mélancolie,** Archambault, Gilles
* **Pop Corn,** Leblanc, Louise
* **Printemps peut attendre, Le,** Dahan, Andrée
* **Rose-Rouge,** Pollak, Véra
* **Sang de l'or, Le,** Leblanc, Louise
* **Sold Out,** Brossard, Nicole
* **Souffle de l'Harmattan, Le,** Trudel, Sylvain
* **So Uk,** Larche, Marcel
* **Triangle brisé, Le,** Latour, Christine
* **Vaincre sans armes,** Descarries, Michel et Thérèse
* **Y'a pas de métro à Gélude-la-Roche,** Martel, Pierre